BEST SELLERS

RICHARD MARTIN STERN

LA TOUR

roman

traduit de l'américain par Yves Malartic

ÉDITIONS ROBERT LAFFONT

Cet ouvrage a été publié pour la première fois aux États-Unis, par David McKay Company, Inc., à New York, sous le titre :

THE TOWER

Imprimé aux Etats-Unis, 1976

Ce bâtiment, le plus haut et le plus moderne du monde, rend un hommage triomphant et durable à l'ingéniosité, à l'habileté et à l'imagination de l'homme.

GROVER FRAZEE, à la cérémonie d'inauguration de la World Tower.

Un monument à la gloire de Mammon, produit par l'insatiable orgueil de l'homme, un outrage aux dieux ! Que tant de trésors aient pu être gaspillés dans la construction de cette... cette monstruosité alors que la misère, oui, et même la faim, règnent encore dans notre pays, c'est une abomination ! La vengeance divine sera inévitable !

RÉVÉREND JOE WILLIE THOMAS, dans un entretien avec la presse.

Les comptes rendus des témoins oculaires et les dépositions des experts diffèrent tellement qu'il est difficile, sinon impossible, de discerner où l'on pourrait découvrir la vérité au sujet de ce désastre.

RAPPORT OFFICIEL DE LA COMMISSION D'ENQUÊTE.

Le bâtiment de cent vingt-cinq étages se dressait, élancé et étincelant, depuis le niveau de la rue jusqu'à celui de la salle d'honneur. Au-dessus de cette pièce les antennes de radio et de télévision pointaient, nettement distinctes, vers le ciel.

Par comparaison avec les masses jumelles du Trade Center, cette nouvelle construction semblait svelte, presque délicate, et suggérait une idée de grâce et de beauté apparemment fragiles. Pourtant les huit étages de sous-sol s'ancraient profondément comme des racines dans le rocher de l'île et, judicieusement conçus, le noyau et le squelette externe avaient la vigueur d'un ressort en acier laminé.

Ses bureaux, ses studios, ses magasins devaient abriter quinze mille personnes lorsqu'ils seraient entièrement occupés ; en outre on comptait que vingt-cinq mille visiteurs y défileraient tous les jours.

Grâce à son réseau de téléphone, de radio et de télévision, accessible dès le rez-de-chaussée, ses émissions transatmosphériques ou réfléchies par satellite étendraient sa sphère de communication à toute la planète.

Bien entendu ces systèmes permettraient de communiquer d'une pièce à l'autre, d'un étage à l'autre, depuis le sous-sol le plus profond jusqu'au sommet de la Tour.

Le building s'était élevé d'étage en étage et offrait un aspect merveilleux.

Les énormes grues avaient hissé jusqu'à la hauteur désirée des poutres d'acier et les y avaient maintenues cependant que les canons à rivets annonçaient au voisinage, dans un tintamarre infernal, que chaque pièce de la charpente métallique était assujettie. Puis, ayant achevé leur tâche à un étage, ces grues s'étaient hissées les unes les autres, pareilles à des monstres doués de raison, jusqu'à l'étage supérieur où elles avaient répété la même opération.

Pendant que la structure s'élevait des spécialistes tissaient et tressaient ses artères, ses veines, ses nerfs et ses muscles : des kilomètres de fil métallique, de tuyauteries, de gaines, de câbles, de conduits pour assurer le chauffage, la ventilation, la climatisation avec des milliers d'entrées et de sorties d'air. Partout des systèmes d'observation et de contrôle automatiques veilleraient à l'état de l'atmosphère intérieure du bâtiment, à sa santé, à sa vie.

Des instruments de mesure transmettraient à des ordinateurs des renseignements sur la température, le degré d'humidité, les courants d'air, la pureté ou l'impureté de l'air. Ces ordinateurs assimileraient ces données, les évalueraient et répondraient en donnant des ordres à d'autres engins pour faire durer ou pour modifier la situation.

Les dix étages supérieurs, encore offerts à la chaleur du soleil couchant, sont-ils plus chauds que souhaitable ? Alors le flux d'air frais s'accélérera à cette hauteur.

Les dix étages les plus proches du sol rafraîchissent-ils trop vite au crépuscule ? Alors, le flux d'air conditionné ralentira et en cas de besoin les souffleries cracheront de l'air chaud.

Le bâtiment respirait donc, manipulait ses systèmes internes et ne dormait que dans la mesure où dort un corps humain : cœur, poumons, organes d'épuration fonctionnant comme mus par un système de pilotage automatique et les pulsations micro-électriques de l'encéphale ne s'arrêtant jamais.

Dans l'ensemble le bâtiment avait la couleur de l'argent bruni : des panneaux d'aluminium galvanisé recouvraient le squelette d'acier mais des myriades de fenêtres aux vitres incassables teintées de vert apparaissaient sur les façades.

La Tour s'élevait au milieu d'une place dégagée à son usage. Sa hauteur dominait le centre de la ville. En bas, des arcades de trois étages abritaient un périmètre de galeries marchandes. De grands portails donnaient accès à des vestibules de deux étages au centre desquels se trouvaient des batteries d'ascenseur, des cages d'escalier à l'ancienne et d'escaliers roulants. Dans ces vestibules se trouvaient aussi magasins et échoppes.

Des hommes avaient eu l'idée de ce building, en avaient conçu les détails et l'avaient construit parfois presque avec amour, parfois avec un sentiment proche de la haine parce que, comme tous les grands projets humains, la Tour n'avait pas tardé à manifester un caractère qui lui était propre et aucun individu intimement lié à sa construction ne pouvait échapper à son influence.

En vertu d'un phénomène de choc en retour, tout ce que l'homme conçoit en son esprit ou crée de ses mains s'intègre à sa personnalité.

Ce matin-là, le bâtiment était enfin construit. Les premiers rayons du soleil levant faisaient étinceler son sommet alors que le reste de la ville dormait encore dans l'ombre. Des milliers d'hommes qui avaient participé à sa conception et à son édification ne devaient jamais oublier cette journée.

PREMIÈRE PARTIE

1

9 heures — 9 heures et 33 minutes

La police avait déposé ses barrières métalliques sur le square de la Tour dès le lever du soleil ce vendredi matin. A neuf heures, des employés municipaux les alignaient à leur place. Mais la foule n'était pas encore là.

Ciel sans nuages, bleu, limpide. La douce brise qui montait du port balayait la place, y apportant une odeur fraîche et saline. Partout flottaient des drapeaux. Deux agents de police seulement étaient de service devant l'arcade principale. Il devait en arriver d'autres durant l'heure suivante.

L'agent Shannon disait : « Au moins ce n'est pas une affaire politique aujourd'hui, Dieu merci. La manière dont certains individus s'excitent dans les manifestations politiques est devenue un péché, une honte et un gâchis. » Il leva les yeux vers le sommet titanique et brillant de l'édifice. « Il monte presque jusqu'au ciel, dit-il. Très haut, bien au-dessus des petites zizanies humaines. »

L'agent Barnes répondit en souriant : « Admirez ce philosophe ! » L'agent Barnes était un Noir. « Quand on t'écoute on croirait que tous les Irlandais sont paisibles, affectueux, patients, doux, réfléchis, réfractaires à la violence et qu'ils ne s'excitent jamais. » Titulaire d'un diplôme de sociologie, Barnes figurait sur la liste de promotion au grade de sergent. Il pensait déjà qu'un jour il serait peut-être capitaine. Il ricana en considérant son camarade Shannon : « Dis donc, mon ami, à Londonderry, au pays de tes aïeux, les manifestants ne se conduisent pas toujours comme à des pique-niques de paroissiens.

— Mais c'est seulement si on les provoque, répondit Shannon en souriant à son tour. Je ne prétends pas que la provocation soit toujours flagrante. Parfois elle est aussi discrète qu'une souris cachée dans son trou. » Le sourire s'effaça à l'approche d'un quidam. « Où allez-vous, ou plutôt où croyez-vous aller ? » Plus tard, on apprit que cet homme s'appelait John Connors. Il portait une boîte à outils. Dans leur déposition, Barnes et Shannon déclarèrent tous deux qu'il portait un bleu de travail et un casque d'aluminium brillant. Il affectait, dirent-ils, l'insolence propre à l'ouvrier qualifié auquel on pose des questions stupides.

« Où ai-je l'air d'aller ? demanda-t-il. A l'intérieur, bien sûr. » Connors marqua un temps d'arrêt et ajouta avec un rictus de mépris : « Sauf si vous voulez m'empêcher d'entrer. » Il dit cela comme un défi.

« On ne travaille pas aujourd'hui dans ce building, dit Barnes.

— Je le sais.

— Alors ? »

Connors soupira. « Je devrais être chez moi. Au lit. Tout le monde a congé aujourd'hui pendant que les gros bonnets feront des discours et grimperont tout là-haut pour boire du champagne. Pourtant me voilà ici parce que le patron m'a téléphoné d'amener ma viande pour y faire un travail.

— Quel travail ? insista Barnes.

— Je suis électricien, répondit Connors. Si je vous expliquais ce que je dois faire est-ce que vous comprendriez ? »

Non, sans doute pas, pensa Barnes. Mais ce n'était pas cela qui lui importait. Il se souciait de la consigne qu'on lui avait donnée et elle manquait de précision.

Le sergent de service avait dit : « Shannon et vous, allez là-bas et observez ce qui se passe. Il y aura des barrières pour tenir la foule à l'écart et nous ne prévoyons aucun ennui, mais... » Le sergent avait haussé les épaules avec une mimique indiquant que, toujours, partout, tout pouvait arriver.

Or les deux agents savaient fort bien ce qui pouvait se passer de nos jours : tout rassemblement semblait gros de désordres. Bon, alors ils étaient venus à la Tour pour y voir ce qui se passait. Consigne trop vague qui ne leur permettait guère d'empêcher cet ouvrier d'aller à son travail.

« Vous avez une carte syndicale, mon ami ? demanda Barnes, presque à mi-voix.

— A quel titre me demandez-vous ça ? Vous êtes inspecteur du travail maintenant ? Eh bien oui, je ne suis pas un jaune. J'ai ma carte syndicale. » Il tira son portefeuille de sa poche et l'agita sous les yeux des agents. Peut-être y avait-il une carte dedans, mais ni Barnes ni Shannon ne la virent. « Ça vous suffit ? » Connors remit son portefeuille dans sa poche.

L'attitude de cet homme agaçait Shannon. « Laisse-le passer », dit-il à Barnes.

Pourtant ce dernier hésitait encore. Plus tard il avoua que cette hésitation n'était fondée sur aucun motif explicable. Il s'agissait seulement d'une impression, peut-être même d'une prémonition, mais extrêmement vague. Or les actes inspirés par des sentiments aussi subjectifs sont presque toujours regrettables.

« Eh bien quoi ! dit Connors. Décidez-vous, bon Dieu ! Rien qu'à glander devant la porte je coûte déjà de l'argent à mon patron...

— Passez », dit Shannon. Une veine de son cou palpitait. Il se tourna vers son camarade. « On ne nous a pas interdit de laisser entrer. Laissons passer ce zigomar. Il s'électrocutera peut-être. »

Voilà ce qu'ils se rappelèrent et déclarèrent par la suite.

La date des cérémonies d'inauguration avait été fixée des mois à l'avance. Il en va toujours ainsi et cela ne peut pas se passer autrement, bien que les délais de construction soient élastiques. Or les personnalités qui devaient participer à cet événement viendraient de Washington, de diverses capitales d'Etat, de l'hôtel de ville, des Nations unies. Viendraient aussi les directeurs de réseaux de télévision et de radio, d'agences de presse couvrant le monde entier, tous ceux qui voulaient y assister et surtout y être vus et même ceux qui auraient préféré rester chez eux mais avaient été pris au piège d'une invitation lancée longtemps à l'avance.

Nat Wilson était assis dans son bureau, face à un mur couvert de plans et d'esquisses de la gigantesque Tour. Will Giddings lui dit : « Il y a encore une cinquantaine de questions que j'aurais voulu régler. Une centaine, même

— Moi aussi », répondit Nat. C'était vrai. Après avoir peiné pendant plusieurs années sur la même tâche on ne parvient jamais à croire qu'elle est terminée. Comme l'artiste qui achève son chef-d'œuvre on remarque quelques petits défauts, de-ci, de-là et on voudrait avoir le temps d'y remédier. Mais ce jour-là il était trop tard pour Will et pour Nat.

« Et puis, sacrebleu, reprit Giddings, je ne veux pas que les huiles plastronnent dans tous les coins comme des touristes. Nous ne sommes pas prêts. Vous le savez et moi aussi. »

Nat se demanda si, le soir de la première, comédiens et metteur en scène se lamentaient toujours ainsi avant le lever du rideau. Puis cette analogie lui sembla bizarre. « Nous ne sommes pas prêts, dit-il, d'accord. Et après ? » Il était le plus jeune des deux. Ingénieur et architecte, de taille moyenne, robuste, il se laissait rarement emporter.

« Le cent vingt-cinquième étage, juste au-dessous des antennes... soupira Giddings. Ils vont boire, échanger des félicitations et des tapes sur le dos. Leur vue s'étendra sur combien de kilomètres carrés d'océan et de continent ? Impossible de remettre cette réunion à plus tard parce que les invités sont trop importants : sénateurs, représentants, le gouverneur, le maire, des types de l'ONU, des vedettes de cinéma, des mirontons de ce genre-là.

— Oui, des mirontons comme ça », dit Nat.

Grand, gros, les cheveux grisonnants, les yeux bleus, Giddings avait joué dans cette construction le rôle de représentant du propriétaire. Il n'avait guère plus de quarante ans. Sans doute possédait-il un diplôme d'ingénieur oublié au fond d'un tiroir. Pendant leurs années de travail ensemble Nat l'avait vu parfois devant sa planche à dessin, la règle à calculer en main. Mais il semblait plus dans son élément casqué de métal sur un monte-charge ouvert à tous vents, ou bien en train de parcourir les charpentes métalliques à des hauteurs vertigineuses ou encore les tunnels des sous-sols afin de vérifier de ses propres yeux si les travaux étaient accomplis correctement. « Je ne bois pas de cocktails, dit-il. Je ne mange pas non plus des petits machins qu'on pique au bout d'un cure-dents. Vous ça vous plaît peut-être. » Il était inquiet, c'était évident.

« Il ne s'agit pas de ça, dit Nat. Grover Frazee a décidé de la date, c'est votre patron. »

Giddings s'assit enfin. Il allongea les jambes mais apparemment cela ne le détendit pas. « Mon patron ! dit-il en hochant la tête. Ces hommes d'affaires sont indispensables, mais rien ne nous oblige à les aimer. Vous aviez encore la morve au nez sans doute quand la construction a commencé... Il y a combien de temps ? Sept ans ?

— A peu près », dit Nat. Il pensa aux premières esquisses préliminaires, à la conception du projet, sous l'impulsion de Ben Caldwell dont il suivait pas à pas toutes les idées, mais de temps en temps son imagination s'envolait lorsque son patron lui exposait ses visions gigantesques. Il ne put résister à l'envie de jeter un coup d'œil par la fenêtre vers la Tour qui se découpait au loin, nette, pure, splendide sur le fond bleu du ciel : le produit de tant d'années de travail ! « Et alors ?

— C'est mon édifice, nom de Dieu, fiston ! s'exclama Giddings. Oh, bien sûr vous avez droit à une part vous aussi. Mais moi j'ai suivi le travail depuis le début, depuis les excavations qui nous ont conduits à l'assise rocheuse de l'île, à quatre-vingts pieds sous terre. J'ai surveillé la construction, poutre d'acier par poutre d'acier, jusqu'à mille cinq cent vingt-sept pieds au-dessus du niveau de la terre. Je connais chaque pièce des fondations, chaque colonne, chaque fiche et contre-fiche aussi bien que je connaîtrais mes propres enfants si j'en avais. »

Cette proclamation n'exigeait aucun commentaire. Nat resta silencieux.

« Impassible et renfermé, voilà ce que vous êtes, reprit Giddings d'un ton hargneux. Vous me faites penser à la profondeur des eaux dormantes. Mais peu importe. » Il jeta à son tour un coup d'œil vers la Tour. « J'ai aussi perdu des amis dans ce boulot. C'est toujours comme ça dans les grands travaux. » Il se retourna vers Nat. « Vous vous rappelez Pete Janowoski ? »

Nat secoua légèrement la tête.

« Il a dépassé l'extrémité d'une poutre, au soixante-cinquième étage, et il s'est écrasé sur une rampe de ciment, dans les fondations.

— Ah oui, c'est celui-là, dit Nat dont la mémoire s'éveillait.

— Un grand Polonais, un brave type. Il n'avait jamais l'air pressé mais avec lui le travail était toujours fait comme il le fallait, de la manière la plus sûre. C'est ça qui m'a bouleversé. Quand on ne comprend pas la raison d'une catastrophe comme celle-là, on est inquiet. »

La voix et l'attitude de Giddings avaient quelque chose d'étrange : crispé, tel était le mot exact. Nat lui dit posément : « Où voulez-vous en venir, au juste ? »

Giddings poursuivit comme s'il ne l'avait pas entendu. « En général, on comprend pourquoi tel ou tel individu agit de telle ou telle manière. Quand je lis dans le journal qu'un type a volé dans une banque, je me dis : le pauvre idiot avait besoin d'argent, il lui en fallait peut-être absolument et il n'a rien imaginé d'autre. Ce n'est pas une excuse, mais au moins une explication. Regardez ces trucs-là. »

Il tira de la poche intérieure de son veston de velours côtelé une enveloppe de papier fort qu'il jeta sur le bureau puis il regarda, impassible, Nat ouvrir cette enveloppe, en répandre le contenu sur son buvard : des feuilles de papier épais, celui qui sert aux photocopies ; elles étaient couvertes d'esquisses, de chiffres avec quelques annotations.

Nat releva la tête.

« Regardez-les attentivement », dit Giddings.

Nat étudia les feuillets un à un. Puis il releva la tête de nouveau. « Des ordres de dérogation au cahier des charges, dit-il d'une voix calme et il souhaita que son visage n'exprimât rien. Tous sont signés de mon nom. » Si étonnant que cela soit, sa voix resta aussi calme. « Ils concernent l'installation électrique. Ce n'est pas mon rayon.

— Mais personne n'aurait mis votre signature en doute. Caldwell, l'architecte maître d'œuvre... C'est vous qui le représentiez au chantier. Quand vous donniez un ordre, on l'exécutait. » Giddings se leva, fit deux pas et se laissa de nouveau tomber sur sa chaise. Il attendit, le regard fixé sur le visage de Nat qui scrutait un des ordres de modification. Ses mains ne tremblaient pas, le papier lui-même ne frémissait pas mais Nat était paralysé mentalement. « Est-ce qu'on a exécuté ces ordres ? demanda-t-il.

— Je n'en sais rien. Je n'ai vu ces papiers qu'hier soir.

— S'ils ont été exécutés cela ne pouvait pas vous échapper.

— Je ne peux pas être partout à la fois, dit Giddings. Vous non plus d'ailleurs. J'ai le cahier des charges, j'ai les fiches indiquant que le travail a été exécuté conformément aux spécifications. Dès qu'on s'écarte du plan original sur un point quelconque, j'ai un document qui approuve la modification. Mais je n'avais encore jamais vu ces ordres-là, ni aucun du même genre. S'ils étaient tombés sous mes yeux, j'aurais fait un foin du diable !

— Moi aussi », dit Nat.

Après un moment de silence Giddings reprit : « Qu'est-ce que vous voulez dire ?

— Ce n'est pas moi qui les ai signés, répondit Nat. Je ne sais pas qui l'a fait, ni pourquoi, mais ce n'est pas moi. »

Giddings se leva de nouveau et cette fois il alla jusqu'à la fenêtre. Le regard perdu sur l'horizon hérissé d'immeubles que dominait la Tour, il dit au bout d'un moment : « Je m'attendais à cette réponse. »

Nat sourit amèrement. « Evidemment », dit-il. Le choc initial de la surprise passé, l'esprit redevient clair, le cerveau fonctionne comme il y a été entraîné, comme un maudit petit ordinateur. « Si j'avais signé ces modifications, je le nierais, naturellement, du moins au début. Je ne les ai pas signées. Aussi je le nie, de même, mais pour une raison différente. Dans les deux cas ma réponse doit être la même, n'est-ce pas ? »

Giddings s'était retourné vers le bureau. « Que vous soyez un salopard ou pas, vous ne manquez pas de logique », dit-il.

Après le choc et la récupération vint la colère. « J'irai plus loin, dit Nat. Pourquoi aurais-je signé ces trucs-là ? Pour quelle raison ?

— Je ne sais pas, dit Giddings. C'est pourquoi je ne cherche pas à vous arracher la vérité sur-le-champ.

— Et vous faites bien », répondit Nat d'une voix toujours aussi calme. Il reprit un des feuillets d'une main qui ne tremblait toujours pas, le considéra et le laissa tomber sur les autres.

Giddings reprit d'un ton moins agressif : « Quelles saloperies ont bien pu se glisser dans les murs de mon building ? Combien d'économies les entrepreneurs ont-ils faites autour de nous sans que nous nous en rendions compte. Jusqu'où ça va-t-il ? »

Nat posa la main à plat sur son bureau d'un geste définitif. « Je ne peux répondre à aucune de ces questions, dit-il, mais il va falloir s'en occuper. »

Le regard fixé sur le visage de Nat, Giddings prit son temps. « Cherchez de votre côté, dit-il enfin, et moi du mien. » Il montra la pile d'ordres de modification. Gardez ça, j'en ai fait faire des copies. Votre patron en a déjà un jeu complet. Sachez-le pour le cas où vous hésiteriez à le mettre au parfum. » Il alla à la porte et se retourna, la main sur la poignée. « Si ces signatures sont vraiment de votre main, je m'occuperai de vous mon garçon. » Il sortit.

Nat resta à sa place. Il feuilleta la liasse de papiers d'un doigt distrait. Les signatures étaient nettement lisibles ;

N H Wilson. Nathan Hale : les prénoms choisis par son père. Un nommé Nathan Hale avait été pendu. Il semblait maintenant à Nat que quelqu'un essayait de le faire pendre à son tour. Eh bien, pensa-t-il, si celui-là s'imagine que je monterai docilement les marches de l'échafaud, il se trompe.

Il décrocha le téléphone et dit à Jennie, la standardiste : « Passez-moi le bureau de monsieur Caldwell, chérie. » Ensuite il s'adressa à Mollie Wu, la secrétaire de Caldwell. « Ici Nat. Il faut que je voie le patron, c'est urgent.

— J'allais justement vous appeler, répondit Mollie d'une voix qui ne dénotait rien du tout. Il vous attend. »

Le bureau du patron était installé dans une pièce d'angle immense, impressionnante. Quant à lui, c'était un homme de petite taille, fluet, aux cheveux clairsemés, soigneusement aplatis sur le crâne, aux petits yeux clairs et aux mains délicates. Net, calme, précis, il devenait implacable dans tous les domaines concernant l'art, l'architecture et le travail d'ingénieur. Il était à la fenêtre et contemplait le panorama de la métropole lorsque Nat frappa et entra. « Asseyez-vous », dit-il sans bouger. Il resta le dos tourné, sans en dire plus.

Nat s'assit et attendit.

« Le grand phare d'Alexandrie sur l'île de Pharos, dit Caldwell. Pendant près de mille ans il a guidé les bateaux qui pénétraient dans le Nil. » Il fit demi-tour. A contre-jour sa silhouette se détacha sur le fond du ciel. « Il y a quelques semaines j'ai rencontré le capitaine du *France*. Il m'a dit que lorsque les bateaux arrivent en Amérique après avoir traversé l'océan, le premier amer qu'ils aperçoivent c'est le sommet de cette Tour que nous avons conçue et à la construction de laquelle nous avons veillé. C'est le Pharos moderne. Voilà ce qu'il m'a dit. » Caldwell alla s'asseoir à son bureau. Nat vit alors distinctement son visage qui n'exprimait rien. Des photocopies s'étalaient, éparses sur le sous-main. « Qu'a-t-on fait à notre Tour, Nat ?

— Je ne sais pas, monsieur. »

Caldwell montra les photocopies. « Vous avez vu ces ordres de modification ?

— Oui. monsieur. et j'en ai parlé avec Giddings. » Un bref instant de silence. « Ou plus exactement j'ai écouté Giddings. » Nat marqua une autre pause. « Sachez que ces signatures ne sont pas de ma main. Je ne me serais jamais permis de cafouiller dans des questions d'installation électrique sans avoir l'approbation de Lewis. » Il s'agissait de Joseph Lewis et Cie, ingénieurs électriciens. Nat eut alors l'impression absurde qu'il ne parlait que pour lui-même.

« Vous ne vous seriez pas permis... dit Caldwell. Cette formule n'a aucun sens dans cette conjoncture. Théoriquement personne ne se serait permis d'ordonner ou d'approuver ces modifications sans l'accord de Lewis. Pourtant quelqu'un a établi ces ordres. Si on les considère. on est obligé de convenir qu'ils sont signés par un membre de notre cabinet, celui des architectes contrôleurs. » Clair, logique, précis.

« Oui, monsieur », dit Nat comme un gamin dans le bureau du principal. Mais qu'aurait-il pu répondre d'autre ? Il contenait sa fureur qui avait pourtant atteint une intensité redoutable. « Mais pourquoi mon nom y figure-t-il ? »

Caldwell le considéra d'un air impassible. « Précisez votre question. dit-il.

— Pourquoi ces ordres ne sont-ils pas signés par Lewis ou par quelqu'un de chez lui ? Puisqu'il s'agit d'électricité ce serait plus logique. personne ne se serait interrogé à leur sujet.

— D'après Will Giddings ces ordres n'ont suscité aucune question. Nous n'avons appris leur existence que ce matin. » Il poussa la liasse de photocopies vers Nat.

« Alors nous ne savons pas si ces ordres ont été exécutés. S'ils l'avaient été quelqu'un s'en serait aperçu et aurait exigé de voir ces documents.

— Aurait exigé ou ne l'aurait pas. dit Caldwell. Je vous répéte que ces remarques n'ont aucun sens. » Il médita sans rien dire pendant un moment. « Nous ne savons pas si on a donné suite à ces ordres. j'en conviens. dit-il enfin. Nous ne savons pas non plus si c'est grave. Il serait temps de chercher à nous en rendre compte.

— Oui, monsieur. Il y a aussi bien d'autres choses qu'il faudrait tirer au clair.

— Lesquelles ?

— D'abord pourquoi ces fiches ont été établies, et surtout pourquoi elles sont signées de mon nom. Qui...

— Ces questions ne sont pas urgentes, dit Caldwell. Je comprends que vous vous en souciez, mais je ne partage pas votre inquiétude. Ce qui compte pour moi, c'est le bâtiment et l'intégrité de mon cabinet d'architecte. Vous me comprenez ? »

— Oui, monsieur », répéta Nat.

En sortant de chez le grand patron, il passa devant le bureau de Mollie Wu. Menue et aussi jolie qu'une poupée, vive et diligente, elle le toisa d'un coup d'œil rapide et lui demanda : « Vous avez des ennuis, mon ami ?

— A la pelle, jolie ! » Les conséquences commençaient à se dessiner clairement dans l'esprit de Nat. Il entrevoyait la chaîne infinie de combinaisons et de bouleversements qui pouvaient résulter des modifications apportées à un projet de câblage électrique conçu de manière impeccable mais d'une complexité extrême. « Des quantités de problèmes pour l'instant, et je ne sais même pas par quel bout commencer pour les résoudre.

— Le plus long voyage commence par un premier pas, un seul, dit Mollie. Est-ce Confucius ou le président Mao qui a dit cela ? Je n'en ai pas la moindre idée, mais je vous l'offre pour ce que ça vaut. »

Nat retourna à son propre bureau où il s'assit pour considérer tour à tour les schémas épinglés au mur et les photocopies éparses sur son sous-main. Ces deux éléments constituaient ensemble un mélange explosif. Qu'il eût signé les ordres ou non n'avait guère d'importance. Une seule chose comptait : quelqu'un avait rempli les formulaires et les ordres avaient peut-être été exécutés. Selon toute probabilité il s'agissait de simplifications, de raccourcis ; Giddings avait parlé d'économies. Or nul n'aurait dû apporter aucun changement aux plans, personne n'aurait dû en autoriser. Alors, pourquoi tout ça ?

Question futile, se dit-il. A cet instant je n'ai à me soucier que des effets et pas des causes. Or ce n'était pas à sa table de travail qu'il pourrait juger des effets.

Il rassembla les photocopies et les remit dans l'enveloppe qu'il glissa dans sa poche. Il ne s'arrêta dans le vestibule que le temps de dire à Jennie où il allait : « A la Tour. Vous ne pourrez sans doute pas me joindre, je vous appellerai. »

2

10 heures et 5 minutes — 10 heures et 53 minutes

Le soleil était assez haut pour que ses rayons pénètrent entre les immeubles du centre de la ville et atteignent le sol de la place au pied de la Tour. Mises en place les barrières de la police coupaient cette place en deux en ménageant au centre un couloir allant jusqu'à l'estrade provisoire adossée aux arcades de l'édifice tout neuf.

« C'est là que les VIP descendront de leur voiture, qu'ils souriront au menu fretin et qu'ils marcheront majestueusement jusqu'ici... dit l'agent Shannon.

— Où ils prononceront leurs discours qui seront tous les mêmes, enchaîna Barnes. Ils chanteront les louanges de la maternité, des Etats-Unis d'Amérique et de l'enthousiasme inextinguible de l'esprit humain. Un ou deux vieclards y glisseront quelques formules pour solliciter les suffrages. » Barnes se tut en souriant d'un air penaud.

« La différence entre nous, dit Shannon, c'est que tu es contre les rois et les reines et les grands personnages comme ça, alors que moi je les admire, je les vénère presque. Essaie de te représenter ce que serait le monde s'il n'y avait que des petits bonshommes gris, sans géants auxquels on rêve, sans belles légendes qu'on se rappelle, sans immeubles titaniques comme celui-ci qui nous cache le soleil. Qu'en dis-tu, Frank ?

— Ce serait peut-être mieux.

— Tu as fourré ton nez entre les pages de trop de livres et ça te brouille les idées, dit Shannon qui, d'un geste large désigna la Tour. Tu ne serais pas fier si tu avais participé à cette construction, si tu avais contribué à bâtir cette Tour qui atteint le ciel et s'il y avait ton nom sur une plaque de bronze pour indiquer jusqu'à la fin des temps que tu y as participé ? Qu'est-ce que tu en dis ?

— Sur cette plaque de bronze ne figure qu'un seul nom, celui de l'entrepreneur, Bertrand McGraw et Compagnie, dit Barnes, avec un sourire narquois. Les Irlandais se débrouillent bien. Crois-tu que ce McGraw a débuté en portant une hotte sur un chantier de bâtiment ?

— Et toi, noir voyou, as-tu débuté dans la vie comme esclave ?

— Voui patron. »

Tous deux ricanèrent.

« J'ai rencontré Bert McGraw, dit Shannon. C'est un grand monsieur. Le jour de la Saint-Patrick, sur la Cinquième Avenue...

— Il joue de la cornemuse, je n'en doute pas.

— Il sonne. Il sonne de la cornemuse. On sonne la cornemuse, on touche le piano, on pince la guitare, on joue d'autres instruments de moindre importance. Bert McGraw sera ici cet après-midi. A sa place j'en ferais autant. Je voudrais avoir ma part de gloire.

— Eh bien, moi, j'irais me cacher à sa place, dit Barnes. Si j'avais construit ce truc-là, j'aurais peur, je me sentirais outrecuidant.

— Toi et tes grands mots !

— C'est un défi lancé aux dieux, dit Barnes. Je craindrais qu'ils l'écrasent. Tu sais, quand on parle de quelque chose de bon qui doit nous arriver, on touche du bois. »

Shannon réfléchit un moment puis il sourit. « Tu as fourré ton nez entre les pages de trop de livres, Frank, je te l'ai déjà dit. Qu'est-ce que tes dieux pourraient faire à une construction aussi superbe ? »

Il semblait à John Connors que la Tour était vivante, qu'il la sentait palpiter. Le bruit de ses pas éveillait des échos dans les vestibules et les couloirs déserts dont toutes les portes closes le suivaient de leur regard mort et impassible. Pourtant les bouches de climatisation respiraient. Il avait l'impression de sentir vibrer une énergie vitale dans les gaines par lesquelles passaient les conduits électriques. Il se demandait si au fond de son cœur la Tour avait peur.

Peur de lui ? Pourquoi pas ? Cette idée lui fut agréable. elle lui donna de l'allant. Il se savait infime dans l'immensité de l'édifice. Infime mais puissant. Savoir cela le réjouissait alors qu'il avançait, sa boîte à outils sous le bras, sensible à l'écho de ses propres pas et effaré par la turbulence de ses idées.

Nat alla à pied le long de trente pâtés de maisons, depuis le bureau de Caldwell jusqu'à la World Tower. L'exercice apaisait quelque peu son inquiétude et sa colère.

Il lui était arrivé de dire à Zib : « Sans doute certains hommes se laissent-ils emporter par la passion du jeu afin d'oublier leurs soucis et de les laisser s'enfoncer en tournoyant au plus profond de leur subconscient. Moi je préfère la marche à pied. Je ne suis d'ailleurs pas hostile au jeu, mais dans le milieu où j'ai grandi nous faisions d'autres choses. Nous chassions, nous pêchions, nous parcourions la montagne à pied ou à cheval. L'hiver nous faisions du ski ou bien nous circulions sur des raquettes. Souvent il avait l'impression de ne pas être à sa place sur la côte est. Je menais une vie de primitif. Je n'avais rien de tout ce que tu avais. Je ne suis pas très bon nageur, je serais incapable de gouverner un canot à voile. Je n'ai jamais joué au golf ni au tennis. »

Zib lui répondait : « Toutes ces choses-là ont peut-être compté pour moi autrefois, mais plus maintenant. Je t'ai épousé pour d'autres raisons. Peut-être parce que j'en avais plus qu'assez des jeunes gens tous pareils les uns aux autres avec lesquels j'avais grandi. » Elle lui offrait alors un sourire dévastateur. « Ou bien je t'ai peut-être épousé parce que tu n'as pas essayé de me mettre au lit dès notre premier rendez-vous.

— Je n'ai jamais été à la page. Aurais-tu accepté ?

— Peut-être... probablement. Tu me plaisais.

— Toi, tu m'éblouissais et tu m'effrayais en même temps. Tu étais tellement sûre de toi dans ton propre milieu. »

C'était vrai en ce temps-là et c'était encore vrai près de trois ans après leur mariage.

Il marcha à une cadence régulière, ne s'arrêtant qu'aux carrefours. Cette ville lui déplaisait mais, selon l'expression à la mode, c'est là que tout se passait. S'il lui fallait y subir la poussière, la crasse, le tintamarre, les cohues, les attitudes méprisantes ou insolentes, les visages anxieux, il y trouvait aussi le ferment, l'excitation, la joie des recherches et de la découverte, la satisfaction de travailler auprès de ses pairs.

Le plus important de tout c'était Ben Caldwell aux yeux d'artiste, à l'attention méticuleuse pour les détails les plus menus. Quelques-uns le considéraient comme génial. Les sept années que Nat avait passées auprès de cet homme compensaient tous les désagréments de sa vie à New York.

Mais il était quand même bien décidé à quitter cette ville. Sa résolution était ancrée au plus profond de son cœur et il ne doutait pas de la réaliser. Il retournerait là-bas, dans l'Ouest, au pays des vastes horizons, à sa place. Il se demandait si, l'heure venue, Zib l'accompagnerait ou préférerait rester dans le décor qui lui était familier. Difficile à dire et désagréable à supputer.

Les agents pullulaient sur le square devant la Tour. Nat s'en étonna puis il railla son propre étonnement. Dans une métropole pareille où il y avait toujours une menace de bombe, voire de quelque autre violence, il fallait bien qu'il y eût des flics pour surveiller un événement aussi considérable que l'inauguration de la World Tower. Cet étonnement passager lui révélait le désordre de ses pensées.

Un agent noir se trouvait près de la porte principale. Il écoutait ce que lui disait un de ses collègues, solide gaillard, visiblement d'origine irlandaise. Cet agent noir fit un pas vers Nat, lui sourit poliment et lui demanda : « Que pouvons-nous faire pour vous, monsieur ? »

Nat tira de sa poche l'insigne qu'il avait porté pendant des années sur le chantier et le présenta à l'agent. « Cabinet d'architecte Caldwell et Compagnie, dit-il en montrant du doigt la plaque de bronze scellée auprès de la porte. Je vais jeter un coup d'œil. »

L'agent noir cessa de sourire. « Ça ne tourne pas rond ? » demanda-t-il. Il regarda l'insigne puis scruta la visage de Nat. « Monsieur Wilson ?

— Oui. Tout va bien, mais on ne sait jamais... » Il lui sembla que sa voix sonnait faux.

Plus tard l'agent Barnes expliqua : « C'est surtout à cet instant-là que j'ai réellement commencé à me poser des questions au sujet du type que nous avions laissé entrer avec sa boîte à outils, mais ce n'était encore qu'une impression confuse. D'ailleurs supposez que nous ayons empêché un ouvrier d'aller accomplir sa tâche ? On aurait encore crié à l'abus d'autorité, ça aurait fait un raffut de tous les diables... Pourtant j'aurais dû me fier à mon instinct. »

Mais à ce moment-là il dit seulement : « Si quelque chose ne va pas, monsieur Wilson... Si nous pouvons vous être utiles en quoi que ce soit... »

L'agent irlandais intervint : « Il bafouille mais il a de bonnes intentions. Nous, les hommes en bleu, nous essayons toujours de faire plaisir à tout le monde. Ne croyez jamais ceux qui prétendraient que nous avons laissé un homme se noyer ou que nous avons refusé d'aider une dame âgée à traverser la rue. Si vous voulez entrer, faites comme chez vous, monsieur. » Cela dit, cet agent reprit la conversation qu'il entretenait un instant plus tôt avec son collègue. Elle roulait sur les paris clandestins aux courses.

En pénétrant dans le vestibule de la Tour, Nat pensa : moi je ne parie jamais. C'est encore une de mes lacunes parce que Zib raffole des chevaux ; elle parie même sur les matches de football. Elle aime aussi les pique-niques à

West Point avant les matches au Michie Stadium. Au fond, je suis un type sinistre.

Parvenu à l'intérieur il hésita : il ne savait pas exactement où il allait. Il était venu à la Tour où il avait travaillé presque chaque jour ouvrable depuis cinq ans, sous l'effet d'une impulsion instinctive, comme le propriétaire d'un cheval de course volé se rend d'abord à l'écurie pour contempler la stalle vide. A ce moment-là il ne pouvait rien faire d'utile dans la Tour. Ce serait seulement quand les équipes d'ouvriers seraient sur place qu'il pourrait vérifier l'exécution de chaque ordre modifiant les plans initiaux. Pour cela il faudrait crever les cloisons afin d'étudier le câblage électrique.

Mais il était là : et l'impulsion qui l'y avait amené restait vivace. Il traversa le vestibule désert, fit le tour de la colonne centrale dans laquelle passaient les gaines suspectes, s'arrêta devant un ascenseur qui se trouvait au quatorzième étage. Il appuya sur le bouton d'appel.

Dès que la cabine se mit à descendre Nat entendit le doux chuintement du câble sur ses poulies. Le chiffre 14 s'éclaira simultanément sur le panneau lumineux, puis les chiffres treize, douze et ainsi de suite à tour de rôle. Quand l'ascenseur arriva au rez-de-chaussée les portes s'ouvrirent automatiquement. Nat entra dans la cabine, tendit la main vers un bouton et s'immobilisa, l'oreille aux aguets.

Une autre cabine montait ou descendait à vive allure dans le centre creux de l'édifice et Nat entendait le bruit du câble.

Les portes de l'ascenseur se fermèrent automatiquement et Nat se trouva plongé dans une obscurité complète. Il trouva à tâtons le bouton d'éclairage, alluma la lumière et resta un moment à écouter. Le sifflement de l'autre ascenseur continuait à éveiller un écho dans la colonne centrale de la Tour. Soudain ce bruit cessa et ce fut le silence.

Qu'est-ce que c'est ? Qui est-ce ? A quoi bon essayer de deviner ? Il pouvait s'agir de n'importe qui et l'ascenseur s'était élevé ou était descendu entre n'importe quels étages, entre le premier et le cent vingt-cinquième. Et alors ? Tu t'inquiètes pour rien, Nathan Hale ; les autorisations falsifiées te troublent l'esprit, se dit-il. Il appuya sur un bouton et la cabine s'éleva aussitôt en souplesse.

Il quitta l'ascenseur au huitième étage et redescendit à pied jusqu'au deuxième des cinq étages qui devaient être fermés au public en temps normal et où se trouvait la machinerie de l'immeuble : ensemble électromécanique régissant son existence. A ce niveau comme sous terre, comme aux quarante-cinquième, quatre-vingt-cinquième et cent vingt-troisième étages, même le profane le plus ignorant aurait pu se faire une idée de la complexité extrême du bâtiment. Des câbles aussi gros qu'un mollet d'homme y amenaient du sous-sol le courant électrique fourni par la sous-station voisine de la Con Edison : quatorze mille volts au primaire, très au-dessus du niveau d'électrocution.

C'est à ces étages interdits que des transformateurs convertissaient cette tension à un voltage utilisable pour le chauffage, le refroidissement, la ventilation et tous les services que l'électricité rendait à chaque section de l'édifice.

Il régnait à ces étages la même odeur que dans la salle des machines d'un navire : métal chaud, huile, caoutchouc, peinture, air filtré, isolants de fils électriques. La machinerie ronronnait faiblement sous les ordres de son maître : le courant électrique.

L'électricité elle-même restait invisible comme partout et ne faisait aucun bruit, sauf le léger bourdonnement des transformateurs. Mais elle apportait l'énergie, mieux encore : la vie.

Sans électricité, cet édifice titanique, en dépit de toutes les astuces de sa construction, n'aurait été qu'une grosse masse morte de centaines de milliers de tonnes d'acier, de béton, de verre incassable, de plaques d'aluminium, de câbles, de conduits, de fils, de mécanismes d'une complication incroyable. Il aurait été inutilisable.

Sans électricité la Tour aurait été privée de chaleur, de lumière, d'air, d'ascenseurs, d'escaliers roulants. Les appareils de mesure et les ordinateurs que régissaient sa vie n'auraient pas fonctionné.

Sans énergie électrique le bâtiment était aveugle, sourd, incapable de parler et même de respirer : une ville morte au centre de la métropole, un monument en l'honneur de l'ingéniosité, de l'intelligence, de la vanité et de la sagesse douteuse de l'homme, pareil aux pyramides d'Egypte, aux alignements de Carnac, au temple d'Angkor Vat, une curiosité, un anachronisme.

Nat considéra le câble principal du courant primaire, épissé avec soin pour livrer à cet étage sa tension énorme et pourtant transporter cette même énergie intacte vers les étages supérieurs d'électromécanique jusqu'au cent vingt-troisième. Le centre vital du bâtiment s'offrait à sa vue et il pensa aussitôt aux opérations chirurgicales à cœur ouvert.

Il pensa à l'enveloppe qui était dans sa poche, celle qui contenait les permis de modification falsifiés. De nouveau la fureur bouleversa ses idées.

Il comprit la rage que Giddings avait su dominer en sa présence parce qu'elle bouillonnait aussi en lui et pour la même raison : pour tous les deux le travail était une chose sacrée.

Oh ! bien sûr, nombre de gens et peut-être le plus grand nombre de nos jours ne partagent pas ce respect du travail — Zib entre autres — mais ce qu'ils pensent ne compte pas.

Ceux qui conçoivent et édifient des structures destinées à durer — immeubles, ponts, aqueducs, barrages, centrales atomiques, stades — trouvent leur récompense dans le travail lui-même qui doit être accompli de manière impeccable et qu'aucune négligence ne doit profaner. Pour eux toute malfaçon intentionnelle est un crime. Chaque élément de la tâche collective doit s'approcher de la perfection dans toute la mesure où l'homme en est capable, sinon le travail n'est pas terminé et ce qui aurait dû être un motif de fierté devient une honte.

En pensant à cela, Nat donna libre cours à sa colère.

« Un enfant de salaud ! dit-il en considérant l'énorme câble et les transformateurs qui ronronnaient. Un salopard a saboté ce travail. Nous devons savoir si son méfait est grave ou non et nous le saurons. Nous saurons aussi qui a fait ça et nous le pendrons par les burnes. »

S'adresser ainsi à des objets inanimés était ridicule, évidemment, mais Nat avait souvent parlé aux arbres, aux oiseaux, répondu au chuchotement des écureuils et interpellé le faucon qui s'élève droit dans le ciel. Il l'avait fait pendant la plus grande partie de sa vie. Alors, je suis un sot, se dit-il. Pourtant il se sentait mieux depuis qu'il avait proféré ces promesses et ces menaces. Il alla au palier et prit un ascenseur pour monter au plus proche étage d'électromécanique.

Il n'y découvrit rien du tout et n'en avait d'ailleurs pas espéré plus. Ces visites à chaque salle des machines de son navire n'étaient que des actes automatiques pareils à ceux d'un propriétaire qui chaque soir parcourt son jardin avant de fermer ses portes. Les autres étages étaient déserts et ses pas y éveillaient d'étranges échos. Il y régnait l'odeur du neuf : dalles de plastique, peintures murales, bois verni, de même que dans une voiture qui quitte le salon d'exposition et roule pour la première fois.

Au fur et à mesure qu'il s'élevait vers le sommet du gratte-ciel le panorama de la ville s'abaissait autour de lui. Du cent vingt-troisième étage il domina les toits en terrasse des tours jumelles du Trade Center.

Il poursuivit son ascension jusqu'à la Salle d'honneur, à l'étage le plus élevé, immédiatement au-dessous des mâts de télécommunications. A l'instant où il sortit de la cabine, les portes claquèrent derrière lui et il entendit le chuintement du câble : l'ascenseur redescendait tout seul. Il fronça les sourcils en considérant le mot descente qui s'était éclairé. Qui avait appelé cette cabine ? Impossible de répondre à cette question.

Il regarda la lumière rouge sur la porte de l'ascenseur et écouta le bruit du câble en cherchant à évaluer le nombre d'étages que descendait la cabine. Dix ? Quinze ? Impossible à dire.

Le bruit cessa, Nat resta aux aguets puis la cabine reprit sa descente. Cette fois, elle dura longtemps. Sans doute l'ascenseur était-il descendu jusqu'au rez-de-chaussée. Et après ? Ne te soucie donc pas de ça, se dit-il. Il s'éloigna.

Au dernier étage la vue s'étendait jusqu'à l'horizon, à l'infini. Nat vit le port, le pont des Narrows et l'océan qui brillait au-delà. Nat se rappela ce que Ben Caldwell lui avait dit : c'est la Tour qu'on apercevait avant tout autre amer terrestre sur la côte des Etats-Unis. Par beau temps on devait repérer d'abord le mât de télécommunications, juste au-dessus de cet étage. Il comprit que le commandant du *France* eût spontanément pensé au Pharos antique qui, pendant un millier d'années, avait guidé les bateaux vers l'entrée du Nil.

Au nord s'étendait le canevas des rues et des avenues se coupant à angle droit. Du haut de la Tour, les gratte-ciel semblaient pareils à des maquettes disposées sur la table d'un architecte. Nat avait déjà contemplé ce panorama bien des fois et depuis longtemps ; pourtant il lui sembla encore irréel. Il perçut de nouveau le bruit d'un ascenseur en mouvement et se détourna de la fenêtre. Cette fois c'est la lumière verte qui brillait au-dessus de la porte. Il s'étonna d'éprouver un sentiment d'anxiété.

Le bruit cessa, la lumière verte s'éteignit. Giddings sortit de la cabine. Les portes se refermèrent derrière lui, sans bruit, mais la cabine resta à l'étage et aucune lumière n'apparut sur le panneau.

« Je me demandais si je vous trouverais ici, dit Giddings.

— Et pourquoi pas ? »

Giddings haussa les épaules. Il parcourut la salle du regard. Des tables étaient déjà alignées le long d'un mur. Avant peu on y déposerait plateaux d'amuse-gueule, bouteilles, verres, coupes de cacahouètes et de chips, tout l'attirail habituel du cocktail. Les barmen et les garçons serviraient à boire, des serveuses rassembleraient les verres sales et videraient les cendriers. Les invités bavarderaient. Giddings se tourna de nouveau vers Nat. « Vous cherchez quelque chose ? lui demanda-t-il.

— Et vous ?

— Ecoutez, fiston...

— Non. Parlez-moi sur un autre ton désormais. Si vous avez quelque chose à me dire, dites-le. Si vous voulez me demander quelque chose, demandez-le. Voilà cinq ans que je vous connais et vous ne me plaisez pas, Will. Je crois même que vous ne m'avez jamais plu.

— Je dois même vous déplaire encore plus depuis que je vous ai mis les permis de modifications sous les yeux. Au moins maintenant vous avez une raison de me détester.

— Vous croyez ça ?

— Pourquoi pas ?

— Alors, allez vous faire foutre », dit Nat.

Le visage de Giddings changea d'expression. « Votre langage manque d'élégance pour un architecte », dit-il d'une voix conciliante.

L'instant du conflit était passé mais Nat prévit qu'il reviendrait inévitablement. « Je n'ai pas toujours été architecte. » Dresseur de chevaux, parachutiste, acrobate, étudiant. « Vous êtes monté tout droit du vestibule ? demanda-t-il.

— Pourquoi me demandez-vous ça ?

— Vous êtes dans l'immeuble depuis longtemps ?

— Pourquoi me demandez-vous ça ?

— Parce que quelqu'un était entré avant moi. » Cette présence l'avait intrigué depuis le début. « J'ai entendu l'ascenseur monter et descendre. »

Au bout d'un moment Nat reprit : « Il y a des flics partout autour de la Tour. Ils vous ont arrêté ?

— Oui, dit Giddings en fronçant les sourcils.

— Moi aussi. » Ce n'était pas tout à fait exact, mais les deux agents à la porte avaient engagé la conversation.

« Alors vous vous demandez qui se trouve dans la Tour et pourquoi ? dit Giddings.

— Tout juste.

— Vous avez peut-être inventé ça, dit lentement Giddings. Il n'y a peut-être... » Giddings se tut et tous deux se tournèrent vers la batterie d'ascenseurs. Une lumière rouge s'était allumée au-dessus d'une porte. Ils entendirent le bruit d'une cabine en mouvement.

« Je n'invente jamais rien, dit Nat.

— Cette fois je vous crois » dit Giddings.

Ils descendirent jusqu'au vestibule et sortirent de l'immeuble. Nat retrouva les mêmes agents devant la porte : le gros Irlandais et son camarade noir. « A part lui et moi, dit-il en montrant Giddings, est-ce que quelqu'un d'autre est entré ?

— Pourquoi me demandez-vous ça, monsieur Wilson », répondit Barnes, l'agent noir.

Shannon, l'Irlandais, intervint. « C'est un grand immeuble. Il y a d'autres portes. Bien des gens auraient pu entrer. Hommes de l'entretien, pauvres zigues qui font de toutes sortes de petits boulots.

— Est-ce que quelqu'un d'autre que nous est entré ? répéta Nat.

— Oui, un homme, dit Barnes. Un électricien. Il a dit que son patron l'avait dépêché d'urgence.

— Qui était ce patron ?

— J'y ai pensé, mais sans doute un peu trop tard, répondit Barnes. C'est important, monsieur Wilson ?

— Je ne sais pas. » C'était vrai. Nat comprit de nouveau que la présence des photocopies dans sa poche le rendait soupçonneux. Mais il n'y avait aucun rapport entre les permis falsifiés et la présence d'un inconnu dans la Tour, parce que ces permis de modifications ne s'appliquaient qu'au travail en cours et le travail était terminé ou presque. « Quelqu'un se sert des ascenseurs », dit-il.

Un large sourire fendit le visage de Shannon. « Est-ce tellement grave ? demanda-t-il. Il peut arriver à quelqu'un d'avoir envie de prendre l'ascenseur. C'est pas ça qui nous fera tomber le ciel sur la tête. » Shannon avait un fort accent irlandais.

Giddings intervint à son tour. « Un électricien, dites-vous ? Est-ce qu'il portait quelque chose ?

— Une boîte à outils, dit Barnes.

— Mais non, Frank ! dit Shannon. Tu n'y es plus. C'était une bombe atomique toute neuve. » Il écarta les mains pour indiquer la dimension de l'engin. « Elle était verte d'un côté et violette de l'autre. Il en jaillissait des étincelles. Un truc ravissant.

— Doucement Mike », dit Barnes qui ajouta à l'intention de Nat : « C'était une boîte à outils et cet homme portait un casque de travail.

— Est-ce qu'il est ressorti ?

— Alors ce serait par une autre porte », dit Barnes. Il hésita un instant et reprit : « Mais elles sont fermées. Qu'est-ce que vous en pensez, monsieur Wilson ?

— Si elles ne le sont pas, elles devraient l'être, dit Giddings. Venez, Nat, on va vérifier. »

Tous les autres accès de l'immeuble étaient bouclés. « Pas de gardiens ? Aucune mesure de sécurité ? demanda Nat.

— En temps normal, à cette heure-ci il y aurait des nuées d'ouvriers au travail à peu près partout, répondit Giddings. Vous le savez fort bien. Mais quiconque n'appartiendrait pas à une équipe...

— Je n'en suis pas tellement sûr », dit Nat. Il s'était remis à réfléchir. « Je n'y avais encore jamais pensé, mais dans un édifice aussi vaste où circulent tant de gens... » Il secoua la tête. « Aussi peu remarquable qu'un poisson dans la mer... » Il resta sans rien dire pendant un moment tout en considérant les arches du vestibule. « Ça ne m'était encore jamais venu à l'esprit. reprit-il en se tournant vers Giddings. Vous ne voyez pas ? »

Giddings secoua lentement la tête. « Je ne comprends même pas de quoi vous parlez.

— Nous avons conçu ce building pour qu'il soit accessible, pour que des gens y entrent et en sortent aisément.

— Et alors ?

— Alors, dit Nat, par sa propre nature il est... vulnérable.

— A quoi ? »

Nat leva les deux bras et les laissa retomber. « A tout. A n'importe quoi. »

3

11 heures et 10 minutes — midi et 14 minutes

Jouer avec les ascenseurs, monter et descendre amusait John Connors ; il y prenait un plaisir puéril. Toute machine fonctionnant sans à-coup l'avait toujours fasciné. D'autre part, si quelqu'un le cherchait dans l'immeuble — et tôt ou tard cela arriverait sûrement — appeler des ascenseurs, les faire monter et descendre, circuler lui-même entre les étages, tel était probablement le meilleur moyen de faire perdre la tête à qui le poursuivrait.

Il connaissait fort bien la Tour mais seulement telle qu'elle était les jours de travail. Il ne s'était pas imaginé comment elle serait lorsqu'il s'y trouverait tout seul, dans des couloirs et sur des escaliers déserts : lui seul dans cette structure qui vivait et respirait !

Il avait l'impression d'être dans une cathédrale déserte et c'était encore plus impressionnant. Il chercha mentalement une autre analogie. Ce serait comme si j'étais seul au Yankee Stadium, se dit-il.

N'entendre que l'écho de ses propres pas dans les corridors, regarder le monde qui s'étendait au-dessous de lui lorsqu'il passait auprès des fenêtres ou bien ne voir que l'immensité du ciel, penser qu'il avait enfin une occasion — sans doute la seule qui s'offrirait à lui — de faire ce qu'il avait à faire, c'était comme s'il priait, agenouillé : rien que lui en présence du Tout-Puissant. La certitude de faire avant peu quelque chose d'énorme affolait le train de ses idées.

Il lui était arrivé d'entendre une phrase, peut-être à un meeting, il ne se rappelait pas exactement où, mais elle était restée gravée dans son esprit : « Une poignée d'hommes résolus peut modifier le cours des événements les plus considérables. » Cette idée l'avait frappé, lui avait plu et retentissait fortement dans sa mémoire. Hommes résolus. Héros. Comme ceux qui détournent un avion et s'en tirent indemnes. Comme ceux qui avaient terrorisé tout le village olympique. Une poignée d'hommes résolus. Un homme seul, aussi. Au moins celui-là, on lui prête l'oreille.

Tout en errant ainsi au long des couloirs, sa boîte à outils sous le bras, en montant et descendant dans les ascenseurs, il s'amusait autant que dans un parc récréatif.

La clé de l'affaire c'était l'électricité, évidemment. D'ailleurs elle régit tout de nos jours. Connors se rappela la formidable panne d'électricité qui avait brusquement paralysé tout le nord-est des Etats-Unis quelques années plus tôt. Soudain tout s'était arrêté net. Bien des gens avaient pensé à la fin du monde. Mais pas tous certainement car, neuf mois plus tard, presque jour pour jour, l'afflux dans les maternités démontrait que certains avaient su profiter agréablement de l'obscurité. Mais au début le public avait été presque pris de panique et c'est cela surtout que se rappelait Connors.

Il n'était pas ingénieur électricien, ni même ouvrier très qualifié, quoi qu'il en eût dit à l'agent noir devant la porte. Mais il avait travaillé à la construction de ce building et il savait en gros comment l'énergie électrique y était distribuée. A chacun des cinq étages électromécaniques se trouvait une pièce appelée la chambre de répartition. Chaque fois qu'il en avait eu l'occasion, Connors avait observé le travail des ouvriers de l'entrepreneur d'installations électriques. Il les avait vus éventrer la gaine d'acier entourant les câbles électriques, puis éplucher l'isolant thermoplastique des fils afin d'atteindre le cœur du sujet : les gros câbles dans lesquels passe le courant.

Il savait qu'à chaque étage électromécanique des transformateurs abaissaient la tension pour la rendre utilisable à toutes fins dans une section verticale du bâtiment, et qu'au-delà des quatre premiers branchements sur les transformateurs, les câbles se prolongeaient jusqu'à l'étage de transformation suivant. Il en allait ainsi depuis la sous-station qui fournissait le courant, située hors du bâtiment, jusqu'au cent vingt-troisième étage. Connors ignorait la tension appliquée aux primaires des transformateurs. Mais il devinait qu'elle devait être élevée et atteignait peut-être dans les cinq cents volts car, s'il n'en était pas ainsi, pourquoi prendrait-on la peine de la réduire ?

Il avait d'abord pensé à démolir l'installation électrique qui fournissait le courant utilisé aux étages supérieurs de la Tour. Ainsi aurait-il isolé la salle où devait avoir lieu la cérémonie d'inauguration. Sa boîte à outils contenait entre autres un pied-de-biche de quarante-cinq centimètres et de l'explosif plastique dérobé sur un chantier. Avec ça il comptait provoquer un tapage énorme et faire voler des étincelles dans tous les sens, comme au feu d'artifice du Quatre-Juillet.

Mais plus il y réfléchissait, plus il se demandait pourquoi il limiterait son opération aux étages supérieurs. Pourquoi ne pas s'en prendre à l'installation dans les entrailles du building où les câbles souterrains arrivaient de la sous-station ? C'était tentant.

En attendant il lui suffisait de continuer à passer inaperçu et ce devait être facile. Cependant mieux valait être prêt pour le cas où le hasard jouerait contre lui.

Il ouvrit sa boîte à outils et en tira le pied-de-biche, incurvé à une extrémité, aplati et cranté à l'autre. C'était une arme redoutable et l'idée de s'en servir n'éveillait pas de scrupules chez Connors.

On achevait l'installation de l'estrade pour la cérémonie publique lorsque Nat et Giddings ressortirent de la Tour. « Des laïus, encore des laïus, dit Giddings d'un air dégoûté. Le gouverneur va féliciter le maire, le maire va féliciter

Grover Frazee et l'un des sénateurs déclarera que ce bâtiment représente un grand progrès pour l'humanité...

— Et ce sera peut-être vrai, dit Nat qui pensait de nouveau à ce que Ben Caldwell lui avait dit de Pharos. Un centre mondial de communication...

— Du bluff et vous le savez fort bien. Ce n'est qu'un gratte-ciel de plus comme il y en a tant et même trop ! »

Nat constata que Giddings éprouvait pour la Tour une passion où la haine l'emportait de temps en temps sur l'amour. Il se dit aussitôt qu'il en était presque au même point. De temps en temps il éprouvait un sentiment de fierté, d'admiration et à d'autres moments il en voulait à la Tour de s'être créé sa propre personnalité et de dominer tous ceux qui la construisaient. « Eh bien, restez là et injuriez ce gratte-ciel si ça vous chante.

— Et où allez-vous ? »

De nouveau l'hostilité était sur le point d'éclater entre eux mais Nat répugna à précipiter les choses. « Je vais là où quelqu'un aurait déjà dû aller depuis longtemps, dit-il. Je vais interroger Joe Lewis au sujet des modifications. » Tout en traversant la place, il retira son insigne.

Parce qu'il était pressé il prit le métro jusqu'à la Grand Central et n'eut ainsi à traverser que deux carrefours en longeant le parc. Un ascenseur le transporta jusqu'au dixième étage où JOSEPH LEWIS, INGÉNIEUR ÉLECTRICIEN était inscrit sur une porte vitrée. Bureaux et salles de dessin occupaient presque tout l'étage.

Joe Lewis se trouvait en manches de chemise dans son vaste bureau où régnait la pagaille. C'était un homme de petite taille, vif et laconique. « Si c'est pour un nouveau travail, dites à Ben que je n'ai pas une minute à moi d'ici à six mois. S'il peut attendre... »

Nat lança l'enveloppe de papier fort sur le bureau. Joe s'en empara aussitôt et la vida sur son sous-main. Il étudia rapidement chaque photocopie qu'il laissa tomber une à une avec autant de dégoût que si elles étaient couvertes de vermine.

Puis il releva la tête, l'air indigné. « C'est vous qui avez signé ça ? Qui vous en a donné le droit ?

— Je les ai vues ce matin pour la première fois.

— C'est pourtant bien votre signature.

— Non. C'est mon nom, mais quelqu'un d'autre l'a écrit », répondit Nat. Il avait répété cette même phrase si souvent qu'elle perdait toute signification pour lui et il se demandait s'il n'arriverait pas à en douter lui-même.

— Alors, qui a fait ça ? demanda Joe.

— Je n'en ai pas la moindre idée. »

Joe écrasa les photocopies du plat de la main et demanda : « Est-ce que ces modifications ont été faites ?

— Il faudra vérifier. »

Cette conversation n'avait à peu près ni queue ni tête étant donné les circonstances, mais il fallait commencer par le commencement.

« Qu'est-ce que vous espérez de moi ? demanda Joe. Je vous ai fourni un plan complet et détaillé de toute l'installation électrique. Si le travail a été accompli conformément à mon projet et pas à ces trucs-là...

— Personne ne vous reproche rien », dit Nat qui pensa : pour le moment ; jusqu'à présent tout le monde est suspect. « Je voudrais seulement que vous m'indiquiez un ordre de priorité. Lesquelles de ces modifications devons-nous...

— Toutes ! Même s'il faut défoncer les murs, vous devez vérifier toutes les parties du câblage figurant sur ces schémas. J'y tiens absolument ; mais rendez-vous compte, mon vieux, c'est moi qui ai conçu l'installation électrique et j'en suis responsable.

— Nous aussi, je m'en rends compte. » Comment se fait-il que même les gens intelligents voient rarement l'évidence qui s'offre à leurs yeux ? « Mais par où devons-nous commencer ? Quelle est la première vérification à faire ? Et la seconde ? et ainsi de suite ? C'est vous l'expert. Donnez-nous une liste par ordre d'importance et les gens de McGraw se mettront au travail aussitôt. »

Lewis s'assit brusquement sur sa chaise. « McGraw, dit-il

en secouant la tête. Bert n'aurait jamais fait des choses comme ça. Impossible ! Si quelqu'un essayait un jour de faire des économies malhonnêtes sur un travail contrôlé par Bert McGraw, même en soudoyant les inspecteurs municipaux, Bert lui offrirait aussitôt sa propre tête sur un plateau. »

Nat s'assit en face de Joe. « J'avais déjà entendu dire ça, mais jusqu'ici je n'avais encore jamais eu un moyen de vérifier si c'est exact. » S'il en était ainsi, l'affaire se présentait sous un tout autre jour.

« A part la construction des autoroutes, c'est sans doute dans celle des gratte-ciel comme votre Tour que s'offrent les meilleures occasions de filouteries. Les gens du racket s'y sont introduits et en ont été chassés depuis des années. En général ils s'intéressent aux bâtiments publics. Au New Jersey, tout au moins dans certains cantons, je n'accepterais pas d'engager ma responsabilité dans un travail même s'il devait me rapporter une fortune. Ici, c'est mieux. La plupart du temps. Pour autant que je le sache, les malins qui veulent s'enrichir trop vite ne se sont adressés qu'une fois à McGraw. »

Joe eut un sourire à la fois malveillant et ravi.

Nat pensa : pour cet homme aussi le travail est sacré ; c'est un des bons. « Qu'est-ce qui s'est passé ? demanda-t-il.

— Eh bien les gangsters ont envoyé un de leurs agents de persuasion, reprit Lewis. McGraw a déclaré qu'il ne traiterait pas avec un sous-fifre. Il ne voulait avoir affaire qu'au grand patron et à personne d'autre. Il s'agissait d'une grosse affaire, un grand immeuble. Beaucoup d'argent était engagé et il y en avait encore beaucoup à récolter. Espérant en outre que ce serait seulement un début, le caïd se présenta en personne. McGraw lui avait donné rendez-vous au chantier. Il le conduisit à l'écart pour pouvoir s'entretenir discrètement... jusqu'au sommet de la charpente, au quarantième ou au quarante-cinquième étage. Personne en vue et la rue était loin, loin au-dessous d'eux. Quand le truand se fut rendu compte de l'endroit où il était, et ça ne lui plaisait pas, McGraw lui dit tout cru : « De deux choses l'une, vous descendez dans le monte-charge, vous disparaissez et vous ne revenez jamais ou bien vous prenez le raccourci, sur-le-champ, et on vous ramassera sur le trottoir avec du papier buvard. Décidez-vous tout de suite. » Lewis marqua un temps d'arrêt. « Personne ne l'a plus jamais tracassé. Il est des hommes qui ne se laissent pas intimider, vous le savez, et il est vain de s'en prendre à eux. »

Pendant un moment Nat ajusta mentalement ce qu'il venait d'apprendre avec ce qu'il savait déjà de Bert McGraw. Ça cadrait fort bien. Il avait déjà discerné chez ce vieux patron un formidable appétit de travail, le goût de l'aventure, celui d'un homme prêt à accepter tous les défis. En bien d'autres occasions le gangster avait peut-être échappé de près à la mort mais Nat aurait parié qu'il ne s'en était jamais rendu compte aussi clairement. McGraw n'était donc pour rien dans cette affaire d'autorisations falsifiées. « Est-ce que vous avez déjà travaillé avec Paul Simmons ? demanda-t-il à Joe Lewis.

— Très souvent depuis qu'il a épousé la fille de McGraw et que celui-ci l'a lancé.

— Ah, c'est comme ça que ça s'est passé ? Je ne savais pas.

— Paul est un type bien. » Lewis considéra d'un œil pensif les photocopies. « Vous pensez qu'il aurait pu faire ces trucs-là et les signer de votre nom ? » Il secoua lentement la tête. « Non, ça ne colle pas. Tôt ou tard ces faux devaient être découverts comme ils l'ont été. Et forcément tout le monde se demande qui en profite. L'entrepreneur d'installations électriques est le premier suspect : il touche le prix convenu pour un travail convenable qu'il exécute au rabais. Mais c'est trop évident, trop facile. D'ailleurs il n'en a pas besoin. Son affaire marche bien. Avec un beau-père comme Bert McGraw et, selon toute évidence, un diplôme de grande école, ce qui dénote qu'il avait de l'argent avant de se mettre à son compte... pourquoi se livrerait-il à un tripatouillage pareil ?

— Ainsi, personne n'avait de raison de donner ces ordres de modifications et mon nom figure dessus, dit Nat avec un sourire amer. C'est du joli ! Pouvez-vous dresser la liste de priorité ? Nous commencerons par le commencement et nous irons jusqu'au bout, quoi qu'il en coûte. Il faut tirer l'affaire au clair. »

De nouveau il partit à pied, par une espèce de réaction spontanée. Il alla vers le parc, suivit la Quarante-deuxième rue et traversa la Cinquième avenue. Il ne voyait pas ceux qu'il croisait sur le trottoir. Absorbé par ses méditations, il ne remarquait que les feux de signalisation aux carrefours et les voitures qui auraient pu l'écraser.

Les ordres de modifications existaient. Ça, c'était le premier point.

Les avait-on exécutés ? Ces modifications impliquaient-elles moins de travail ? du matériel moins coûteux ? d'où résultait une installation moins sûre ?... Ou bien n'en avait-on pas tenu compte ? Tel était le second point.

En fonctionnant selon les principes d'une numération binaire, les ordinateurs brisent les données d'un problème de la même façon : oui ou non, à chaque pas. La méthode est presque infaillible pourvu qu'on pose à l'engin la question qui convient et qu'on lui obéisse correctement. Mais chaque réponse à chaque question suscite de nouvelles questions qui se multiplient géométriquement. Or, la simple progression un, deux, quatre, huit, ne tarde pas à donner des nombres épouvantables aux chiffres presque innombrables.

C'est précisément pour ça qu'on se sert d'ordinateurs, pensa Nat agacé car cette constatation n'arrangeait pas ses affaires. Lorsqu'on essaie de concentrer ses idées sur un point précis, l'esprit s'égare souvent sur des voies saugrenues comme celle-là.

Il traversa la Cinquante-neuvième rue et entra dans le parc. Aussitôt tout changea. Ses pas s'allongèrent et ralentirent, le fil de ses pensées se déroula avec plus de souplesse et il devint moins indifférent au décor. Il y avait des arbres autour de lui, de l'herbe, des rochers et le ciel lui-même semblait différent, plus bleu, moins tenaillé par la civilisation. Certes ce n'étaient pas les paysages qu'il avait connus autrefois. Dans ce parc on ne voyait pas de montagnes couronnées de neiges éternelles, on n'y respirait pas un air sec et propre et si le tintamarre de la métropole y était moins assourdissant, il n'y régnait pas le silence. Néanmoins Nat se sentit plus à l'aise pour réfléchir.

Si l'on n'avait pas exécuté les modifications il n'y avait aucune raison pour que les autorisations existent : vrai ou faux ?

Pas forcément vrai car leur auteur pouvait avoir d'autres mobiles que celui de la malfaçon et du profit malhonnête. Mais alors, quel motif ? Peut-être faire soupçonner Nat Wilson. Pourquoi pas ?

Mais aussi, pourquoi ? Nat n'en avait aucune idée. A son avis, personne ne serait allé jusque-là rien que pour le discréditer.

Mais en était-il sûr ?

Il s'arrêta devant un stand et acheta un cornet de cacahouètes puis il s'éloigna de la partie du parc aménagée en jardin zoologique pour pénétrer dans une zone boisée moins fréquentée. Il s'assit sur un rocher et attendit avec la patience du montagnard qu'un écureuil vînt prélever sa dîme. Il en arriva un. « Sois le bienvenu, dit Nat. Voilà ! » Il lança une cacahouète et le petit animal s'enfuit aussitôt avec son butin.

Nat était-il tellement sûr que personne n'aurait cherché à le piéger ? Trop de certitude serait de l'outrecuidance.

En effet il était arrivé de nulle part, des montagnes de l'Ouest, sans amis dans les milieux de sa profession, sans lettres de recommandation, sans le moindre levier pour se hisser. Il s'était présenté chez Ben Caldwell avec son porte-documents sous le bras. Il lui avait fallu quatre jours pour être reçu par le patron. Il était sorti de ce premier entretien avec une situation pour laquelle bien des jeunes architectes fortement pistonnés auraient fait des pieds et des mains. Il y avait de cela sept ans ; on commençait à peine à méditer sur le projet de la World Tower.

L'écureuil était revenu. Assis sur son derrière, il observait Nat. Comme ce dernier ne réagissait pas, l'animal abaissa ses pattes de devant et avança d'une cinquantaine de centimètres puis s'assit de nouveau.

« Bien joué ! dit le jeune homme. Voilà pour ta peine. » Encore une cacahouète.

« Est-ce alors que j'ai marché sur les pieds de quelqu'un ? demanda-t-il à haute voix. Et depuis, est-ce que j'ai vexé quelqu'un ? » La réponse s'imposait : peut-être, et même probablement, même sans s'en rendre compte. Ainsi, il était donc possible que quelqu'un eût falsifié ces ordres de modifications rien que pour le faire soupçonner. Voilà une hypothèse désagréable.

Mais il se pouvait très bien qu'on eût exécuté ces modifications. Cela, il ne le saurait qu'après vérification.

S'il en était ainsi, le mobile le plus probable était celui de l'économie : quelqu'un avait utilisé du matériel de moindre qualité et consacré moins d'heures de travail à sa tâche pour augmenter sa marge de bénéfice entre le prix convenu et la tâche effectivement exécutée. Qui ? Le premier suspect n'était autre que Paul Simmons. Mais si Simmons était vraiment tel que le disait Joe Lewis, pourquoi se serait-il livré à de telles manigances qui n'allaient évidemment pas sans risque ? Nat ne trouva pas de réponse à cette question.

Il envisagea une troisième hypothèse. Quelqu'un aurait pu rédiger ces ordres et les exécuter, mais innocemment. Mais qui ? Paul Simmons et ses assistants auraient pu croire que ces modifications correspondaient à une conception nouvelle du travail par les architectes et les ingénieurs. Alors, sans prendre la peine d'en connaître les motifs, ils les auraient exécutées honnêtement et l'appât du gain n'aurait pas été leur mobile. Si cette hypothèse était exacte il fallait chercher d'autres coupables.

Nat brisa l'écorce d'une cacahouète et la mangea. Elle lui sembla bonne. Il constata alors qu'il n'avait pas déjeuné. Il mangea une autre cacahouète et vit que l'écureuil était revenu avec un compagnon. Tous deux étaient assis presque à ses pieds et l'observaient patiemment. « Excusez-moi, mes petits messieurs », dit-il en lançant un fruit à chacun.

Restait une autre hypothèse qu'il s'était sans doute efforcé jusqu'alors de repousser dans les brumes de son subconscient mais qui s'imposait à son esprit. L'auteur des faux ne cherchait pas à lui nuire ni à augmenter son profit mais s'en prenait au gratte-ciel lui-même. Etait-ce concevable ? Hélas oui. Et c'était écœurant. Mais l'hypothèse n'en était pas moins plausible.

Seuls Joe Lewis et ses assistants, les experts, pouvaient évaluer jusqu'à quel point ces modifications mettaient la Tour en danger.

On ne construit pas les gratte-ciel comme des avions ou des fusées spatiales en utilisant les matériaux à l'extrême maximum de leurs capacités. Dans le bâtiment, la question de poids n'a qu'une importance mineure. On s'accorde donc, dans tous les domaines, une large marge de sécurité. Chaque élément de la structure, chaque conduit électrique, chaque détail du câblage est calculé généreusement. On tient compte par exemple de vents soufflant à deux cent quarante kilomètres à l'heure, vitesse qui dépasse de beaucoup celles qu'on n'ait jamais enregistrées à New York. On prévoit des surtensions électriques presque impossibles.

On acceptait sans crainte que la foudre frappe la Tour en raison de sa hauteur. Le formidable squelette d'acier ferait passer la charge électrique dans le sol sans dommage comme il l'avait déjà fait assez souvent pendant la construction.

On envisageait même la possibilité d'un séisme, bien qu'elle fût peu vraisemblable car la ville n'est pas située dans une zone de tremblements de terre. Néanmoins les fondations du gratte-ciel s'incrustaient dans l'assise rocheuse qui constitue l'épine dorsale de l'île. Fermement ancrée sur une base aussi solide, la Tour, à la fois robuste et souple, pouvait subir sans dommage des secousses plus que modérées.

Bref, tous les dangers imaginables avaient été prévus et des mesures prises pour y parer. On avait fait les calculs à l'ordinateur. On avait construit des maquettes pour les mettre à l'épreuve. Tel qu'il était conçu l'édifice durerait aussi longtemps que peut durer ce que l'homme fait de ses mains.

TEL QU'IL ETAIT CONÇU.

Mais un petit changement ici, un autre là, à des points capitaux... et la longévité, le fonctionnement, la sécurité elle-même devenaient illusoires.

Pourquoi quelqu'un mettrait-il ainsi en danger le gratte-ciel ? Nat n'en avait pas la moindre idée, mais dans un monde où la violence paraît normale, où l'on glorifie les actes inconsidérés, le sabotage d'un édifice n'a rien d'impossible.

Les deux écureuils étaient revenus. Un troisième arriva à toute vitesse, pareil à un projectile visant la cible humaine. « Par moments je me demande si nous ne devrions pas vous céder le monde, leur dit Nat. Comme les lemmings, nous pourrions aller tous nous noyer dans l'océan. Tenez. » Il vida le cornet de cacahouètes à ses pieds et se leva.

4

Midi et demi

Par les nombreuses fenêtres de son bureau, très haut au-dessus de la chaussée, Bert McGraw apercevait les plus grands bâtiments de la ville. Il avait participé à la construction d'un certain nombre d'entre eux. En temps normal ce panorama que dominait la World Tower l'enthousiasmait, mais à cet instant son assurance était ébranlée parce que Giddings venait de lui en dire et de lui en montrer assez pour le faire frémir, même par une aussi belle journée de la fin du printemps.

McGraw considéra d'un air indigné les photocopies posées sur son bureau et demanda à Giddings : « Qu'est-ce que nous *savons* au juste ? » Il était à peu près convaincu que cette question n'était qu'une formalité futile et que lorsqu'on aurait procédé aux vérifications on constaterait le pire. « Ce ne sont que des bouts de papier, et même pas des originaux !

— Bert, vous tournez autour du pot et ce n'est pas dans vos habitudes. Ces bouts de papier sont d'authentiques photocopies indiquant clairement que quelqu'un a fricoté sous vos yeux et... oui, je l'avoue, sous les miens aussi. Combien de ces ordres ont été exécutés ? Je ne sais pas encore. Quelle est leur gravité ? Je ne le sais pas encore. Quel était leur motif ? Je ne peux que le supposer. »

McGraw se leva péniblement et alla à la fenêtre. Autrefois, il aurait encaissé le choc sans sourciller ou presque. Cette fois, il était aussi ébranlé que s'il avait reçu un mauvais coup de poing aux reins et le panorama familier devenait flou à ses yeux. Il n'avait encore jamais éprouvé un tel malaise et il s'en inquiéta.

« Tu es trop gras, tu travailles trop et tu n'es plus jeune, prends garde Bert McGraw, lui avait dit sa femme Mary. Autrefois tu étais capable de passer la nuit à boire, à faire le fou et tu rentrais à la maison, frais comme un gardon, ou presque. Mais tu as vieilli. Moi aussi, d'ailleurs. Alors, cesse de t'inquiéter, c'est l'âge. »

Sa vue devint plus nette. Il fit demi-tour. « La signature du jeune Nat Wilson, dit-il. Est-ce que ce nigaud a vraiment signé ça ?

— Il dit que non.

— Et vous, qu'est-ce que vous en dites ? » Malgré son âge, Bert McGraw restait lucide.

« Je ne vois pas pourquoi il aurait fait ça, dit Giddings. Qu'est-ce qu'il y gagnerait ? Il aurait pu s'en tenir aux plans, interdire toute modification et personne n'aurait rien à lui reprocher. Alors, pourquoi aurait-il pris un tel risque ? »

McGraw retourna à son bureau et se laissa tomber dans son fauteuil. « Très bien, dit-il. Au moins nous savons que nous ne savons rien de précis. Quand on considère cette paperasse on est obligé de convenir que notre beau gratte-ciel, cette foutue merveille, n'a pas été construite conformément aux plans et ça ouvre la porte à toutes sortes d'ennuis... même des ennuis juridiques peut-être. Dieu nous garde !

— Ça nous impose surtout du travail. Il va falloir défoncer des cloisons pour vérifier les circuits électriques. Ce n'est pas une petite affaire.

— Nous ferons ce qu'il faut », dit McGraw sèchement. Puis il réfléchit et reprit d'un ton plus amène : « Ce n'est pas seulement ça qui me préoccupe. » Sa femme Mary — bénie soit-elle ! — l'accusait d'être superstitieux. N'était-ce pas l'enfant de la vieille Erin qui reparaissait en lui ? « Vous connaissez le métier, Giddings. Sur un chantier quelques petites choses ne tournent pas rond, il se produit des accidents, on ne livre pas les matériaux, le temps devient mauvais, et puis il y a une grève... » Il écarta les doigts puis les referma et considéra ses poings serrés comme si c'étaient des ennemis. « Parfois cette chaîne de malchance n'en finit pas. C'est comme si le diable s'en mêlait, Dieu me pardonne ! et même la bénédiction d'un prêtre ne conjure pas le sortilège. Vous me comprenez, Will ? »

Giddings pensait justement à Pete Janowski qui avait dépassé l'extrémité d'une poutre d'acier, au soixante-cinquième étage, sans aucune raison imaginable. « Oui, je vous comprends. »

McGraw poussa un profond soupir. « Je suis obligé d'avouer que deux buildings de cette ville, que je ne nommerai pas mais je les ai construits tous les deux, m'épouvantent. Je ne voudrais pas y entrer, et encore moins y prendre l'ascenseur. » Il secoua la tête comme pour chasser cette idée, se redressa dans son fauteuil et reprit sèchement : « Mais il ne s'agit pas de ça. Vous m'avez dit que vous pouvez seulement supputer le mobile de celui qui a écrit ces permis de dérogation. Bien. Alors, qu'est-ce que vous supputez ?

— Quelque chose qui ne vous plaira pas.

— Que le diable vous emporte ! »

C'était la colère honnête, sincère et violente d'un brave homme. « On nous a roulés tous les deux. Vous qui représentiez le propriétaire et moi qui étais responsable du travail. Eh bien, sacrebleu ! Je veux savoir qui a fait ça, et pourquoi.

— Ces permis ne concernent que l'installation électrique, dit Giddings en haussant les épaules.

— Et alors ?

— D'après ce que j'y vois, chacune de ces modifications implique un câblage simplifié et moins de matériel. Qu'est-ce que vous en déduisez ?

— Que quelqu'un a triché pour gagner de l'argent », répondit McGraw en hésitant. Il se leva de nouveau et retourna à la fenêtre où le panorama se brouilla à ses yeux cette fois encore. « Si je vous comprends bien, celui qui a économisé de l'argent n'est autre que l'entrepreneur de l'installation électrique », dit-il sans regarder Giddings. De nouveau le décor lui redevint distinct. McGraw retourna vers sa table en serrant les mains derrière son dos parce qu'il craignait que leur tremblement révèle sa nervosité. « Paul Simmons... C'est lui que vous soupçonnez, n'est-ce pas ?

— Je fais une supposition, je vous l'ai dit.

— C'est exact.

— Je vous ai dit que ça vous déplairait.

— C'est vrai. Ça me déplaît. Il me déplaît que vous pensiez ainsi et je m'en veux de le penser moi-même. » Il posa les mains sur la table, étendit les doigts et les considéra un moment sans rien dire. Quand il releva la tête vers Giddings son visage était presque gris. « Nous saurons la vérité, Will, dit-il. Même si je dois le saisir avec ces deux mains et le tordre jusqu'à ce qu'il se brise, nous saurons. C'est promis. En attendant... » Il se tut, comme s'il avait oublié ce qu'il voulait ajouter. Il se frotta la joue, d'un air las.

« En attendant je vérifierai ce qui s'est passé pour savoir ce que nous devons faire », dit Giddings, comme s'il ne remarquait pas le désarroi de son interlocuteur.

McGraw s'appuya au dossier de son fauteuil. « Oui, c'est ce qu'il faut faire, Will, et tenez-moi au courant. » Il respira profondément et reprit d'une voix plus assurée : « Nous respecterons nos obligations comme nous l'avons toujours fait.

— Je n'en ai jamais douté », dit Giddings.

Resté seul, McGraw se tint immobile dans son fauteuil. Fatigué, il se sentait vieux et ce qu'il avait à faire lui répugnait. Autrefois il aurait bondi hors de son bureau en rugissant s'il avait soupçonné le moins du monde que quelqu'un lui avait joué un mauvais tour, qui que ce fût, parent, allié, saint ou démon. Mais l'homme change avec l'âge, ses certitudes s'atténuent, les différences sont moins tranchées. McGraw hésitait à croire qu'un de ses proches, le mari de sa fille, avait abusé de sa confiance.

Ce vieil homme était fier de son gendre. D'abord Paul

Simmons était un gentleman, passé par les grandes écoles et n'appartenait pas comme son beau-père à l'espèce des chats de gouttière. Sa fille, Patty, était tout à fait à l'aise dans le milieu de Paul et il s'en enorgueillissait aussi.

Bert et Mary habitaient toujours à Queens, dans la maison qu'il avait achetée trente ans plus tôt, grâce aux bénéfices que lui avaient rapportés son premier bâtiment de quelque importance. Paul et Patty vivaient à Westchester, à quelques kilomètres seulement, mais dans un milieu tout à fait différent. Tout Américain est féru de ce vieux rêve ; que ses enfants mènent une vie meilleure que la sienne, et quand il en est ainsi, il remercie le Seigneur.

Et maintenant, se dit McGraw, je vais décrocher le téléphone pour appeler mon gendre, un tricheur, un voleur. C'était amer.

Les photocopies étaient encore étalées sur la table. Il les repoussa de sa large paume. Elles bruirent comme des feuilles sèches.

C'est impossible, pensa McGraw. Pas sur un de mes chantiers. Pas au nez et à la barbe de Giddings et de Nat Wilson. Et les inspecteurs municipaux ? Soudoyés ? ou bien aveugles devant des tours de passe-passe qui leur échappent ?

Impossible mais pourtant vrai. Bert en était convaincu jusqu'à la moelle de ses os. Certes ce n'était pas la première fois que dans la construction d'un grand immeuble quelqu'un essayait de le rouler en fricotant comme un joueur de bonneteau.

Factures, bons de livraison, fiches de travail, cahier des charges et même les plans pouvaient être modifiés, falsifiés, et on signait parfois le bon de réception d'une tâche qui n'était pas accomplie, l'argent passait sous la table ou restait collé aux doigts de quelqu'un. Les moyens de tricher sont innombrables. McGraw s'en était aperçu de temps à autre ; alors quelqu'un avait quitté le chantier à toute vitesse et penaud, avec quelques dents en moins.

La sonnerie du téléphone fit sursauter le vieil homme qui grimaça en décrochant.

« Madame Simmons à l'appareil », lui dit sa secrétaire.
Patty n'est sûrement pas au courant, pensa McGraw. Et sacrebleu ! moi non plus je ne sais rien parce que je ne suis pas sûr que Paul soit un salopard capable de saboter son travail. Il faudrait le prouver car tout suspect est innocent jusqu'à ce qu'on ait la preuve formelle de sa culpabilité. Innocent ! Va te faire voir ! « Bonjour chérie, dit-il dans l'appareil.

— Tu n'aurais pas envie de m'offrir à déjeuner, papa ? » Jeune, fraîche, pleine d'allant, la voix de Patty ressemblait à son visage. L'entendre apaisa un peu son père et il sourit. « Je suis à la Grand Central et Paul est pris par ses affaires.

— Comme tu n'as pas d'amis sous la main, tu penses à ton vieux père.

— Et je m'en fais une fête ! Tu sais que je t'aurais épousé si je n'avais pas craint de peiner maman. » Dommage que je n'aie pas pu le faire, pensa-t-elle, mais elle n'en dit rien. « Allez, papa, ne sois pas avare.

— D'accord, chérie. J'ai un ou deux coups de téléphone à donner. » Un en tout cas. « Prends une table chez Martin. Je ne tarderai pas à te rejoindre.

— Je commanderai les apéritifs en t'attendant. »

McGraw raccrocha et appela aussitôt sa secrétaire. « Demandez-moi Paul Simmons, Laura. » Puis il s'efforça d'attendre tranquillement.

Sa secrétaire le rappela presque aussitôt. « Monsieur Simmons est sur une autre ligne. Je le resonnerai dans quelques minutes. »

Un sursis ? se demanda McGraw. Eh bien foutre non ! Je vais régler ça tout de suite. « Non, dit-il. Passez-moi sa secrétaire. » Dès qu'il entendit une autre voix, flûtée, il énonça d'une voix impérieuse : « Dites à Paul que je veux le voir ici, à mon bureau, à treize heures trente précises.

— Monsieur Simmons a une journée très chargée, bredouilla la secrétaire. Il...

— Dites-lui de venir, ma jolie. » Il raccrocha, se leva péniblement et se dirigea vers la porte. Un petit moment agréable avec Patty. pensa-t-il et puis — quelle est la dernière formule à la mode ? — après : la confrontation. Eh bien qu'il en soit ainsi. Sans s'en rendre compte, il releva les épaules en franchissant le seuil de la porte.

Paul Simmons était bien en train de téléphoner, en effet. Il disait : « J'ai réservé une table et j'ai raconté à Patty que j'avais un déjeuner d'affaires. J'ai donc droit à ta compagnie.

— Vraiment ? » répondit Zib Wilson, née Marlowe. J'attendais un coup de fil de Nat. » Ce n'était pas tout à fait exact. Elle avait seulement espéré que son mari l'appellerait. « Mais il est sans doute pris par l'inauguration de la Tour. Puisqu'il en est question, comment se fait-il que tu sois libre ?

— Je ne suis pas marié avec mon travail, comme d'autres : ton époux, par exemple. Viens déjeuner, ma chérie. Au premier verre je te dirai combien je t'aime. Au second je te confierai dans le creux de l'oreille ce que je te ferai la prochaine fois que nous serons au lit.

— C'est alléchant. » Des piles de manuscrits couvraient le bureau de Zib. L'édition d'août n'était pas encore bouclée. Il lui manquait encore au moins une dernière nouvelle. D'autre part, un sandwich à la salade et aux tomates avec une mauvaise tasse de thé avalés dans son bureau lui répugnaient. « Tu m'as convaincue, dit-elle. Où ? Quand ? » Elle ne s'inquiétait plus de Nat et ne craignait plus ses réactions au cas où il apprendrait qu'elle roulait hors de l'ornière, et cette constatation l'amusa. Tous ces trucs-là, c'est du mauvais roman, pensa-t-elle en notant nom et adresse du restaurant.

« D'accord. dit-elle. *Ciao* ! Je paierai ma part. comme d'habitude. »

Arrivé de la capitale pour l'inauguration de la Tour, le gouverneur Bent Armitage déjeuna de bonne heure avec Grover Frazee au Harvard Club ; en sirotant son martini il déclara : « Les rapports que vous avez envoyés aux actionnaires ne disent pas grand-chose, Grover. Comment va la location ? Il n'est pas trop tôt pour en parler ? »

Frazee pensa *in petto* que le gouverneur adoptait facilement une attitude de rural ahuri à laquelle bien des gens se laisseraient prendre. Il se rappela qu'on appelait jadis Wendell Willkie, le petit va-nu-pieds de Wall Street. On aurait pu en dire autant de Bent Armitage. « Le tableau est encore un peu confus », répondit-il.

Le gouverneur dégusta son martini avec satisfaction « Autrefois, dit-il, quand on commandait cet apéritif, il suffisait d'en dire le nom. Maintenant c'est tout juste si on ne doit pas remplir un formulaire : *on the rocks* ou sec ? vodka ou gin ? olive, oignon ou citron ? » Puis, sans changer d'expression il enchaîna : « Je vous ai posé une question. Cessez d'atermoyer. »

Question épineuse ! « Les locations vont aussi bien qu'il est permis de l'espérer étant données les circonstances », dit Frazee.

Le gouverneur sourit à la manière du loup de Walt Disney, en exhibant ses crocs blancs. « Voilà une phrase qui ne signifie absolument rien. Vous auriez fait un excellent politicien. La location ne marche pas. Dites-moi pourquoi.

— Pour bien des raisons diverses... commença Frazee.

— Grover, vous n'êtes pas en train de discourir devant l'assemblée des actionnaires. Vous vous adressez à un seul actionnaire de la World Tower Corporation qui connaît son affaire et s'y intéresse. Tenez-vous-le pour dit. Les locataires sur lesquels on comptait s'abstiennent. Pourquoi ? Trop d'espace disponible ? Loyer trop élevé ? Crédit cher ? Incertitude économique ? » En parlant ainsi le gouverneur regardait fixement le visage de son interlocuteur.

Frazee hésita. *Self-made man,* le gouverneur laissait volontiers tomber son masque de jovialité cordiale et montrait la rigueur qui lui avait permis de monter si haut, presque jusqu'à la présidence des Etats-Unis. « Toutes les raisons que vous venez d'énumérer concourent au marasme actuel, dit Frazee. Mais ça va changer. Il le faut bien. Le Trade Center en est au même point.

— Le Trade Center appartient à l'administration du port autonome. Je n'ai pas besoin de vous énumérer les autres éléments de son actif. Qu'un de ses buildings ne soit pas totalement loué ne la gêne guère. Même s'il était vide, elle survivrait. Mais la World Tower Corporation est une affaire privée. Je ne peux pas m'empêcher de penser à l'Empire State Building à moitié vacant pendant la grande crise économique d'avant-guerre.

Frazee ne répondit pas.

Le gouverneur poursuivit : « Il me semble que nous avons simplement choisi un mauvais moment pour bâtir notre fichue merveille. Qu'en dites-vous ? » Il vida son verre. « Je me suis promis deux martinis », ajouta-t-il en faisant signe au garçon le plus proche de leur table.

Frazee restait silencieux, vaguement mal à l'aise. Certes ce n'était pas un homme timoré, il ne cherchait pas à échapper à ses responsabilités. Quand une difficulté se présentait, il y faisait généralement face énergiquement au lieu de l'esquiver. D'autre part il se gardait généralement de précipiter les choses, comme le faisait volontiers Bent Armitage. Si on n'accroche pas les ennuis au passage, pensait-il, ils s'éloignent parfois d'eux-mêmes. La question des locations à la Tour n'avait rien de réjouissant mais n'était pas critique non plus. Jusqu'alors.

« Les dépenses ont-elles dépassé les prévisions ? demanda le gouverneur.

— Non, répondit Frazee satisfait car à ce sujet il jouait sur le velours. Nous nous en sommes tenus très près des évaluations. » Il avait tout lieu d'en être fier. « Conception précise, plans bien étudiés...

— Bravo ! voilà un bon point, dit le gouverneur en souriant tout à coup. J'avoue que je ne m'y attendais pas. Ça nous laisse une certaine liberté de manœuvre, non ? »

Frazee ne saisit pas. Il le dit avec une certaine vivacité.

Sa gêne faisait place au ressentiment parce que Bent Armitage laissait entendre que l'évidence lui échappait.

« Dans certains milieux on appelle ça du tripatouillage, reprit le gouverneur. Dans d'autres on le considère plutôt comme une adaptation raisonnable aux circonstances. En tout cas, il s'agit d'abord de survivre, Grover. Voilà ce qui importe, d'abord et surtout. C'est vrai en fait de politique et ça s'applique aussi à la gestion des immeubles. Etant donné que les frais de construction n'ont pas dépassé nos prévisions, notre capital est à peu près intact et nous pouvons nous contenter de revenus légèrement moindres en baissant nos loyers.

— Nous avons publié nos barèmes, dit Frazee sèchement. Nous avons déjà signé des baux au tarif prévu.

— Bigre ! dit le gouverneur. Qu'importe ! Quand ce sera possible, permettez à nos démarcheurs de signer des baux à un tarif légèrement inférieur au barème en conseillant aux locataires de ne pas ébruiter l'avantage que nous leur consentons. »

Frazee ouvrit la bouche mais la referma aussitôt, prudemment.

Le gouverneur lui offrit de nouveau son sourire de loup. « Vous êtes outré ? Ça ne m'étonne pas de la part d'un membre du club de la Raquette. » Il fit signe à un garçon d'approcher. « Commandons le repas tant qu'il me reste un peu de martini. L'après-midi sera long et fastidieux. » Il consulta le menu, nota son choix lui-même et s'adossa à sa chaise. « J'ai investi gros dans cette affaire, Grover. Vous aussi, mais vous vous souciez peut-être moins de votre argent que moi. La morale des gentlemen convient au yachting, au golf et dans d'autres domaines aussi futiles, mais nous avons contruit un bâtiment pour gagner de l'argent. Il est temps de nous y mettre. »

5

13 heures et 5 minutes

Paul Simmons était déjà attablé dans un petit box, au fond du restaurant quand Zib arriva. Il se leva et fit quelques pas à sa rencontre. Jambes somptueuses, longs cheveux lustrés, seins que ne paralysait pas un soutien-gorge, démarche gracieuse, tout en elle l'émerveilla une fois de plus. « Je ne devrais pas être ici, dit-elle en s'asseyant, mais en train de fouiller un tas d'ordures pour essayer d'y dénicher un texte de fiction qui ne nous fasse pas trop honte. » Elle plissa le nez avec dégoût et rejeta à deux mains sa chevelure derrière ses épaules.

« Alors ta présence me flatte encore plus », répondit Paul. Il fit signe à un garçon et commanda les apéritifs : martinis au gin, très secs, très froids, avec une goutte de citron. Puis il sourit à Zib. « Quand nous voyons-nous ?

— Mais tu me vois.

— Pas comme je le souhaiterais. Dois-je m'expliquer ?

— Tu es un porc. Le monstre mâle tel que le voit le MLF.

— Et ça t'enchante. »

Un sourire énigmatique lui releva les commissures des lèvres et fit briller ses yeux. « Il n'y a pas que ça entre nous, dit-elle.

— Vraiment ? »

Zib sourit de nouveau. Cette crudité lui avait toujours plu. Elle raffolait de ces échanges de propos et, aussi loin que remontait sa mémoire, elle se rappelait en avoir éprouvé du plaisir. « Tu es le type même du mâle répugnant.

— Le type même ?... par moments je me demande quel genre de type je suis. »

Il sortait de son bureau quand sa secrétaire lui avait transmis le message de McGraw. « Rappelle-le, chérie et dis-lui que je suis pris, avait-il répondu avec désinvolture.

— C'est exactement ce que je lui ai déjà dit, mais il a répondu catégoriquement : « Qu'il soit là à une heure et demie, exactement. »

Que pouvait bien signifier une sommation aussi péremptoire ?

« Autrefois, dit-il à Zib, je me prenais pour un type tout ce qu'il y a de plus banal : école, université puis, sans doute une entreprise où je purgerais ma peine sociale sans trop de tourments... »

Zib l'observait attentivement. « Et maintenant ? » demanda-t-elle d'un ton détaché.

Le garçon servit les apéritifs. Paul leva son verre, hocha la tête vers Zib, dégusta quelques gorgées et demanda : « Tu ne connais pas mon beau-père, je crois ?

— Je ne l'ai jamais vu mais Nat m'en a beaucoup parlé. »

Paul reposa son verre et l'examina un moment « Ça ne m'étonne pas, dit-il. Ils se ressemblent. Bert est un gros Irlandais gueulard, prompt à serrer les poings.

— Pas Nat. Mon mari est un agneau. Peut-être l'est-il même trop. » Zib fronça les sourcils. « Ne me regarde pas comme ça. C'est vrai.

— Je n'ai surtout pas envie de me disputer avec toi, dit Paul lentement.

— Alors, ne dis pas de bêtises sur mon mari.

— Nous sommes bien susceptible aujourd'hui, me semble-t-il.

— Nat est mon époux.

— Et tu le connais bien. » Paul hocha la tête. En réalité, pensa-t-il, elle connaît mal son mari ; elle ne le connaît même pas du tout et ça vaut peut-être mieux. « Puisqu'il en est ainsi, tenons-nous-en à Bert McGraw, mon estimable beau-père. »

Mue par une intuition comme elle en avait rarement, Zib remarqua : « Tu as peur de lui, pas vrai ? »

Il but quelques gorgées en réfléchissant et répondit enfin : « Oui. » Il n'avait pas envie de jouer les fiers-à-bras. Il avait tout avantage à plier devant Zib, procédé qui lui avait souvent réussi. « Toi et moi nous sommes des anachronismes, dit-il. On nous a élevés dans l'illusion d'après laquelle tous les hommes sont des gentlemen et toutes les femmes des dames ; personne ne tricherait, il n'y aurait jamais de violences ni de menaces ; tout le monde vivrait selon les usages du beau monde. » Il attendit une réponse.

Zib n'était pas sûre de comprendre exactement où il voulait en venir mais qu'il lui parlât sérieusement de questions sérieuses la flattait. Rares étaient les hommes qui prenaient cette peine avec elle. Paul et elle avaient grandi dans des milieux semblables, elle était d'accord avec lui au moins sur ce point. « Continue, dit-elle.

— Je crois que les jeunes d'aujourd'hui y voient plus clair que nous. Ils écoutent leurs parents quand ceux-ci cherchent à leur inculquer des principes, ils connaissent les Dix Commandements, mais ils considèrent tout ça comme des calembredaines parce que personne n'y croit plus. Ils n'ont peut-être pas tout à fait tort. Pourtant ceux qui nous dominent, ceux qui ont toujours réussi, n'ont pas toujours respecté les règles du jeu et peut-être même jamais. »

Zib eut l'impression de mieux le comprendre. « Tu penses à ton beau-père ? demanda-t-elle.

— Tout juste. Bert n'était qu'un petit voyou. Il a grandi dans les bas quartiers. Il n'est pas sur la même longueur d'ondes que son milieu actuel. Mais les gens de son métier sont des durs et il se débrouille bien parce qu'il est encore plus dur que la plupart des autres. »

Zib se pencha vers Paul, intriguée. « Et pas toi ? »

Il haussa les épaules d'un air modeste. « Je n'avance qu'en titubant, dit-il avec un sourire mi-figue mi-raisin. Patty me pousse à chaque pas. »

En disant qu'il se demandait à quel type d'homme il appartenait, il n'avait pas menti. Paul n'était en effet, et n'avait jamais été, qu'un caméléon, exceptionnellement apte à s'intégrer aux milieux les plus divers. Pas sot, compétent au point de vue technique — le contraire eût été étonnant étant donné l'instruction qu'il avait reçue — il avait beaucoup de charme mais telles étaient ses seules qualités. Parfois il lui semblait qu'un ingrédient essentiel manquait à la formule de sa personnalité : sans doute quelque agent durcisseur faute duquel il ne s'était jamais coagulé en une entité solide et reconnaissable.

« Patty me plaît, dit Zib.

— Alors, tente ta chance, répliqua-t-il en souriant de nouveau. Ce n'est pas une suggestion aussi extravagante qu'elle paraît. Je ne serais pas étonné si elle décidait de jouer sur les deux tableaux. Elle ne tient pas tellement aux hommes. En tout cas pas tellement à moi. » Un instant de silence. « Tu es choquée ?

— A peine.

— La femme émancipée, alors ?

— J'accepte les choses telles qu'elles sont. »

Paul se dit qu'une des pires tares des théories du MLF c'est que ses adeptes les prennent tellement au sérieux qu'ils ne peuvent s'exprimer que par clichés.

Zib considéra son apéritif puis elle leva la tête. « Au fond, je ne te connais guère, dit-elle. Parfois je me demande si je connais vraiment un seul être au monde. As-tu déjà eu cette impression ? Tu sais, celle d'être exclue.

— Très souvent. » Paul appela le garçon et commanda une deuxième tournée d'apéritifs. Puisqu'il me faut affronter McGraw, pensait-il, j'ai besoin de prendre des forces.

« Ce que tu as dit au sujet de Nat... reprit-elle.

— Il ressemble assez à Bert McGraw.

— Qu'entendais-tu par là ?

— C'est un personnage de Western, dit Paul en souriant. Il sait très bien dissimuler son véritable caractère qui transparaît pourtant de temps à autre. »

Zib secoua la tête. « Tu te trompes, c'est un agneau, comme je te l'ai déjà dit, et je le regrette. » S'il ne l'était pas tu ne serais pas mon amant et je n'en aurais aucun autre, pensa-t-elle. En un certain sens son mari était donc responsable de sa faute et cette idée la réconfortait.

« Ma chérie, permets-moi de te donner un conseil, dit-il. Ne provoque pas trop ton mari. Et maintenant, mangeons. j'ai reçu une convocation impérieuse. »

Patty était assise à une table pour deux, chez Martin, quand Bert McGraw arriva. Martin en personne se précipita à sa rencontre, la carte à la main, et le conduisit d'un bout à l'autre du restaurant. Le père se pencha pour baiser sa fille sur les lèvres et pas sur la joue. Pour lui, un baiser était un baiser et pas un vague geste conventionnel. Puis il s'assit. Son whisky l'attendait comme sa fille le lui avait promis : un grand verre contenant une ration généreuse de bourbon avec de la glace. Il le goûta, soupira, sourit à sa fille et lui demanda : « Ça va, chérie ?

— Moi, oui, mais, toi, tu n'as pas l'air dans ton assiette, McGraw.

— Possible. Mais il me suffit de te voir pour aller mieux. » C'était la vérité. Quoique beaucoup plus jeune que sa mère Patty lui ressemblait à bien des points de vue. Bert ne cessait d'admirer leur calme chaleureux et imperturbable. Ce n'étaient certainement pas ses gènes à lui qui avaient transmis cette qualité à Patty. En présence de sa fille, il se détendait. « Entre toi, moi et le whisky je peux te l'avouer : je me sens très bien.

— Menteur ! répondit-elle en souriant. Tu es fatigué. Tout le monde s'est trop déchargé sur toi pendant ta dernière construction et tu n'as jamais rien bâti d'aussi gigantesque que la World Tower.

— C'est ta mère qui t'a monté la tête ?

— Ça n'aurait servi à rien. J'ai des yeux pour voir. Tu as besoin de repos. Emmène maman en voyage. Tu as toujours eu envie d'aller en Irlande. Pourquoi ne l'as-tu jamais fait, papa ?

— Pourquoi, en effet ?... Je n'ai jamais eu le temps.

— Non. Il y avait une autre raison. »

McGraw sourit. « Puisque tu es si maline dis-moi laquelle... Non, j'ai tort. Je vais te dire cette raison, ma chérie. Pour moi, l'Irlande n'est pas un pays, mais un rêve. J'ai peur d'abîmer mon rêve si j'allais le voir de près. » Cet aveu terminé, il vida son verre de whisky.

Sa fille lui souriait tendrement. « Je veux bien te croire. dit-elle, mais il y a une seule chose que je ne digère pas. Tu aurais peur ?... de quoi que ce soit ? Je n'en crois rien, ça ne t'est jamais arrivé. »

Par moments il se sentait plus proche de sa fille que de sa femme, mais évidemment chacune régnait sur un domaine particulier. « Je crains bien des choses, ma chérie, dit-il. Depuis l'instant où je t'ai vue à travers une vitre, à la maternité où tu es née, j'ai eu peur du jour où tu nous quitterais comme tu l'as fait.

— Je ne t'ai pas quitté, papa.

— Mais si, en un certain sens tu m'as abandonné. Je ne sais pas ce qu'éprouvent les mères dont le fils se marie, mais je comprends ce qui se passe chez les pères quand leur fille s'en va avec un autre homme. » Il s'obligea à sourire et ce ne lui fut pas facile. « Pour le père, l'homme le plus parfait du monde ne suffit pas à sa fille.

— Crois-tu que Paul soit l'homme le plus parfait du monde ? » demanda Patty.

Et voilà, mon vieux McGraw ! Comment répondras-tu à cette question ? « Il y a pire », dit-il en souriant. C'est ce que tu penses ? Surtout depuis ta conversation avec Giddings ?

« Je me demande si tu es sincère, papa, dit Patty sévèrement.

— Mais bien sûr, ma chérie.

— Tu as l'air d'un bon nounours, mais je ne m'y fie pas parce que tu es aussi un très bon joueur de poker, m'a-t-on dit. Ça m'étonne d'ailleurs car tu es tellement transparent. J'avais toujour cru que Paul te plaisait.

— Qu'est-ce qui t'a fait changer d'avis ?

— Ton regard. Qu'est-ce qui s'est passé ? »

McGraw prit son temps. Un garçon approcha. « Un autre verre, monsieur ? » demanda-t-il.

C'est Patty qui répondit : « Oui, pour mon père seulement, pas pour moi. » Quand le garçon se fut éloigné elle demanda : « C'est grave ?

— Tu n'as pas honte de cuisiner ton père comme ça ? répliqua McGraw en affectant de plaisanter mais sans être certain de donner le change. Je ne sais pas à quel point c'est sérieux, ma chérie. Il se pourrait... C'est au sujet de la World Tower.

— Qu'est-ce qu'il se pourrait ? » Alors cette fille d'entrepreneur, femme de sous-traitant, précisa sa question. « Il t'aurait entourloupé ? Paul ? Est-ce possible ? » Elle reprit avec plus de calme. « Mais oui, c'est possible. Je t'ai souvent entendu parler de pots-de-vin, faux bons de livraison, de factures truquées... C'est ça ?

— Je ne suis sûr de rien, ma petite fille et je ne suis pas homme à diffamer quelqu'un sans certitude. »

Le garçon lui apporta un autre verre. McGraw l'examina longuement avant de s'en saisir puis le dégusta lentement. En ce moment, pensa-t-il, ce n'est pas un verre qu'il me faudrait, mais une pleine bouteille. Il aurait aussi voulu avoir auprès de lui ses potes du bon vieux temps : Frank, Jimmy, O'Reilly et McTurk. Ces noms défilèrent dans sa tête comme une litanie. Ils avaient bu, ils avaient ri, ils s'étaient bagarrés ensemble, voilà bien longtemps.

« Mais oui, bien sûr, papa », lui dit Patty.

Mon Dieu, pensa-t-il, est-ce que je parlais tout haut ? Voyant que sa main tremblait, il reposa son verre.

« Tu m'as tant parlé de tous, reprit sa fille, je regrette de ne pas les avoir connus.

— J'avais près de quarante ans quand tu es née, dit-il avec plus d'assurance.

— Je le sais.

— Ta mère, qu'elle soit bénie ! n'avait qu'un an de moins que moi.

— Je le sais aussi. Vous étiez plus âgés que la plupart des parents, mais ça ne m'a jamais gênée parce qu'en réalité vous n'étiez pas vieux.

— Je n'en suis pas sûr, dit McGraw. Notre jeunesse était passée quand tu es née. » Il sourit. « Nous avions tellement désiré un enfant que lorsque tu es venue au monde, tout entière et en bonne santé, je suis tombé à genoux et j'ai remercié le Seigneur. » Il reprit son verre. « Commandons notre repas.

— Qu'est-ce qu'ils sont devenus les Frank et les Jimmy,... O'Reilly et l'autre, comment s'appelait-il donc ? McTurk ? C'est ça ?

— Oui. Un formidable gaillard d'Irlandais aux épaules aussi larges qu'un pont transbordeur. Qu'est-ce qu'ils sont devenus ? Je ne sais pas, ma chérie. » C'était le jour des confessions, des aveux et des réminiscences. « Il m'est arrivé de faire un rêve qui m'a beaucoup frappé. Je gravissais une montagne avec des amis. Plus nous montions, plus le brouillard épaississait. Je perdis mes amis de vue et je n'entendis même plus leur voix. Je continuais à monter parce qu'il n'y avait rien d'autre à faire. » McGraw marqua un temps d'arrêt, le regard vague : il regardait des souvenirs, bien au-delà de sa fille, plus loin que les murs du restaurant, au fond de son passé. Il lui fallut faire un effort pour revenir à son récit. « Arrivé au sommet de la montagne, je me trouvai en plein soleil. Je cherchai autour de moi. J'étais seul. Je n'ai pas su ce qu'il était arrivé aux autres. On ne le sait sans doute jamais. Sur la cime on est toujours seul. » Il chercha le garçon du regard puis se reprit. « Tu m'as parlé, je crois ?

— Oui, je t'ai dit que je quitte Paul, papa. Ou plutôt j'en avais l'intention, mais s'il a des ennuis... » Elle sourit, d'un air railleur comme si elle se moquait d'elle-même. « Je n'ai pas envie de jouer les épouses nobles. Ce genre de noblesse me fait horreur, elle gâche tout. Mais si Paul est dans l'embarras, ce n'est pas le moment de l'abandonner. Qu'est-ce que tu en penses ?

— Je n'en pense rien du tout, ma chérie, parce que je ne sais pas pour quelle raison tu allais le quitter. » Il hésita un instant. « Si tu as envie de me le dire, je t'écoute. » Il avait souvent usé de ce procédé pour interroger sa fille qui, alors, lui avait tout dit. Il observa tendrement Patty et attendit.

— Je suis sans doute aussi transparente que toi, dit-elle en souriant de nouveau. Nous faisons bien de ne jamais jouer au poker ensemble. »

McGraw ne répondit pas.

« La raison, reprit Patty, c'est la plus banale et la plus sordide. Il se peut d'ailleurs qu'aujourd'hui ce ne soit plus un motif de séparation, la plupart des gens trouvent peut-être l'adultère normal, mais pas moi. »

McGraw maîtrisa la colère que provoqua chez lui cette révélation.

« Moi non plus, et ta mère pas plus que moi, dit-il.

— Je le sais, dit Patty, avec un sourire confiant. Vous m'avez inculqué des principes démodés et je vous en remercie. »

McGraw resta sans rien dire pendant un moment puis demanda enfin : « Tu sais de qui il s'agit ?

— Zib Wilson.

— Nat est au courant ?

— Je ne le lui ai pas demandé. »

Silence. Puis McGraw reprit lentement : « Ce ne serait peut-être pas arrivé si vous aviez des enfants. Ça aussi, c'est démodé.

— Nous ne pouvons pas en avoir. Paul n'a pas pris la peine de m'en parler avant notre mariage mais il a subi une opération qui le rend stérile. C'est comme ça. » Patty se saisit de la carte et demanda avec un sourire contraint. « A part ça, qu'est-ce qu'il y a de nouveau ? Que tu as faim, je crois, McGraw. Tu as assez bu pour le moment, poivrot. »

Dieu tout-puissant ! pensait-il alors, quel dommage que nous ne puissions pas nous charger de leurs tourments pour les en libérer. « Tu me parles comme une femme acariâtre », dit-il.

Les yeux de Patty étaient trop brillants. « Et toi, papa... » Elle se tut, fouilla vivement dans son sac et en tira un petit mouchoir de papier. Mais il était trop tard, des larmes perlaient déjà à ses paupières. « Zut ! dit-elle. Zut, zut, zut ! Je ne vais tout de même pas pleurer !

— Ça vaut parfois mieux que de casser quelque chose. Je vais commander le repas, ma chérie. »

Zib prit un taxi pour retourner à son bureau. Aussitôt arrivée elle se laissa tomber dans son fauteuil, se libéra de des chaussures et, sans se soucier des manuscrits entassés sur son bureau, elle resta figée, les yeux fixés sur le mur, sans rien voir.

Elle ne croyait pas le moins du monde à ce que Paul Simmons lui avait dit au sujet de Nat : que c'était un personnage de Western et qu'elle devait se méfier de ses réactions possibles. Elle avait des idées fort précises au sujet de son mari.

Mais le connaissait-elle vraiment aussi bien qu'elle l'avait cru jusqu'alors ? Connaît-on vraiment jamais quelqu'un d'autre ? Cette question surgissait sans cesse dans les fictions qu'elle était obligée de lire et sans doute n'était-elle pas tellement absurde.

Elle vivait depuis trois ans dans l'intimité du mariage avec Nat. Ce n'était pas tellement long mais ça suffisait au moins pour juger de l'attitude d'un homme aux heures les plus banales de l'existence et pour en déduire des idées précises sur le fond de son caractère.

Nat vidait soigneusement ses poches tous les soirs, accrochait ses vêtements, mettait des embauchoirs dans ses chaussures, appuyait sur l'extrémité du tube de dentifrice, et jamais près de l'embouchure. Zib était convaincue qu'il comptait mentalement les secondes en se brossant les dents : un chimpanzé, deux chimpanzés, trois chimpanzés...

Elle avait un sommeil agité mais Nat, au contraire, s'endormait dès qu'il était couché et restait sur le dos aussi immobile qu'une statue. Il ne ronflait pas. S'il ne manifestait pas à son lever la turbulence abominable des enthousiastes par conviction, il était de bonne humeur en préparant le petit déjeuner, sans jamais rien rater, alors que certains perdent la tête dès que quelque chose tourne mal dans la cuisine.

Le matin, il s'entraînait à la course dans le parc. Il se rendait à son travail à pied et en revenait de même. Zib trouvait ça parfaitement supportable. Mais la culture physique qu'il faisait chez lui l'aurait exaspérée si Nat ne lui avait pas expliqué qu'elle lui était indispensable en raison d'une blessure à la colonne vertébrale due à une chute de cheval, autrefois, sur quelque monstrueuse montagne de l'Ouest.

De caractère égal, il ne sacrait jamais, n'injuriait ni les garçons de restaurant ni les chauffeurs de taxi. Il était ponctuel. Il préférait le bourbon au martini, ce qui avait paru bizarre à Zib au début, mais elle s'en accommodait parce que c'était devenu la mode. Il ne se privait pas d'admirer les jolies filles, mais sa femme aurait parié gros qu'il se contentait de les regarder. Leur vie conjugale était agréable. Il savait varier les plaisirs mais sans y apporter cette application méthodique qui semble d'usage à cette époque.

Où était dans tout cela le personnage décrit par Paul Simmons ?

Mais pourquoi s'en souciait-elle tellement ? Pouvait-elle vraiment s'imaginer Nat dans le rôle de l'époux outragé, lui reprochant son infidélité et en tirant vengeance comme Paul l'en croyait capable ? Cela se passerait-il comme dans les faits divers dont certains journaux font grand cas et comme dans un bonne part des manuscrits empilés sur le bureau de Zib ? Ridicule !

Si Nat avait un défaut, c'était son manque d'agressivité.

Zib se rappelait lui en avoir parlé un soir. Elle lui avait dit : « Tu vaux mieux que tu ne le crois. Ben Caldwell doit être de mon avis, sinon pourquoi t'aurait-il poussé comme il l'a fait ?

— Parce qu'il n'avait personne d'autre sous la main, avait répondu Nat en souriant. As-tu une autre question à me poser ?

— Voilà justement ce qu'il y a d'agaçant chez toi. Tu ne te laisses jamais accrocher par ton interlocuteur. Je ne t'ai jamais vu perdre ton calme.

— Ça m'arrive parfois.

— Je n'en crois rien. » Zib chercha ses mots pour étoffer son idée. « Tu as trop de respect pour tout le monde.

— D'accord, dit Nat. Et après ?

— Comment peut-on respecter un homme qui n'est absolument pas un salopard ?

— Et une femme qui n'a rien d'une putain ?

— Tout juste.

— Préférerais-tu que j'aie des caprices, des crises de nerfs, que je casse tout autour de moi ?

— Il n'est pas question de ça. Mais dans ce monde, ou bien tu bouscules les autres, ou bien ils te marchent dessus. Tu ne t'en rends pas compte ?

— On n'a d'idées pareilles que dans les grandes villes.

— Mais nous sommes dans une grande ville », répondit Zib qui ajouta au bout d'un moment : « Pourquoi donc y es-tu venu ?

— Tu me demandes ça parce que tu trouves que je n'y suis pas à ma place ?

— Non, et tu le sais bien. Je te demande seulement pourquoi tu es venu à New York.

— Pour t'y trouver, ma belle !

— Sois sérieux.

— Eh bien, répondit Nat sans cesser de sourire, parce que Ben Caldwell était ici : le grand Caldwell, le meilleur architecte du pays. J'avais envie de collaborer avec lui. Pas plus compliqué que ça.

— Eh bien, tu as réussi, répondit Zib. Quand la World

Tower sera complètement terminée, enveloppée, pomponnée et livrée, comme n'importe quel autre grand building, que feras-tu ? Tu retourneras sur tes montagnes ?

— Peut-être. C'est même probable. Viendras-tu avec moi ?

— Je n'y serais pas à ma place. Autant que... » Elle se tut.

« Autant que je le suis ici ? Toi, tous les milieux te conviennent parce que tu es une créature sociable.

— Et toi ?

— Parfois je me le demande », dit-il, haussant les épaules.

En se rappelant cette conversation Zib conclut : pas le moindre agacement, pas la moindre mauvaise humeur. Mais cela ne signifiait pas que Nat était dénué de sentiments, pas du tout. Avec elle c'était un amant passionné. Mais était-il capable d'autres passions, dans d'autres circonstances comme l'avait suggéré Simmons ? Impossible. Paul avait tort, c'était tout.

Mais alors, pourquoi ce petit doute lancinant ? Réponds à cette question, ma chère Elizabeth.

6

13 heures et 30 minutes — 14 heures et 10 minutes

De retour à son bureau, Bert McGraw regardait Paul Simmons assis, visiblement gêné, dans un des profonds fauteuils destinés aux visiteurs. Le jeune homme songea : il a tout du vieil ours blessé à la patte. Il considéra sa montre. « Une heure et demie précises », dit-il. Puis il ajouta avec audace : « Conformément aux ordres.

— J'ai déjeuné avec Patty, dit McGraw qui retenait son indignation tout en se demandant quand il se mettrait à brailler et à marteler sa table de travail à coups de poing.

— J'étais occupé à l'heure du repas, dit Paul, avec une désinvolture de bon acteur. Les affaires vont bien.

— Vraiment ? » Le vieillard ramassa l'enveloppe de papier fort qui contenait les photocopies, y jeta un coup d'œil et la lança vivement sur les genoux de Paul. « « Regarde ça », dit-il en se levant pour aller à la fenêtre.

Pendant un moment on n'entendit dans le vaste bureau que le léger bruit des feuillets entre les mains de Paul qui dit enfin : « Et alors ? »

McGraw se tourna vers lui. Sa silhouette massive se découpait sur le ciel dans l'encadrement de la fenêtre. « C'est tout ce que tu trouves à dire ?

— Que dirais-je d'autre ?

— As-tu tenu compte de ces ordres ?

— Evidemment.

— Pourquoi évidemment ? » La voix de Bert enflait. Paul se gratta un sourcil. « Je ne sais que dire. Pourquoi n'en aurais-je pas tenu compte ?

— Parce que tu n'es pas un manuel abruti. Quand on te dit de faire ceci ou cela, tu n'obéis pas sans demander d'explications. Tu... Allons, dis pourquoi tu as agi ainsi ? » Simmons répondit d'une voix un peu plus aiguë. « Je m'efforcerai de ne pas être insolent, parce que tu n'aimes pas ça, dit-il.

— Exprime-toi comme il te plaira, mais dis-moi pourquoi, répliqua McGraw qui s'était rassis sur sa chaise et dont les mains se crispaient sur les accoudoirs.

— Eh bien, voilà, dit Paul. La plupart du temps quand on me dit change ceci, change cela, je veux des raisons, mais quand Jésus-Christ Ben Caldwell ou son saint apôtre Nat Wilson, me communiquent la Vérité, je porte la main à mon front et je dis : certainement, monsieur. J'exécute leurs ordres. Ils ne m'appartient pas, à moi, de les interroger. Cette réponse te suffit, j'espère.

— Ne te paie pas ma tête, blanc bec ! » répondit lentement McCraw. Il hésita un moment, encore incertain. Puis il demanda tout à coup : « Si je comprends bien, tu prétends que ces papiers ont été signés par Nat Wilson en personne ?

— Je n'en ai jamais douté, répondit Paul, l'air étonné.

— Dans la mesure où je les comprends, chacune de ces modifications t'a permis d'économiser un peu d'argent. Quand on met toutes ces économies bout à bout, ça fait une jolie somme. Tu avais donc une bonne raison de modifier ainsi les circuits sans poser de questions.

— Il me semble t'avoir entendu dire qu'à cheval donné on ne regarde pas la denture », répondit Paul. Il frappa du plat de la main sur les photocopies posées sur ses genoux. « Si c'est ainsi qu'ils voulaient l'installation électrique de leur building et si, comme tu le dis, je gagnais de l'argent en me conformant à leurs désirs, pourquoi aurais-je cherché des histoires ?

— Nat Wilson affirme qu'il n'a pas signé ces permis », dit lentement McGraw.

L'expression de Paul changea, mais il se contenta de dire : « Je vois.

— Qu'est-ce que tu vois, nom de Dieu ! Will Giddings ne croit pas que Wilson les a signés, Ben Caldwell non plus.

— Et toi, beau-père, qu'est-ce que tu en penses ? »

McGraw considéra ses mains qu'il avait posées sur la table. Au bout d'un moment il dit : « Ce que je pense mériterait pénitence après confession... » Il releva la tête et regarda fixement Simmons. « J'estime que dans un cas comme celui-là, le coupable ne peut être qu'un coquin ou un imbécile. Tu couches avec la femme de cet homme...

— Patty te l'a dit ? »

McCraw ne répondit pas.

« Bon, dit enfin Paul. C'est comme ça. » Il ouvrit les mains, tous doigts écartés. « Tu ne peux pas comprendre.

— Sûrement pas. Ni comprendre, ni pardonner. » La furie noire montait, incoercible. « Je suis un vieux cave démodé qui a marné toute sa vie et toi, un jeune homme bien élevé, brillant, instruit et tout mais tu pues autant qu'une charogne qui pourrit depuis trop longtemps.

— Ça va, dit Paul. J'en ai assez subi.

— Ça commence à peine, dit McGraw. Quitte ce fauteuil avant que j'en aie terminé et je te brise les reins. » Il se tut. Sa respiration devenait rauque. Il parvint à grand-peine à parler d'une voix moins forte. « Pourquoit Nat aurait-il donné de tels ordres ? Explique-moi ça ? Il n'y gagne rien, lui. C'est l'architecte. Ben Caldwell et lui, Ben surtout mais ça n'y change rien. D'un commun accord ils ont accepté le projet de Lewis. Pourquoi Wilson chercherait-il à y apporter la moindre modification ? »

Simmons ne répondit pas. Il avait envie de se lever et de filer, mais il avait peur. Comme il l'avait confié à Zib, son beau-père était un redoutable vieil homme, tout à fait capable de se livrer à des violences.

« Je t'ai posé une question, dit McGraw.

— Non, tu en as posé plusieurs.

— Alors réponds à toutes. »

Simmons prit sa respiration. « Nat Wilson est un homme subtil, dit-il.

— Et qu'est-ce que ça signifie, si ça veut dire quelque chose, sacrebleu ?

— Il m'en veut.

— Pourquoi ? » demanda McGraw en fronçant les sourcils. Puis il parut se raviser. « Parce que tu fricotes avec sa femme ? C'est ce que tu veux dire ? »

Simmons hocha la tête. Moins j'en dirai, mieux ça vaudra, pensait-il.

« Je n'en crois rien, dit McGraw. Je le connais ce type. S'il savait que tu le fais cocu, il t'aborderait face à face et ton sourire de marchand de dentifrices y perdrait quelques dents. Il...

— Il se console avec Patty », dit Paul.

McGraw ouvrit la bouche. Il la referma, mais elle se rouvrit d'elle-même puis se referma et se rouvrit encore. Il n'en sortit pas le moindre son. Il avait blêmi et ne respirait plus que par à-coups. Ses yeux s'exorbitèrent. Il essaya de faire un geste avec une main, n'y parvint pas et s'affaissa enfin dans son fauteuil, bouche bée, haletant comme un poisson hors de l'eau.

Paul se leva vivement, hésita un instant puis alla à la porte et l'ouvrit. « Appelez une ambulance, s'il vous plaît Laura, dit-il à la secrétaire de McGraw. Il... Je crois qu'il a une crise cardiaque. »

Après son déjeuner avec le gouverneur Grover Frazee prit un taxi pour retourner à son bureau de Pine Street. Il connaissait Armitage depuis longtemps et, dans le sens qu'on donne couramment de nos jours à ce mot, ils étaient bons amis. croyait-il. Mais, dans le milieu du gouverneur et dans celui de Frazee aussi, d'ailleurs, l'amitié était une belle chose qui comptait peu en affaires. En affaires, seules comptaient les affaires, un point c'est tout. Chacun des deux était tout prêt à soutenir celui dont l'amitié lui profitait et à laisser tomber ceux qui échouaient.

Certes Frazee n'avait pas échoué. Pas encore en tout cas. Mais dans un avenir aisément prévisible, la World Tower serait foutument presque vacante. C'est là que le bât blessait.

On pouvait arguer de la conjoncture économique, ou rejeter la responsabilité sur les atermoiements des gros bonnets de Washington qui reculaient toujours de deux pas et demi aussitôt qu'ils avaient osé avancer de trois pas.

Désigner le coupable ne servait hélas à rien. Expliquer pourquoi une chose va mal ne la fait pas aller mieux. Dans ce cas précis, ce jour-là, au club d'Harvard, les explications de Frazee n'avaient pas modifié l'attitude du gouverneur.

« C'est vous qui êtes à la barre, Grover, lui avait dit Armitage. Ça signifie que vous avez droit aux volées de bois vert autant qu'aux bouquets. Je sais quelle impression ça fait. » Il avait souri d'un air malveillant tout en faisant tourner sa cuillère dans sa tasse à café. Puis il avait demandé enfin : « Où en sommes-nous exactement ? Donnez-moi des chiffres. » Sous le regard fixe de Bent Armitage, Frazee avait exposé exactement la situation : la proportion de surface louée, les perspectives de nouveaux baux, les prévisions de revenus par comparaison aux frais d'entretien. Ce n'était pas encourageant. « Mais ça ne peut pas durer, avait-il conclu.

— Diable si ! » Le gouverneur n'avait pas élevé la voix, mais il parlait d'un ton plus sec. « Le chômage n'a pas diminué, l'inflation ne s'est pas atténuée. Je ne crains pas un marasme économique comparable à celui des années 30, mais je ne vois pas comment, d'un instant à l'autre, tout deviendrait rose, surtout dans les grandes villes.

— Bob Ramsey...

— Bob Ramsey entend des voix. Je m'attends à le voir

d'un jour à l'autre descendre d'une colline en nous apportant de nouvelles Tables de la Loi. Il s'imagine que nous allons sacrifier tout l'Etat pour sa ville et il se trompe. Il espère peut-être faire de cette métropole le cinquante et unième Etat et, là aussi, il se trompe. Il croit que le Congrès va se rouler sur lui-même comme un bon chien après lui avoir donné carte blanche, et ça, c'est encore une illusion. »

Frazee partageait les opinions d'Armitage sur Ramsey, mais il n'en dit rien.

« Il raffole de sa ville, poursuivit le gouverneur. Je reconnais qu'il est sincère. Disons même qu'il la tient presque à bout de bras. Mais tenons-nous-en aux faits. Bien plus d'affaires émigrent vers la banlieue qu'il ne s'en crée de nouvelles en ville. La belle époque où New York était la grosse tarte à se partager, l'endroit où tout se passait... Ces temps sont révolus. New York n'attire plus. Cette ville se transforme rapidement pour ne laisser de place qu'aux très riches et aux très pauvres. Ni les uns ni les autres ne louent des bureaux dans les gratte-ciel. »

Revenu dans le silence de son bureau, Frazee pensait que Bent Armitage avait probablement dit vrai : il se trompait rarement.

La sonnette de l'interphone retentit. Il appuya sur le bouton. « Qu'est-ce que c'est ? demanda-t-il.

— Monsieur Giddings veut vous voir, dit sa secrétaire Letitia. Il prétend que c'est urgent. »

D'abord Armitage à déjeuner, et après, Will Giddings. Et si c'était urgent, c'étaient encore des ennuis. A certains moments il en pleut de partout. « Qu'il entre », dit Frazee résigné.

Giddings se passa de préambules. « Il est temps de vous mettre au courant », dit-il en posant sur le bureau l'enveloppe qui contenait les photocopies des permis de modifications.

Frazee les fit tomber de l'enveloppe, en considéra un, puis un autre, et enfin regarda Giddings d'un air étonné. « Je ne vois pas, dit-il. Vous êtes ingénieur. Expliquez. »

Giddings s'exécuta et, lorsqu'il eut terminé, il s'adossa à son fauteuil et attendit.

Aucun bruit dans le vaste bureau. Frazee repoussa sa chaise lentement, se leva, tourna le dos à Giddings et alla à la fenêtre d'où son regard plongea vers la chaussée où circulaient des voitures. « Je n'étais pas au courant de ces modifications, dit-il.

— Moi non plus. Je suis dans mon tort, de même que les collaborateurs de Caldwell, Nat Wilson en particulier, et que Bert McGraw. Nous sommes tous responsables. »

Frazee se retourna vers Giddings. « Et maintenant, qu'est-ce qui se passe ?

— Nous cherchons à savoir si le câblage a réellement été modifié et quelles pourraient en être les conséquences.

— Quel genre de conséquences ?

— Je ne chercherai même pas à le deviner, dit Giddings en secouant la tête. Elles pourraient être vénielles, elles pourraient aussi être très graves. C'est pourquoi je suis ici. »

Frazee retourna s'asseoir devant son bureau. « Qu'est-ce que vous attendez de moi ?

— Que vous remettiez à plus tard la réception ridicule de cet après-midi », dit Giddings énergiquement. C'était un homme solide, volontaire. « Je ne veux personne au sommet de cet immeuble pour le moment.

— Pourquoi ?

— Faut-il que je fasse un dessin, sacrebleu ? La World Tower n'est pas terminée. Désormais nous savons, tout au moins nous avons des raisons de croire qu'il y a peut-être des pailles dangereuses dans l'installation électrique. Nous ignorons leur gravité mais, tant que nous ne serons pas sûrs de nous, il serait ridicule d'accueillir une cohue là-haut. Pour l'amour du ciel ! en plein milieu des festivités...

— La lumière pourrait s'éteindre ? demanda Frazee. Vous prévoyez quelque chose de ce genre-là ? »

Giddings se donna le temps de reprendre son calme. « Oui, quelque chose comme ça, dit-il enfin en hochant la tête.

— Mais vous n'en êtes pas certain, n'est-ce pas ? »

Giddings constata à part soi qu'il n'était pas de taille à discuter avec Frazee. Ingénieur, il n'avait pas la parole facile des hommes d'affaires. A cet instant-là, en considérant les photocopies étalées sur le bureau de Frazee, il aurait volontiers avoué qu'il se considérait même comme médiocre ingénieur parce qu'il avait manqué d'attention. « Je ne suis sûr de rien, c'est pourquoi je veux gagner du temps. »

Frazee se rappela alors ce que lui avait dit le gouverneur Armitage : « C'est vous qui êtes à la barre, ça signifie que vous avez droit aux volées de bois vert comme aux bouquets. » C'était vrai et ne valait-il pas mieux esquiver la volée, quitte à la laisser tomber sur quelqu'un d'autre.

« Je ne vois vraiment pas comment nous pourrions annuler les dispositions que nous avons prises, Will, dit Frazee en souriant.

— Et pourquoi diable ?

— Nous avons lancé nos invitations depuis des mois, répondit Frazee avec une patience affectée. Ceux qui les ont acceptées pourraient aujourd'hui être à Moscou, Londres, Paris, Pékin ou Washington. Ils ont consenti à certains désagréments rien que pour être présents à cette cérémonie qui équivaut au lancement d'un bateau, Will. Or, quand on lance un bateau il n'est pas terminé. Il reste encore des mois de travail. Le lancement est une cérémonie, un gala prévu longtemps à l'avance, et on ne peut tout simplement pas l'annuler au dernier moment.

— Mais sacrebleu, vous ne pouvez pas comparer à un gala ce qui pourrait se passer dans la salle de la Tour. Rendez-vous compte ! »

Frazee ouvrit de grands yeux intrigués. « Je ne vois pas ce qui vous effraie tellement. Quelle espèce d'ennuis craignez-vous ? »

Giddings leva ses deux grandes mains et les laissa retomber sur ses genoux. « Le pire, c'est que je n'en sais rien », avoua-t-il. Il pensait alors à l'idée de Bert McGraw selon laquelle certains buildings seraient maudits. Bien qu'il ne crût pas aux sortilèges, il avait connu des chantiers sur lesquels rien ne se passait normalement sans qu'il fût possible d'en discerner la raison. Et puis, il y avait aussi ce qui s'était passé peu auparavant. « Quelqu'un est en train de se vadrouiller dans cet édifice et ça ne me plaît pas du tout, dit-il.

— Qui ? demanda Frazee en fronçant les sourcils.

— Je ne sais pas et il nous faudrait une armée pour inspecter tous les étages afin de débusquer cet inconnu.

— C'est grotesque, dit Frazee en souriant. Pourquoi cet individu serait-il dangereux ?

— Il y a trop de choses que j'ignore et c'est précisément ce qui m'inquiète. Vous m'avez chargé de surveiller la construction de ce building. J'y ai consacré tout mon temps, j'y ai sué sang et eau...

— Personne n'aurait pu faire plus ni mieux que vous.

— Mais certaines choses m'ont échappé et tous les autres n'y ont vu que du feu. Maintenant je demande qu'on me donne le temps de vérifier si ces choses sont graves. Est-ce trop exiger ? »

Frazee prit un stylomine en or dans son plumier et l'examina d'un air pensif. Admettons, se dit-il, qu'il se produise un incident pendant la réception. Une panne d'électricité serait-elle désastreuse ? En révélant les défauts du bâtiment elle allégerait ses responsabilités dans une certaine mesure et lui donnerait le temps de recruter plus de locataires en baissant ses tarifs, comme le suggérait le gouverneur. C'est l'entrepreneur McGraw et l'architecte contrôleur Caldwell qui porteraient le chapeau. Et lui, il pourrait dire que des circonstances indépendantes de sa volonté avaient retardé la ruée des locataires présomptifs qui autrement auraient profité de tous les merveilleux avantages offerts par le centre de communications tout neuf de la World Tower.

« Au moins vous y réfléchissez, dit Giddings, c'est déjà quelque chose. »

Frazee remit le stylomine dans le plumier. « Bien sûr, j'y réfléchis, mais c'est tout ce que je peux faire », dit-il. Il marqua un temps d'arrêt et reprit : « Impossible d'annuler les dispositions que nous avons prises. Je regrette que vous ne compreniez pas pourquoi. Mais contentez-vous de ma parole. Notre Tour serait un sujet de dérision dès sa naissance. »

Giddings soupira et se leva. Il n'en avait guère espéré plus. « C'est vous le patron. J'espère que vous avez raison et que j'ai tort. J'ai peut-être des visions. A force de penser au grand Polonais qui a dépassé l'extrémité d'une poutre d'acier sans aucune raison... Non, des trucs comme ça n'ont aucun rapport avec la situation actuelle, mais malheureusement j'en suis obsédé, je ne sais pas pourquoi. » Il alla à la porte et s'arrêta, la main sur la poignée. « Je m'en vais au Charlie's Bar, sur la Troisième Avenue et je crois que je vais prendre une cuite. » Il sortit.

Frazee resta assis devant son bureau sans bouger. Il était convaincu d'avoir pris la décision qui s'imposait mais il pensa qu'il est souvent bon de consulter quelqu'un de compétent. Il décrocha le téléphone et dit à sa secrétaire Létitia : « Donnez-moi Ben Caldwell, s'il vous plaît. »

La sonnette retentit un instant plus tard. Frazee porta le combiné à son oreille et dit son nom. Ben Caldwell lui demanda tranquillement : « Quelque chose vous inquiète, Grover ? »

Les photocopies étaient étalées sur le bureau de Frazee. « Oui, ces... ces trucs-là, dit-il. Je ne sais même pas comment ça s'appelle... des papiers qui modifient les plans, je crois. Vous êtes au courant ?

— Oui.

— Il semble qu'un de vos hommes les a signés.

— Il le nie et pour le moment je le crois.

— Est-ce grave, Ben ?

— Il faudra vérifier », répondit Caldwell du tac au tac. Il n'a pas l'air inquiet du tout, lui, pensa Frazee et cette constatation le soulagea. « Will Giddings veut que j'annule la cérémonie de cet après-midi. »

Caldwell ne répondit pas.

« Qu'est-ce que vous pensez ? demanda Frazee en fronçant les sourcils.

— A quel sujet ? » Cette question révélait le côté insupportable de Caldwell.

« Devrais-je remettre l'inauguration à plus tard ?

— Les relations publiques ne sont pas ma spécialité, Grover, répondit l'architecte d'une voix un peu mordante.

— Non, évidemment », dit Frazee.

Au bout d'un moment Caldwell demanda : « C'est tout ?

— Oui, c'est tout », répondit Frazee qui raccrocha. Personne, même le gouverneur ne parvient comme Caldwell à me donner l'impression que je suis un galopin qui vient de se faire passer un savon par le surveillant général, se dit-il.

Mais en tout cas une chose était réglée : il n'y avait pas lieu de remettre l'inauguration.

7

14 heures et 10 minutes — 14 heures et 30 minutes

Armitage hésitait mais, comme d'habitude, il adopta la solution la plus pratique. Rien n'obligeait le gouverneur de l'Etat à se présenter au maire de la ville lorsqu'il venait à New York. Mais à quoi bon irriter inutilement Bob Ramsey dont la susceptibilité n'était que trop connue. « Je suis encore au club Harvard, téléphona-t-il au maire. Est-ce un terrain assez neutre pour un ancien élève de Yale ? Dans l'affirmative, venez me rejoindre, je vous offrirai un verre et ensuite nous irons ensemble à la fiesta de Grover Frazee. »

A cinquante-sept ans, le maire Bob Ramsey était dans une forme éblouissante. Quoiqu'il en fût déjà à son second mandat, il n'était pas las de ses responsabilités et en raffolait même. Dans son dictionnaire personnel le mot défi était imprimé en majuscules.

Profondément enfoncé dans un fauteuil de cuir, au salon du club, un ballon de cognac à la main, le gouverneur demanda au maire : « De quoi allez-vous parler ? De la fraternité humaine que symbolise la World Tower ? »

Ce thème de fraternité humaine revenait sans cesse dans les discours de Ramsey. Mais il suffit que Bent Armitage y fît allusion pour qu'il perdît aussitôt toute sa saveur. Ce cynique était capable de faire tourner à l'aigre les pensées les plus élevées. Le maire but une gorgée de son café noir. « Je n'ai guère eu le temps d'y penser jusqu'à présent », dit-il à tort.

Le gouverneur ricana. « Vous vous payez ma tête, fiston. Tout comme Mark Twain vous consacrez beaucoup de temps à préparer vos improvisations. Nous en sommes tous là ; alors pourquoi ne pas l'avouer ?

— J'entendais vous faire comprendre que je n'ai pas encore choisi les principales phrases qui conviennent », répondit sèchement le maire.

Le gouverneur changea habilement de sujet. « Qu'est-ce que vous pensez de ce building ? » demanda-t-il.

Ramsey but encore une gorgée de café en se demandant si cette question n'était pas un piège. « Nous sommes tous d'accord, je crois, c'est une construction superbe, une des meilleures réalisations de Ben Caldwell, et peut-être son chef-d'œuvre.

— C'est aussi mon avis.

— La World Tower offre aussi un surcroît d'espace pour les affaires...

— Et la ville n'en a aucun besoin. »

Ramsey prit largement le temps de boire son café et de reposer la tasse. « Réflexion malhonnête et inexacte. La ville a toujours besoin de tous les avantages possibles et la World Tower en est un. La ville a aussi besoin de la même assistance que toutes les autres agglomérations du pays. C'est une question de vie ou de mort. » Pour le maire, c'était surtout une question de foi. Il fixa sur son interlocuteur un regard de défi.

« Ça se pourrait », répondit le gouverneur. Il consulta sa montre et reprit. « Nous ne sommes pas pressés. Bavardons un peu. J'ai une hypothèse à vous présenter. Les villes de plus d'un million d'habitants sont aussi périmées que les dinosaures. Qu'est-ce que vous en dites ? »

Le maire respira bruyamment et ne répondit pas.

« Je parle sérieusement, reprit le gouverneur. Mieux vaudrait un grand nombre de villes dont la population ne dépasserait pas cent mille habitants, qui disposeraient de tous les services nécessaires à une agglomération moderne et qu'entoureraient assez d'usines pour leur fournir du travail. Mais on n'y verrait pas des taudis, des bas quartiers. Elles échapperaient aussi aux problèmes de la criminalité et n'auraient pas besoin d'un budget d'assistance publique gigantesque. Qu'est-ce que vous dites de cette idée ?

— Vous m'accusez sans cesse d'avoir des visions et aujourd'hui c'est vous qui voyez des cabris gambader sur la lune.

— Pas tout à fait. Vous êtes en quête de la manne qui permettrait de survivre à votre cher dinosaure. Moi je cherche une espèce de bétail avec lequel nous pourrions cohabiter. » Le gouverneur se tut, ricana et avoua : « Mon analogie est minable mais vous comprendrez sans doute quand même ce que je veux dire. Vous y verrez peut-être une version contemporaine de la civilisation bucolique prônée par Jefferson. Elle remplacerait le décor monstrueux de nos métropoles où personne n'est heureux. » Il marqua encore un temps d'arrêt et ajouta : « Sauf Bob Ramsey, peut-être. »

Le maire avait fait quelques opérations de calcul mental. « Nous serions obligés de diviser notre métropole en cent trente villes distinctes qui évolueraient chacune à sa façon...

— Aussi indépendantes que des cochons sur la glace, dit le gouverneur en hochant la tête. Un tel bouleversement ne serait pas catastrophique. Il en faut pour forger une politique.

— Je me demande trop souvent si vous parlez sincèrement ou si vous plaisantez. Le savez-vous vous-même ?

Le gouverneur sourit de nouveau d'un air énigmatique. Peut-être raillait-il ses propres faiblesses. « Cette fois je parle tout à fait sérieusement. De toute façon, votre métropole est en train de se désagréger. Les miséreux ne cessent d'y affluer et la classe moyenne qui lui permettait de vivre s'en éloigne. Avant peu il ne vous restera plus que les gros rupins qui logent dans des hôtels particuliers et roulent en limousine, et les pauvres gens qui gîtent dans des taudis et passent leur temps à se fracasser le crâne dans les rues et le métro. Pouvez-vous le nier ? » Le gouverneur ne souriait plus.

« Non, je ne le nie pas. Mais à vous entendre on croirait que cette situation est sans issue. Il n'en est rien. Rendez-nous la part d'impôts que vous prélevez et que le gouvernement fédéral nous rende aussi sa part. Alors...

— Alors, dit le gouverneur, vous construirez plus d'habitations à loyer modéré, vous offrirez une meilleure assistance publique, plus de soins gratuits pour les indigents, plus d'écoles de bas quartiers. » Il se tut pour mieux ponctuer ce qui suivit. « Vous attirerez simplement plus de gens qui ont besoin de ces avantages. Vous creuserez encore plus profondément votre tombe. Vous compliquerez vos problèmes. Il vous faudra encore plus d'agents de police, plus de pompiers, plus de magistrats. Inévitablement ça exigera plus d'habitations à bon marché, plus d'assistance publique, plus de soins gratuits, plus d'écoles de bas quartiers et ainsi de suite, jusqu'à l'infini. » Encore un temps de silence. « C'est trop tard. Vous avez dépassé le moment où vous auriez pu sauter du train avant la catastrophe. »

Le maire se taisait, déprimé.

« En fin de compte, enchaîna le gouverneur, notre belle World Tower. toute neuve, n'est pas du tout un signe de progrès, mais au contraire de régression. Ce n'est qu'une écurie à dinosaures de plus. » Il vida son verre de cognac et soupira. « Allons-y et nous dirons à tout le monde que nous inaugurons aujourd'hui un symbole de l'avenir, de l'espérance humaine, qu'on n'a rien réalisé de mieux depuis l'invention de la roue. » Il se leva d'un air las. « Que pourrions-nous raconter d'autre ? »

8

14 heures et 30 minutes — 15 heures et 2 minutes

Rouquin de haute taille, le commissaire adjoint à la défense contre l'incendie, Timothy O'Reilly Brown, était à la fois résolu et soupe au lait. Il ne connaissait pas Nat mais il était sensible à la réputation de Ben Caldwell. Etant donné qu'il s'agissait de la World Tower, Tim Brown n'avait pas l'impression d'avoir affaire à un inconnu. Néanmoins il dit à Nat : « Ce que vous me dites là ne concerne que vous, votre patron et le maître de l'ouvrage. Je n'ai pas envie de m'en mêler. Régler ça entre vous et avec Bert McGraw.

— Vous êtes plus au courant que moi de ces questions, évidemment, répondit Nat. Mais n'arrive-t-il pas qu'on accorde des dispenses ou qu'on ferme les yeux sur l'application des règlements de sécurité lorsqu'une cérémonie exceptionnelle doit avoir lieu ? » Nat s'efforçait, à grand-peine, de s'exprimer avec le maximum de tact.

« Non, répondit sèchement Tim Brown.

— Jamais ?

— J'ai dit : non.

Au diable le tact ! « Vous me racontez des calembredaines et vous le savez fort bien. La *plupart* des pompiers et des inspecteurs de votre service sont des gens honnêtes, de même que la plupart des flics, des inspecteurs à la construction et des entrepreneurs sont d'honnêtes gens. La plupart des erreurs sont d'honnêtes erreurs... » Nat marqua un temps d'arrêt. « Mais pas toutes, et ça aussi, vous le savez fort bien.

— La porte est derrière vous, dit Tim Brown. Je ne sais pas ce que vous essayez de manigancer, mais je ne vous écouterai pas plus longtemps. Dehors !

— Admettons, dit Nat impassible, admettons...

— Dehors, j'ai dit.

— Je ne vous crois pas de taille à me mettre à la porte, dit Nat. D'ailleurs, imaginez que nous nous colletions dans ce bureau et qu'ensuite il se produise quelque chose de fâcheux à la World Tower. Qu'en conclurait-on ? Que le directeur adjoint Brown s'est mouillé dans quelque chose de louche. Mais ça vous est peut-être égal. »

Tim Brown avait commencé à se lever de son fauteuil. Il s'y laissa retomber. Comme tous les hommes publics il était hanté par la crainte d'être accusé de corruption. C'est le cauchemar des innocents autant que des coupables. Il hésitait.

« Je n'accuse personne, reprit Nat. Je ne souhaite pas non plus être poursuivi pour diffamation. Mais je vous répète ceci : selon toute vraisemblance, le câblage des circuits de la World Tower n'a pas été fait conformément aux plans. Il se peut que les modifications diminuent et peut-être même suppriment les marges de sécurité. Alors, *si* on passe outre à la stricte application des règlements de sécurité afin de ne pas retarder l'inauguration de l'immeuble et *si* les choses tournent mal, il faudra payer la facture ; il en cuira à quelqu'un. » Nat se carra confortablement dans son fauteuil. « Mes craintes sont peut-être exagérées. J'espère même qu'elles le sont. S'il en est ainsi, vous aurez le droit de me traiter d'imbécile et c'est moi qui vous ferai des excuses pour vous avoir fait perdre votre temps. »

Renfrogné, Brown médita puis dit enfin : « Que voulez-vous que je fasse ?

— Vous êtes le maître...

— Ça ne va pas. Vous êtes entré ici en criant au

feu ! et après vous vous lavez les mains, comme si vous n'y connaissiez rien. Vous...

— Si vous voulez bien descendre de vos grands chevaux, peut-être pourrais-je m'exprimer, dit Nat en se levant. En tout cas, maintenant vous êtes au courant. » Il fit demi-tour et se dirigea vers la porte.

« Restez. Asseyez-vous », dit Brown. Son visage exprimait une grande lassitude. Il respira profondément pour se calmer et dit posément : « Ma femme est malade, j'ai un ulcère à l'estomac. Nous n'avons pas assez de pompiers pour une ville peuplée d'hurluberlus qui se foutent pas mal de la protection que nous essayons de leur fournir, qui prennent les bornes d'appel des pompiers pour des jouets... Savez-vous que cette semaine deux de mes hommes se sont fait tuer en répondant à des appels bidons ? » Il secoua la tête. « Laissons ça. C'est mes soucis. » Il ouvrit un tiroir, en tira un paquet de cigarettes, en prit une, la cassa en deux et jeta les morceaux d'un geste coléreux dans la corbeille à papiers. Il laissa tomber le paquet dans le tiroir qu'il ferma brutalement : « C'est la quatorzième que je ne fume pas aujourd'hui. » Il prit ses aises dans son fauteuil. « Maintenant parlons raisonnablement. Qu'est-ce qui ne va pas ? »

Il est calmé, pensa Nat qui leva les cinq doigts de la main et rabattit le pouce en disant : « Premièrement, il y a une liasse de permis de dérogation signés de mon nom et que je n'ai pas signés. Nous sommes obligés de supposer que quelqu'un tenait à changer le câblage prévu. Joe Lewis, l'ingénieur électricien, est en train d'étudier ces changements pour juger de leur importance.

— Qu'est-ce qui vous dit qu'on a effectivement apporté ces modifications ?

— Nous sommes obligés de le supposer. N'est-ce pas ainsi que vous procédez ? Vous supposez toujours que le pire peut arriver et vous cherchez à l'éviter. Tous les chiffons huileux ne s'enflamment pas spontanément, mais vous les considérez tous comme dangereux. »

C'était vrai. Plus calme désormais, Brown hocha affirmativement la tête.

« Ce n'est pas mon domaine, dit Nat. J'émets seulement des hypothèses. J'envisage une douzaine de choses que vos inspecteurs pourraient avoir négligées en sachant que la Tour est pratiquement vacante, en sachant aussi que, prévue depuis des mois, la cérémonie d'aujourd'hui ne peut pas être remise à plus tard. » Nat marqua un temps d'arrêt. « La pression dans les lances à incendie est-elle suffisante ? les manches sont-elles réellement en place ? les portes de secours peuvent-elles s'ouvrir ? n'y a-t-il rien derrière qui gêne leur fonctionnement ? a-t-on vérifié les caissons de neige carbonique ? les alternateurs de secours sont-ils prêts à fonctionner ?... Qu'est-ce qui dépend de vos services et qu'est-ce qui dépend de l'inspection municipale des bâtiments ? Je ne sais pas. Apparemment vous travaillez toujours la main dans la main.

— Bien sûr, dit Brown avec un sourire las. Ou plutôt nous nous efforçons de collaborer. Nous cherchons aussi à nous entendre avec les flics...

— Voilà encore un autre point qui m'inquiète, dit Nat. A cet instant les flics pullulent sur la place de la World Tower. Ça permet de supposer que quelqu'un s'inquiète de quelque chose. » Tu peux te l'avouer, se dit-il à lui-même, ça te fout la frousse à toi aussi. « J'ai peur, dit-il. Je ne sais pas de quoi, mais j'ai peur. » Il revoyait les lumières clignoter au-dessus des portes d'ascenseur et il entendait le doux chuintement des câbles sur leurs poulies : quelqu'un circulait librement dans le bâtiment vide.

« De nos jours, avec des dingues qui jettent des bombes ou qui tirent sur la foule sans aucune raison, tout le monde s'inquiète de tout. Ou plutôt on devrait s'inquiéter. » Brown soupira. « Très bien, dit-il. Je vais essayer de me renseigner. Je veillerai à ce que la Tour soit aussi bien protégée qu'un building de cette taille peut l'être. »

Ces derniers mots réveillèrent une suite d'idées à demi oubliées. « Un bâtiment de cette taille, répéta Nat, pensif.

Malgré toutes les précautions de sécurité prévues dans les plans, malgré tous nos soins et bien que nous ayons envisagé toutes les menaces possibles... eh bien ce bâtiment reste vulnérable, n'est-ce pas ? »

Brown ouvrit le tiroir de son bureau, considéra le paquet de cigarettes d'un air furieux et referma le tiroir. « Oui, votre gratte-ciel est vulnérable. Plus ils sont grands, plus ils sont vulnérables. Vous n'y pensez pas, vous, les constructeurs.

— Mais si, justement, j'y pense », dit Nat.

Nat retourna au bureau de Caldwell. Le patron était déjà parti pour assister à la cérémonie d'inauguration. Nat alla dans son propre bureau et s'assit devant sa table de travail, le regard fixé sur les schémas plaqués au mur.

Il se reprocha de s'alarmer à l'excès, comme un jour où, errant en montagne, à près de quatre mille mètres d'altitude, il avait aperçu la trace d'une patte d'ours gigantesque ; la marque des ongles antérieurs dénonçait le grizzly. Il n'était pas près d'oublier cette aventure.

Certains prétendaient que la race des grizzly était éteinte ou presque. Ce presque n'avait rien de rassurant. Un seul grizzly suffit largement ; un seul grizzly, c'est un de trop.

Nat avait déjà eu affaire à des ours noirs. Il suffit de ne pas les provoquer. Sauf s'il s'agit d'une mère qui s'inquiète pour ses petits, l'ours noir n'attaque pas l'homme. Mais le grizzly, *Ursus horribilis*, ne connaît pas d'autre loi que son caprice : ce qu'il veut, il le prend et il a très mauvais caractère.

Le grizzly rattrape un cheval à la course et il peut tuer un animal de cinq cents kilos d'un seul coup de sa formidable patte de devant. Pour dénicher marmottes et ochotones, il est capable de retourner d'une seule patte des rochers que deux hommes ne pourraient pas ébranler. Celui qui chasse le grizzly ou son cousin, le grand ours brun de l'Alaska, ne tire jamais sauf lorsqu'il est très au-dessus du gibier ; sinon, quel que soit le calibre de l'arme, l'ours bondit sur son assaillant et le tue avant de mourir. Tout au moins ceux qui connaissent la montagne l'affirment. Or, ce jour-là, Nat n'avait même pas d'arme.

Il lui avait suffi de voir quelques empreintes de pas sur un flanc de montagne battue par la bise, bien au-dessus de la limite de végétation, pour se rappeler tout ce qu'il avait entendu dire au sujet de ce redoutable fauve.

Pendant le reste de l'après-midi il avait eu envie de regarder dans toutes les directions à la fois. La nuit, allongé dans son sac de couchage, il avait eu encore plus peur, tout en regardant les étoiles et les quelques nuages qui les masquaient de temps en temps ; le moindre bruit, le moindre sifflement du vent sur un rocher ou sur quelque arbrisseau rabougri des hautes altitudes le terrifiaient. Bien qu'il eût passé toute la journée à gravir des pentes abruptes, il ne s'était endormi que très tard.

Lorsqu'il s'éveilla, aux premiers rayons du soleil et sortit à regret de son sac de couchage tiède, il ne pensa pas immédiatement au grizzly mais soudain il avisa des traces fraîches à quelques pas de l'endroit où il avait dormi. La grosse brute était probablement venue voir sur place quel était cet étrange animal. Quelle que fût sa masse il n'avait pas fait le moindre bruit en cédant ainsi à sa curiosité... et en fin de compte il avait jugé cette proie sans intérêt.

Nat n'avait pas vu l'ours, mais il ne l'oubliait pas. Assis dans le silence de son bureau il se dit : je n'ai pas vu non plus l'inconnu qui circulait dans la Tour et je ne le verrai sans doute jamais. Peut-être est-il aussi inoffensif que le fut cette nuit-là mon grizzly, mais je ne peux y croire.

Il se redressa sur sa chaise et appela Joe Lewis. « Quoi de neuf ? demanda-t-il.

— Nous ne sommes pas magiciens, répondit Lewis. Il va falloir interroger l'ordinateur au sujet de certains de ces schémas pour voir ce qui se passe *si* nous avons une coupure de courant ici ou une surtension là, enfin un de ces incidents imprévisibles mais dont on doit envisager la possibilité. » Il se tut puis remarqua : « En général vous n'êtes guère impressionnable.

— Mais en cet instant je suis très impressionné, répondit Nat. Si vous me demandez pourquoi, je serai incapable de vous le dire. Admettons qu'il s'agit d'un pressentiment. »

Au bout d'un moment Lewis demanda : « Quand avez-vous eu vent de ces modifications ?

— Ce matin. Giddings m'a apporté les photocopies.

— D'où les tenait-il ?

— Je ne sais pas, dit Nat. Je ferai peut-être bien de m'en inquiéter. »

Il appela en vain Giddings à son bureau de la Tour, mais personne ne décrocha. Il appela ensuite Frazee, mais ce dernier était déjà parti pour l'inauguration. « Le maître de l'ouvrage doit figurer parmi les vedettes, lui dit Letitia Flores, petite grosse qui parlait couramment quatre langues et fonctionnait aussi efficacement que l'ordinateur de Joe Lewis. C'est mon patron qui donne le coup d'envoi au festival des laïus. Que puis-je faire pour vous ?

— Savez-vous où est Giddings ?

— Au Charlie's Bar, Troisième Avenue. » Letitia donna l'adresse exacte et demanda : « Voulez-vous autre chose ?

— Oui, s'il appelle, dites-lui que je le cherche.

— Devrai-je lui dire pourquoi ? »

Nat jugea que ce serait inutile. En dépit de l'animosité latente qui avait régné entre eux, Will et lui considéraient ce problème du même œil. « Ce n'est pas la peine, il le saura », répondit-il.

Il repartit à pied, mais cette fois moins obsédé, sans tenir compte de sa fatigue physique. Il prêta attention au spectacle de la rue en laissant son cerveau se mettre en train librement.

La Troisième Avenue avait déjà changé depuis qu'il était à New York. Il était arrivé trop tard pour connaître le métro aérien qui avait jadis traversé la Bowery en coups de tonnerre. C'était alors une excursion pour les soirs d'été, lui avait-on dit. Appartements éclairés, fenêtres ouvertes, montraient l'humanité se livrant à ses activités les plus intimes. Au cours des dernières années l'avenue s'était transformée à vue d'œil. Ce qui avait constitué un *quartier* avait perdu sa personnalité : magasins pareils aux autres, immeubles d'habitation neufs, trottoirs grouillant d'inconnus pressés. Comme lui.

Avec ses demi-portes à va-et-vient, son nom gravé dans le verre épais, son comptoir en bois foncé, ses lourdes tables, ses petits boxes, Charlie's Bar était un vestige du bon vieux temps. Il y régnait une odeur de malt et de pipe. On n'y entendait que des voix d'hommes. Ne le fréquentaient que des habitués. Ils pouvaient y passer en paix un après-midi à bavarder en buvant quelques chopes. Malgré son indépendance de fervente du MLF, Zib en serait ressortie aussitôt entrée, pensa Nat. Et pourtant, pas un mot, pas un geste ne lui auraient indiqué qu'elle n'était pas la bienvenue.

Il trouva Giddings au comptoir, devant un petit verre de whisky et une chope de bière. Appuyé sur un coude, le barman bavardait amicalement avec lui.

Giddings n'était pas ivre mais il avait déjà les yeux trop brillants. « Tiens, tiens ! Qui va là ? dit-il. Voilà un homme convenable qui s'égare dans un quartier mal famé.

— Vous avez mieux à faire, Will. » Nat montra les boissons sur le comptoir et dit au barman : « Une bière, mais pas de petit verre. » Puis il s'adressa de nouveau à Giddings : « Allons dans un box et parlons.

— De quoi ?

— Vous le savez. J'ai téléphoné à Lewis. Ses gars interrogent l'ordinateur. J'ai aussi parlé avec un certain Brown.

— Tim Brown ? » demanda Giddings dont l'attention s'éveilla aussitôt.

Nat acquiesça d'un signe de tête. Le barman posa une chope devant lui. Nat mit la main à sa poche.

« Non, c'est moi qui paie, intervint Giddings en descendant de son tabouret. Charlie McGonigle, je vous présente mon ami Nat Wilson. Nous prenons le box du coin. » Il précéda Nat, un verre dans chaque main.

La bière était bonne, fraîche, pas glacée, apaisante. Nat en but une bonne rasade et posa sa chope. Au contraire

Giddings écarta ses deux verres et demanda : « Pourquoi Tim Brown ? »

Nat eut l'impression de se répéter et il lui sembla que ses propos perdaient leur sens comme l'air d'un disque joué trop souvent perd son charme. « Trop d'erreurs ont été commises. Vous êtes ingénieur, vous le comprenez. Si quelque chose tourne mal nous ne devrions pas en craindre les conséquences car nous avons prévu des systèmes de sécurité qui devraient fonctionner automatiquement. Mais admettons que des modifications dans l'installation électrique aient supprimé certains éléments de sécurité, supposons aussi qu'ils ne fonctionnent pas parce que les inspecteurs du service de lutte contre l'incendie ou les inspecteurs municipaux du bâtiment auraient fermé les yeux tant que la Tour n'était pas occupée. Alors, que se passerait-il ? »

Giddings frétilla comme un chien qui s'ébroue. « Tout peut arriver. Mais si vous êtes allé voir Tim Brown, c'est que vous pensez à un incendie. Pourquoi ? » Il se rappela alors ce que McGraw lui avait raconté au sujet d'immeubles qu'il considérait comme ensorcelés. Ça l'agaça.

« Toute modification de circuit électrique peut être dangereuse, dit Nat. On peut faire fondre de l'acier rien qu'avec cent dix volts. Je le sais. Il m'est arrivé de raccourcir la lame d'un couteau dans un grille-pain. »

Giddings inclina légèrement la tête. Il regardait fixement le visage de Nat.

« Or c'est treize mille huit cents volts et pas cent dix que nous avons à l'arrivée...

— Et vous pensez à l'inconnu qui montait et descendait dans les ascenseurs, dit Giddings. Mais pourquoi ? Pour l'amour du ciel, mon ami, dites-moi pourquoi.

— Je ne sais pas. » C'était vrai mais le pressentiment se transformait en conviction. « Vous êtes un costaud, reprit Nat. Vous est-il arrivé d'être mêlé à une bagarre de bistrot ?

— Une ou deux fois, répondit Giddings avec un sourire sans gaieté.

— N'était-ce pas parce qu'un petit bonhomme éméché

se prenait pour un titan et vous a provoqué parce que vous étiez le plus gaillard qui se trouvait là ? »

Giddings médita un instant. « Continuez, dit-il.

— Je ne sais pas ce qui se passe. Je suis architecte. Je connais les chevaux, je connais la montagne, je sais skier et je connais bien des *choses*. Il me semble malheureusement que je connais mal les gens.

— Continuez, répéta Giddings.

— Je ne suis pas psychiatre mais je suppose que si un individu veut qu'on lui prête attention et si personne ne s'intéresse à lui, même s'il se livre à des extravagances, il finira par penser à faire éclater une bombe. Or où ces maniaques posent-ils leurs bombes ? Souvent dans des avions parce que ça fait de gros dégâts et tout le monde sera au courant de leur exploit. Mais ils ne font jamais sauter des petits avions, n'est-ce pas ? Ils s'en prennent toujours à un bel oiseau à réaction, flambant neuf, plein de voyageurs. Ou bien à un aéroport bondé, connu dans le monde entier, jamais à celui de Teterboro ou à celui de Santa Fe. »

Giddings prit son petit verre d'alcool et le reposa sans avoir bu. « Vous perdez la boule », dit-il. Et il ajouta : « Tout au moins, je l'espère.

— Moi aussi, je l'espère, dit Nat qui se sentait alors plus tranquille, presque résigné, ce qui lui parut étrange. Notre gratte-ciel est le plus gigantesque. Aujourd'hui tous les regards sont tournés vers lui. Voyez vous-même. » Il montra l'écran de télévision en couleur, derrière le comptoir.

L'écran était éclairé et le son au plus bas. Braquée sur la place de la World Tower, la caméra montrait les barrières de protection et l'estrade provisoire où quelques personnalités étaient déjà assises. Un œillet à la boutonnière, Grover Frazee accueillait ses invités en souriant, sur l'escalier de cette estrade. On entendait à peine la fanfare qui jouait sur la place.

« Vous vouliez faire remettre cette cérémonie, dit Nat. Moi aussi. Maintenant qu'il est trop tard je regrette de ne pas avoir réussi et je ne sais pas pourquoi. Tenez, regardez ! »

La caméra avait pivoté. Elle montrait maintenant la foule derrière les barrières. De-ci, de-là, la main de badauds heureux d'être vus par les téléspectateurs s'agitait. Mais on voyait surtout, au-dessus de cette foule des pancartes clamant : ARRÊTEZ LA GUERRE ! et ASSEZ DE BOMBARDEMENTS ! et que secouaient avec fureur les manifestants.

La caméra balaya la foule puis s'arrêta sur une autre pancarte : DES MILLIONS POUR CE GRATTE-CIEL MONSTRUEUX ! ET L'ASSISTANCE PUBLIQUE ?

« Eh bien oui, dit Giddings, les indigènes s'agitent. Ils sont en état d'agitation permanente, ces temps-ci. » De nouveau il souleva son petit verre et le vida d'un trait, rasséréné.

La caméra était revenue à l'estrade où le gouverneur et le maire saluaient la foule. « Pourvu que ça leur fasse de la publicité, je crois que les politiciens seraient capables d'inaugurer un bordel, dit Giddings en souriant. Mais pourquoi pas ? Les putains votent, comme tout le monde.

— D'où tenez-vous les ordres de dérogation, Will ? demanda Nat à mi-voix et il vit alors se dissiper le sourire de son interlocuteur.

— Si ça vous intéresse, c'est qu'ils sont authentiques, non ? dit Giddings d'un air railleur.

— Vous m'avez montré les photocopies. Où sont les originaux ?

— Ecoutez, fiston...

— Non, dit Nat en secouant la tête. Je vous ai dit de ne pas me parler sur ce ton. Si vous avez peur de répondre, dites-le.

— Peur !... et de quoi, que diable ?

— Où sont les originaux ? »

Giddings fit circuler du bout du doigt son petit verre sur la table. « Je ne sais pas, dit-il enfin en relevant la tête. Ça paraît stupide mais c'est tout simplement vrai. Hier j'ai reçu par la poste une enveloppe qui contenait les photocopies. Pas d'adresse d'expéditeur. Le tampon de la poste indiquait qu'elle venait du bureau de la gare Grand Central. Il n'y avait que les photocopies sans aucune explication... Ça pourrait être une blague.

— Vous le croyez ?

— Non, dit Giddings.

— Moi non plus je ne le crois pas », dit Nat.

9

15 heures et 10 minutes — 16 heures et 3 minutes

En voyant arriver les invités et en considérant la foule qui restait assez calme derrière les barrières ainsi que les pancartes avec toute leur variété de signification et de non-sens, l'agent Barnes dit à son camarade Shannon : « La sécurité. Avais-tu entendu ce mot il y a dix ans, Mike ?'

— C'est le nouveau jeu à la mode », répondit Shannon comme si cette formule expliquait tout. Se sachant bel homme, il ne cherchait nullement à échapper aux regards de la foule et c'est tout juste s'il ne faisait pas la roue. « Frank, reprit-il, non seulement tu lis trop mais encore tu penses trop. »

DÉLIVREZ LES JUIFS RUSSES. « Tiens, dit Barnes en lisant cette pancarte, la dernière fois que j'ai vu celle-là, c'était devant le building des Nations unies.

— Tout coûte cher aujourd'hui. Il ne faut rien perdre et on se sert de la même pancarte partout où on a envie de manifester. On voit constamment les mêmes après chaque match de base-ball.

— Non, pas tout à fait les mêmes », dit Barnes en souriant. Tous deux s'entendaient à merveille malgré leur différence d'instruction et même de vivacité intellectuelle. Comptaient plus entre eux la loyauté et la camaraderie nées d'une longue collaboration. « Es-tu déjà entré dans ce bâtiment ? » demanda Barnes.

Non, y pénétrer n'était jamais venu à l'esprit de Shannon. D'abord parce qu'il considérait qu'un gratte-ciel est un gratte-ciel comme un autre gratte-ciel. Ensuite, parce qu'il y en avait tellement dans cette ville, comme il y avait tellement de quartiers divers, qu'on deviendrait fou si on essayait de les explorer tous. Alors, l'agent Shannon préférait s'en tenir aux régions qui lui étaient familières. C'est ce qu'il expliqua à son camarade. Puis il ajouta . « Mais toi, tu t'étends sur des territoires trop vastes, Frank. C'est mauvais pour la santé... Qu'est-ce qu'il y a d'intéressant dans cet édifice ? Qu'est-ce qu'il a de différent des autres ? » Il leva la tête vers le ciel. « Sa hauteur. Et à part ça ?

— Un système de sécurité centralisé sur un seul pupitre d'ordinateur, répondit Barnes. Tiens, voilà encore ce mot qui revient : sécurité. C'est une espèce de poste de commandement en contact avec tous les étages, où un ordinateur contrôle la température, l'humidité, et Dieu sait quoi ! du haut en bas de ce gratte-ciel. Les portes de secours en cas d'incendie se ferment et s'ouvrent électroniquement. Mais en cas d'urgence, elles s'ouvrent automatiquement de l'extérieur. On peut donner l'alerte à partir de n'importe quel étage en cas d'incendie... » Frank Barnes sourit.

« Tu trouves ça drôle ? demanda Shannon.

— Oui, ça me rappelle l'avion de l'avenir. Tu connais cette histoire ?... Il s'envole de Heathrow, l'aéroport de Londres. Son train d'atterrissage rentre sous la carlingue, il s'élève et ses ailes prennent la position du vol sursonique. Le haut-parleur retentit dans la carlingue : « Bienvenue à bord, mesdames et messieurs. Vous participez au vol 101 de Londres à New York. Nous croiserons à dix-huit mille neuf cents mètres d'altitude à la vitesse de onze cent cinquante-deux kilomètres à l'heure et nous arriverons à l'aéroport Kennedy exactement à trois heures cinquante-cinq, heure de New York. Cet avion est le plus moderne du monde. Il est entièrement automatisé. Pas de pilote à bord. Toutes les opérations sont commandées électroniquement, toutes les éventualités ont été prévues et rien ne pourrait donc mal tourner mal tourner mal tourner... tourner. »

— Je me demande où tu déniches des histoires pareilles », dit Shannon.

L'œillet à la boutonnière de Grover Frazee ne fanait pas encore. Chapeau à la main, souriant, il accueillait ses invités au pied de l'estrade sur la place de la Tour. Les voitures se suivaient à la file dans l'allée dégagée par la police et s'arrêtaient une à une pour débarquer leurs passagers. Frazee remarqua que tous avaient la même expression, celle que l'on arbore aux mariages, aux premières séances parlementaires, aux inaugurations. Ah, oui, aussi aux enterrements. Mais d'où me vient une idée pareille ?

Il fit un pas en avant la main tendue. « Monsieur l'ambassadeur, dit-il. Comme c'est généreux à vous d'être venu ici aujourd'hui !

— Je n'aurais pas manqué de rendre hommage à cet énorme building voué à la communication de l'homme avec l'homme... », répondit l'ambassadeur avec une admiration affectée.

Le sénateur Jake Peters était venu de Laguardia avec le représentant Cary Wycoff, dans le même taxi. Ils avaient d'ailleurs pris le même avion navette à Washington. Cary Wycoff gardait présentes à l'esprit des bribes de leur conversation qui avait commencé avant le décollage à l'aéroport National.

« Il fut un temps où l'on ne faisait ce voyage que par chemin de fer et rien d'autre, avait dit le sénateur en bouclant sa ceinture. C'était avant la guerre. Vous ne vous le rappelez pas, n'est-ce pas ? »

Non, Cary Wycoff ne se le rappelait évidemment pas. Il avait trente-quatre ans, accomplissait son deuxième mandat au Congrès et, même la guerre de Corée ne lui laissait que des souvenirs assez confus d'adolescence. Alors que dire de la Seconde Guerre mondiale à laquelle Jake Peters faisait allusion ? « Vous abusez de votre ancienneté, sénateur, dit Cary.

— Par pure jalousie, concéda le sénateur en souriant. J'aimerais avoir votre âge et en être à mes débuts.

— Aujourd'hui ou dans ce temps-là ? »

Le sénateur ne s'était jamais posé cette question d'une manière aussi précise. Son souhait de retour à la jeunesse exprimait-il seulement de la nostalgie ou bien le désir de vivre longtemps pour assister à la suite des événements ? S'agissait-il d'égoïsme futile ou de curiosité intellectuelle ?

« Je ne regrette pas le passé, dit-il solennellement. J'ai débuté à Washington en 1936, au temps de la grande crise économique. Pour vous cette expression ne signifie pas grand-chose. C'était une maladie purulente. Nous avions beau nous répéter que nos soins conduisaient le malade vers la guérison, en réalité nous nous contentions de lui donner de l'aspirine et de bander ses plaies vives en espérant qu'il ne trépasserait pas entre nos mains. »

Lorsqu'un homme d'Etat âgé tenait des propos de ce genre, Cary prenait aussitôt une attitude défensive. « Nous avons des soucis aujourd'hui aussi. Vous ne pouvez le nier.

— Allons, mon fils ! ne jouez pas les ignorants, que diable ! Actuellement nous avons les moyens d'agir. Nous avons la connaissance, la richesse, la production, la distribution, les communications... — surtout les communications — et dans ce temps-là nous n'avions guère plus que l'affolement et le désespoir.

— La connaissance ? dit Cary. Il me semble que...

— J'ai employé ce mot à bon escient, dit sèchement le sénateur. Nous avons, en effet, la connaissance. Il s'agit seulement de savoir si nous aurons la sagesse de la mettre correctement en œuvre. Voilà précisément pourquoi je voudrais avoir votre âge, n'en être qu'à mes débuts mais dans un monde meilleur qu'il ne le fut depuis qu'Eve offrit la pomme à Adam. Ou tout au moins qui devrait être meilleur. D'ailleurs cette histoire de pomme m'inspire des doutes. Je n'ai jamais entendu dire qu'il y eût des pommes en Mésopotamie.

or c'est là que se serait trouvé le jardin d'Eden. Y avez-vous jamais pensé ? »

Non. Cary n'y avait pas pensé. La réflexion du sénateur l'amusa, moins par sa pertinence que parce qu'elle démontrait avec quelle habileté ce vieux parlementaire faisait dévier la conversation sans en avoir l'air.

Jake Peters était un phénomène. Il parlait avec le pire accent des faubourgs de grande ville, mais il était d'une érudition étourdissante. Bon nombre de ses collègues du sénat assuraient que pour discuter avec Jake Peters il fallait connaître son sujet sur le bout du doigt.

Le sénateur était déjà passé à une autre question. « J'ai bien failli ne pas venir aujourd'hui, disait-il en souriant. Est-ce que vous croyez aux prémonitions, mon fils ? »

Cary Wycoff y croyait mais répugnait à l'admettre. « Allons, sénateur, dit-il d'un ton raisonnable.

— Certes je ne me prends pas pour un voyant, dit Peters en souriant. Et puis, je connais Bent Armitage depuis longtemps et je crois que cette cérémonie lui importe beaucoup. » Il se tut un instant et son sourire s'effaça. « Je le crois, tout au moins, mais je ne l'ai pas interrogé à ce sujet.

— Je crois qu'elle importe à beaucoup de monde. Un nouveau gratte-ciel représente de nouveaux emplois. Il attirera de nouvelles affaires dans la ville, ce qui produira plus d'impôts.

— Vous voyez ça en noir et blanc ? » dit le sénateur.

Il touchait un point sensible car Cary Wycoff estimait être un homme à l'esprit large et pourtant il lui arrivait de temps à autre, à son grand étonnement, d'émettre des idées qui semblaient sortir du fond d'un tunnel. Ne sachant comment réfuter la réflexion du sénateur, il répondit : « Je n'essaie jamais d'empêcher mes adversaires de s'exprimer. Comme le font certains.

— Si vous croyez m'avoir mis le doigt dans l'œil, fiston, vous vous trompez », dit le sénateur avec bienveillance.

Le jeune Wycoff avait souvent l'attitude du puritain sûr de lui. Jake Peters avait décelé les mêmes symptômes chez d'autres membres du Congrès et même chez quelques candidats à la présidence des Etats-Unis dont il aurait pu citer les noms. Il savait depuis longtemps que toute discussion avec ces gens-là est vaine car quiconque est absolument convaincu d'avoir raison ne voit qu'hérésie chez ceux qui ne sont pas d'accord avec lui.

« Quand un homme a foi en ce qu'il dit ou fait, j'estime qu'on devrait lui accorder le droit... reprit Cary.

— De faire quoi ? D'agir par la violence ? de détruire les archives ? de faire éclater des bombes ? » Le sénateur constata que le visage de Wycoff exprimait l'hésitation.

« Notre insurrection fut un acte de violence, dit enfin le jeune représentant.

— C'est vrai, dit le sénateur. Mais si ceux qui la déclenchèrent et la poussèrent jusqu'à son but avaient perdu au lieu de gagner, ils en auraient subi les conséquences si noble que fût et que soit encore la Déclaration d'Indépendance. Ils offraient leur tête au billot et s'en rendaient compte.

— Ainsi, on a raison ou tort selon que l'on gagne ou perd, dit Cary Wycoff avec une ironie frisant le mépris. Est-ce bien ça ?

— On en discute depuis longtemps et je ne prétends pas savoir si c'est vrai ou non. Toutefois, je sais une chose : quand quelqu'un prétend imposer sa propre loi et que de ce fait quelqu'un d'autre subit un dommage, je ne suis pas partisan de l'indulgence totale.

— Vous n'êtes donc pas partisan d'offrir l'autre joue ? dit Cary, sûr d'avoir marqué un point dans la discussion.

— J'ai connu un temps où il en résultait deux yeux pochés au lieu d'un seul et pourtant on continuait à combattre. » Le sénateur se pencha en avant pour tendre un billet au chauffeur de taxi. « Prémonition ou pas, nous sommes arrivés », dit-il.

Ils descendirent du taxi et marchèrent entre deux barrières vers l'estrade. Les pancartes s'agitèrent. Quelques voix entonnèrent un chœur parlé inintelligible. « Il y a des flics partout dit Cary Wycoff. On croirait que nous sommes menacés.

— Flics ? dit le sénateur. Comment se fait-il que vous ne les appeliez pas des bourriques ?... Ah, mon cher Grover ! vous avez choisi une belle journée.

— Soyez le bienvenu, Jake, dit Frazee. Et vous aussi Cary. Vous arrivez juste à point. L'heure du blablabla va bientôt sonner. » Ils échangèrent un sourire complice.

« Montez sur l'estrade, dit Frazee. Je vous rejoins dans un instant.

— Si je comprends bien, dit le sénateur, vous voulez de brèves allusions à Dieu, à la maternité, à l'avenir de l'humanité... sans sous-entendus politiques, évidemment.

— C'est exactement ça », dit Frazee en souriant de nouveau.

Un système de télévision en circuit fermé permettait de scruter tout ce qui se passait à tous les étages du haut en bas du gratte-ciel et jusqu'au sous-sol le plus profond. Mais ce jour-là, l'édifice n'étant pas encore ouvert au public, il n'y avait encore personne au pupitre de sécurité et la télévision ne fonctionnait pas.

On en avait discuté mais on avait cédé à l'esprit d'économie parce que la World Tower n'était pas le fort Knox. Elle ne contenait pas des monceaux de lingots d'or offerts à la convoitise. Pas encore.

Plus tard, quand elle serait occupée — « entièrement louée » Grover Frazee avait gémi en se rappelant cette locution en usage dans l'immobilier — la sécurité deviendrait un souci comme dans tous les gratte-ciel de la ville et les frais qu'elle imposerait seraient acceptés comme une affaire de routine.

Plus tard quelqu'un veillerait devant chaque pupitre de sécurité et la télévision en circuit fermé ne relâcherait jamais sa vigilance. Mais il n'en était pas encore temps ce jour-là.

Toutefois il y avait quelqu'un à l'ordinateur central ainsi qu'il en allait depuis bien des mois : depuis qu'on avait commencé à habiller et meubler certaines parties de l'immeuble. Remarquez cette analogie : le cœur du fœtus bat longtemps avant la naissance pour fournir à l'organisme qui se développe nourriture et forces vives.

De même, un homme veillait sur le pupitre en demi-cercle où clignotaient des lumières, où tournaient des bobines et où des rangées de cadrans fournissaient diverses indications sur la santé de l'énorme construction.

Le corridor nord-ouest du soixante-cinquième étage réclamait-il un surcroît d'air frais ? Une fuite quelconque permettait-elle à la chaleur du dehors de s'infiltrer à l'intérieur ? Il faudrait étudier cette question le lendemain. En attendant l'ordinateur expédiait un supplément d'air frais et filtré dans le corridor nord-ouest.

Salle d'honneur, au cent vingt-cinquième étage. En prévision de l'afflux d'invités, étant donné que chaque homme est un radiateur ambulant, on avait déjà abaissé la température à deux degrés au-dessous de la normale.

La tension électrique fournie par la sous-station de la Con Edison restait stable. On prévoyait des fluctuations chaque fois que le système automatique fonctionnerait et s'arrêterait.

Aux transformateurs toutes les tensions restaient normales dans des limites de variations prévues.

L'ascenseur numéro trente-cinq qui devait faire la navette entre le quarante-quatrième et le cinquante-quatrième étage était déjà immobilisé pour réparations. Son ampoule était éteinte sur le panneau.

Maint système automatique fonctionnait dans les sous-sols. Des moteurs bourdonnaient doucement. Les alternateurs de secours attendaient avec la patience massive dont les avaient dotés leurs créateurs.

Tout allait normalement, tout marchait à souhait. L'homme assis dans un fauteuil pivotant devant le pupitre pouvait se détendre et presque somnoler.

C'était un certain Henry Barber qui vivait à Washington Heights, avec sa femme Helen et trois enfants : Ann, dix ans ;

Jody, sept ans, Petey, trois ans ; ainsi que la mère d'Helen, âgée de soixante-quatre ans. Ingénieur électricien, Barber était titulaire d'un diplôme de l'université Columbia. Féru d'échecs, de football professionnel et de films anciens projetés au musée d'art moderne, il avait trente-six ans et ne vieillit pas.

Dieu merci il ne sut pas ce qui le frappait : le pied de biche de quarante-cinq centimètres lui défonça la boîte crânienne, il mourut presque instantanément et ignora donc tout ce qui se passa par la suite.

John Connors considéra un moment les lumières qui clignotaient sur le panneau de contrôle puis il quitta la pièce silencieuse et descendit vers le dernier sous-sol, celui où arrivaient les câbles électriques de la sous-station voisine. Il s'enferma pour ne pas être dérangé et attendit tranquillement en jetant de temps en temps un coup d'œil à sa montre.

Il répondait mentalement à la question qu'il s'était posée plus tôt et qu'il avait réglée de manière satisfaisante. Tout en étudiant les formidables câbles électriques et les transformateurs qui bourdonnaient, il se répétait avec joie : « A quoi bon tourner autour du pot ?... Oui, c'est ça, murmura-t-il. Droit au but. »

La fanfare joua l'*Hymne à la bannière étoilée*, sur la place, et les pancartes des protestataires se balancèrent au rythme des cuivres. Le rabbin Stein demanda au Tout-Puissant que le nouveau gratte-ciel, avec toutes ses possibilités de télécommunications, devienne un instrument de paix pour l'humanité entière.

Dans un coin de la place, discrètement tenu en respect par des agents en uniforme, un groupe d'Arabes et de non-Arabes demandait justice pour la Palestine.

Monsignore O'Toole bénit le gratte-ciel.

Des banderoles prônant le contrôle des naissances et la liberté de l'avortement dans tous le pays s'épanouirent comme des crocus à l'éveil du printemps.

Le révérend Arthur William Williams en appela a la benédiction céleste, à la paix et la prospérité.

Apparurent des pancartes qui exigeaient la taxation des biens d'Eglise.

Le révérend Joe Willie Thomas fonça vers les microphones de l'estrade, mais on lui barra la route. Du pied de l'escalier, il tempêta contre l'idolâtrie.

Grover Frazee jouait le rôle de maître des cérémonies.

Le gouverneur parla. Il chanta les louanges de ceux qui avaient construit ce building et vanta leurs buts.

Le maire pérora sur ce symbole de la fraternité humaine.

Le sénateur Jake Peters fit l'éloge du progrès.

Le représentant Cary Wycoff souligna les avantages que la ville tirerait de ce gratte-ciel.

On coupa un ruban tendu devant une des portes donnant accès au vestibule devant les caméras de la presse écrite et de la télévision. Mais il fallut le remplacer aussitôt et le couper de nouveau parce que le reporter de la NBC avait raté sa photo.

Les invités franchirent la porte et s'engouffrèrent dans deux ascenseurs express automatiques qui les hissèrent en moins de deux minutes jusqu'à la salle la plus élevée du gratte-ciel le plus haut du monde. Les tables du buffet étaient déjà servies, éclairées à la chandelle, garnies d'amuse-gueule. Frappé à souhait, le champagne était prêt. Garçons et soubrettes attendaient en bon ordre.

DEUXIÈME PARTIE

Il importe de se rappeler que, porté à une température suffisante, tout brûle, tout !

TIMOTHY O'REILLY BROWN
commissaire adjoint à la lutte contre l'incendie

s'adressant à la presse.

10

16 heures et 10 minutes — 16 heures et 23 minutes

« Je n'ai absolument rien contre nos saints hommes en tant que tels mais j'estime que quelques-uns tirent un peu trop la couverture à eux, dit le gouverneur, verre en main, à Grover Frazee.

— Vous plairait-il qu'on rapporte ces propos à vos électeurs ? » demanda Frazee. Il se sentait mieux, plus à l'aise et plus détendu qu'au début de la journée. Inutile de le nier : Will Giddings l'avait effrayé. Mais les félicitations qui affluaient de toutes parts le rassuraient. Il jeta un coup d'œil circulaire à la grande salle et reprit en souriant : « Ça pourrait vous coûter quelques suffrages.

— Eh bien, savez-vous que je m'en moque peut-être. Je possède un ranch dans la montagne, au nord du Nouveau Mexique, au milieu d'une verte prairie, à mille quatre cents mètres d'altitude. Un ruisseau à truites traverse la propriété et du porche de ma maison je vois un pic de trois mille neuf cents mètres éternellement coiffé de neige. » A son tour il parcourut la cohue du regard. « Chaque fois que j'y vais ce ranch me paraît plus attrayant. » Il capta le regard d'un garçon qui passait. « Apportez-moi un autre bourbon à l'eau, s'il vous plaît, mon fils », lui dit-il puis il s'adressa de nouveau à Grover Frazee : « Vous voyez, j'ai déjà abandonné le scotch pour un breuvage bien de chez nous. » Il sourit au maire qui approchait. « Ah, Bob ! dit-il.

— Il me semble que tout s'est bien passé, dit le maire. Félicitations, Grover.

— Bravo pour vos réflexions sur la fraternité humaine, dit le gouverneur. Comme je vous l'avais fait remarquer peu auparavant, ces improvisations mûrement préméditées font toujours de l'effet. » Par moments le gouverneur avait presque honte de railler ainsi Bob Ramsey ; c'était aussi facile que de tirer un poisson au fusil dans une citerne, comme on disait dans l'Ouest dont il commençait à adopter usages et langage. Trop facile. « Où est l'excellente Mme Ramsey ?

— Là-bas, près de la fenêtre, dit le maire d'une voix où tintait l'affection conjugale. Elle admire le paysage. Savez-vous que par temps clair...

— Arrive-t-il encore que le temps soit clair ici ? demanda le gouverneur. Non. Annulez cette question. Je pensais à autre chose. » A un ciel limpide jusqu'à l'horizon, à des montagnes nettement visibles à cent cinquante kilomètres à la ronde, qui deviennent mauves au crépuscule, à de vastes étendues paisibles qui donnent un sentiment de sérénité. Le gouverneur s'attendrit soudain. « Vous êtes marié depuis combien de temps ?

— Trente-cinq ans.

— Vous avez de la chance. »

Le maire étudia cette réponse : il craignait qu'elle comportât une pique. Il n'en trouva pas. « Oui, j'ai de la chance, dit-il en jetant un coup d'œil vers son épouse.

— Avec qui est-elle ? demanda le gouverneur.

— Ma cousine Beth Shirley, une de vos plus ferventes électrices. » Le maire ajouta en souriant : « Vous voulez faire sa connaissance ?

— Présentez-moi », dit le gouverneur.

Grande, svelte, les yeux bleus, les cheveux acajou, Beth Shirley donnait une impression de quiétude. Elle hocha la tête en serrant la main du gouverneur puis attendit qu'il engage la conversation.

« Vous êtes une cousine de Bob Ramsey et vous votez pour le bon candidat, c'est tout ce que je sais de vous, dit Bent Armitage. Y a-t-il autre chose à apprendre ? »

Un sourire se forma lentement sur les lèvres de Beth, aussi serein que son visage. « Tout dépend de ce qui vous intéresse, gouverneur.

— A mon âge... », commença-t-il. Puis il se tut.

« Vous ne me paraissez pas tellement vieux, dit Beth dont le sourire s'accentua. En tout cas je ne vous ai jamais imaginé sous les traits d'un homme âgé. Je vous en prie, ne me décevez pas. »

Le gouverneur réfléchit un instant puis son sourire refléta celui de Beth Shirley et il dit enfin : « C'est bien la dernière des choses que je souhaiterais. » Si bizarre que cela soit, c'était vrai. Tiens, le vieux bouc reparaît en moi, pensa-t-il. « Si ce que je dis semble ridicule, tant pis. J'ai déjà été ridicule dans ma vie, souvent. »

On bavardait autour d'eux, mais à cet instant ils se crurent seuls. « Une des choses que j'ai toujours admirées chez vous, c'est l'aisance avec laquelle vous vous moquez de vous-même », dit-elle.

Nul ne résiste à la flatterie, avait-il souvent pensé. « Continuez.

— Bob Ramsey est incapable de se moquer de lui-même.

— Alors il ne devrait pas faire de politique. Le président des Etats-Unis non plus n'en est pas capable et nous y perdons tous.

— Vous auriez pu être Président. Il s'en est fallu de peu.

— Si peu que ce soit, c'était trop, répondit-il. Les élections présidentielles ressemblent à une loterie. Rares sont ceux qui ont l'occasion de tenter leur chance une fois et ça ne se renouvelle presque jamais pour aucun. J'ai essayé, j'ai raté et je ne recommencerai jamais. » Pourquoi pensait-il si souvent ces derniers temps au ruisseau à truites sinuant à travers la prairie et à l'odeur des conifères embaumant la limpidité de l'air matinal ? « Connaissez-vous l'Ouest ?

— J'ai fait mes études à l'université du Colorado.

— Mon Dieu ! est-ce possible ? » Comment croire au libre arbitre quand le hasard provoque de telles rencontres ? pensa le gouverneur. « Connaissez-vous le nord du Nouveau-Mexique ?

— J'ai parcouru ses montagnes à cheval et sur des skis. »

Le gouverneur prit une profonde inspiration. « Est-ce que vous pêchez ?

— Rien que la truite dans les ruisseaux. »

A cet instant le sénateur Peters arriva auprès d'eux, une coupe de champagne à la main. « Vous avez toujours été contre les monopoles, Bent, dit-il. Mais vous êtes en train de monopoliser quelqu'un.

— Allez-vous-en, Jake », dit le gouverneur. Il soupira parce que le charme était rompu. « Vous ne partirez pas, évidemment, vous restez toujours. Vous êtes pareil au remords qui nous réveille au milieu de la nuit. Mademoiselle Shirley, voici le sénateur Peters. Et maintenant, dites-moi ce que vous avez en tête, Jake, et partez.

— Vous avez raillé Bob Ramsey, dit le sénateur, l'œil brillant de malice.

— Seulement pour lui faire admettre une idée qui ne manque pas de mérite. Il s'agissait de dinosaures.

— Toute idée nouvelle met Bob mal à l'aise.

— Miss Shirley est une de ses cousines », dit le gouverneur.

Le sénateur hocha la tête en souriant. « Excusez-moi, dit-il, mais Bent et moi nous nous connaissons depuis longtemps. Nous parlons la même langue, même si nous ne sommes pas toujours d'accord. Son accent est meilleur que le mien. Nous avons fait nos études en travaillant à la même université et à la même école de droit. Bent un peu plus tard que moi. Je servais à la cantine et je pilotais une barque de plaisance. Bent a plus d'imagination. Il monta une affaire de blanchissage et vécut comme un prince.

— Depuis le début de ses études jusqu'à Yale, Bob fut entretenu par sa famille, dit Beth, pour montrer qu'elle comprenait.

— Bob raffole de cette ville, dit le sénateur. Ça mérite mon estime. Il est aussi fier de ce gratte-ciel que s'il l'avait bâti lui-même.

— Et pas vous, sénateur ?

— Ma chère, je suis un idéaliste doué d'esprit pratique à l'ancienne mode. Si cela semble contradictoire...

— Ça ne l'est pas, intervint le gouverneur. Les syndicalistes qui connaissent bien Jake savent ce qu'il réclame pour ses électeurs : salaires élevés et solides avantages accessoires. Il ne se soucie pas de gratte-ciel extravagants. C'est vrai, Jake ? »

Le sénateur acquiesça d'un signe de tête. « D'après Bob, vous auriez parlé d'écuries à dinosaures.

— Ça vous vexe ? C'est votre ville à vous aussi.

— Je ne suis pas du tout vexé. Vous étiez contre cette construction mais vous en possédez une part.

— Il faut s'associer à ceux qu'on ne peut vaincre, dit le gouverneur avec son sourire de loup. D'ailleurs Grover est assez persuasif.

— Et comment vont les locations ?

— Fort bien, pour autant que je le sache. » Le gouverneur mentait avec aisance.

« Ce n'est pas ce que j'ai entendu dire.

— On entend ce que l'on souhaite entendre, Jake. Vous le savez mieux que personne. »

Le sénateur hésita. Il arrêta un garçon qui passait près de lui. « Prenez ce truc-là, dit-il en posant sa coupe de champagne sur le plateau. Apportez-moi plutôt un honnête whisky. Le champagne me monte à la tête.

— Eh bien qu'est-ce que vous avez précisément derrière la tête, Jake ? demanda le gouverneur.

— Bien des choses. Par exemple, voilà le jeune Cary Wycoff aux yeux de feu qui se soucie des malheurs de l'humanité et c'est très bien. Je lui ai dit que de nos jours nous avons les moyens de remédier à ces maux. » D'un geste large il montra toute la salle, les invités, le bar, les garçons et les serveuses qui allaient et venaient dans le brouhaha des conversations et des rires. Un fond sonore pas trop bruyant dominait le doux ronron des engins de climatisation. « Malheureusement voilà à quoi nous utilisons nos moyens : à construire un énorme gratte-ciel qui rapporte de l'argent à quelques-uns ou bien à fabriquer des armes pour tuer beaucoup de monde.

— Je vous recommande deux gros comprimés d'aspirine, dit le gouverneur.

— Bien répondu. J'avoue que je l'ai mérité, dit le sénateur avec un léger sourire. Mais je ne peux me débarrasser de cette hantise. « Et voué à la mort, quoique destiné à l'immortalité ». A l'école je n'ai jamais compris ce que voulait dire cette formule de Dryden. Aujourd'hui, il me semble que j'en saisis le sens.

— Alors, un remontant en plus des deux cachets d'aspirine, dit le gouverneur. Les bulles du champagne vous troublent l'esprit. »

Le sénateur ne se laissa pas distraire de son idée. « Qu'est-ce que vous expliquiez à Bob Ramsey tout à l'heure ? Si j'ai compris, ça me paraît pertinent. Regardez. » Cette fois il montra au-delà des fenêtres les gratte-ciel moins hauts que la World Tower mais quand même formidables et, plus loin, les eaux étincelantes de l'arrière-port ainsi que la côte plus lointaine qui disparaissait dans le smog.

Le gouverneur ne souriait plus. « Lamentable, dit-il.

— Il serait temps de passer à d'autres les leviers de commande, Bent », conclut le sénateur.

Le gouverneur releva vivement la tête. « A qui ? Au jeune Cary Wycoff ? Aux manifestants, aux protestataires, à ceux qui sont toujours contre et jamais pour ? » Il regarda de nouveau le panorama de campagnes mises au pillage par la ville mais qui dénotait quand même richesse, puissance, esprit d'entreprise. « C'est un gâchis. Je ne le nie pas. Mais même si nous avons effacé un monde qui mérite nos regrets, nous avons construit quelque chose de fort, de durable, et c'est ainsi que nous avons constitué notre nation. » Il sourit à Beth. « Est-ce que je parle comme un politicien ? Ne répondez pas. J'en suis un.

— Je voterai pour vous, dit le sénateur en souriant. C'est de la bonne éloquence de campagne électorale.

— Mais je crois que le gouverneur est sincère, protesta Beth.

— Il l'est, ma chère, dit le sénateur. Nous le sommes tous ou presque tous. Mais il y a un gouffre entre les convictions et les réalisations ; c'est tragique. » Il regarda autour de lui. « Où est le garçon qui devait m'apporter du whisky ? Je vais le chercher. »

Beth et le gouverneur restèrent seuls. De nouveau il leur sembla à l'un et l'autre qu'un voile les isolait de la foule.

« J'étais marié autrefois, dit le gouverneur à qui cette confidence sembla tout à fait normale. Il y a longtemps.

— Je le sais. »

Le gouverneur haussa les sourcils. « Qui vous l'a dit, Beth Shirley ?

— Le *Who's Who*. Votre femme s'appelait Pamela Brown. Elle est décédée en 1950. Vous avez une fille. Elle s'appelle Jane et habite à Denver. Elle est née en 1946...

— Donc à peu près à la même date que vous.

— Est-ce une question ? demanda Beth en souriant. Je suis née dix ans plus tôt. Comme le *Who's Who* ne vous renseignera pas sur moi, je vous dirai que j'ai aussi été mariée autrefois. Ce fut un désastre. On m'avait mise en garde mais les avertissements sont pire qu'inutiles. Il me semble que la plupart du temps ils incitent à l'obstination. Si j'ai épousé John, c'est sans doute parce que l'on me le déconseillait. Ça s'est passé comme on me l'avait dit. Au lieu d'un mari, j'avais un fils de trente-cinq ans.

— Je suis désolé », dit le gouverneur. Tout à coup il sourit. « Je ne le suis peut-être pas. Il me plaît que vous soyez là, auprès de moi et que vous me parliez. » Il vit approcher Grover Frazee qui souriait d'un air contraint. « Zut ! dit le gouverneur. On va encore nous déranger... Alors, Grover ?

— Je voudrais vous parler, Bent, dit Frazee.

— Mais vous me parlez ! répondit le gouverneur sans enthousiasme. Mademoiselle Shirley, permettez-moi de vous présenter M. Frazee dont le cerveau génial a conçu le projet de la World Tower.

— C'est sérieux, dit Frazee. Il y a quelque chose qui ne va pas. » Il regarda Beth d'un air hésitant. « Je préférerais...

— Je vous quitte », dit Beth.

Le gouverneur lui saisit le bras. « Non, dit-il. Je ne vous retrouverais plus. » Il se tourna vers Frazee. « Qu'est-ce qui ne va pas ? Videz votre sac, Grover, cessez de bredouiller. »

Frazee hésita un moment puis dit enfin : « Il y a le feu à un des étages inférieurs. Bah ! rien de grave, mais un peu de fumée sort des bouches de climatisation. Bob Ramsey est en communication avec l'état-major des pompiers. Je suis sûr que ça va s'arranger en un rien de temps.

— Alors, pourquoi me le dites-vous ? » demanda le gouverneur posément.

Ben Caldwell arriva près d'eux. Petit, sémillant, son visage n'exprimait rien. « J'ai entendu votre question, dit-il au gouverneur. Grover est inquiet. Il a appris que certaines irrégularités ont été commises dans la construction et ça le met mal à l'aise.

— Et pas vous ? » demanda le gouverneur.

Cet homme est un chef, pensa Beth qui écoutait et observait sans rien dire. Il ne se perd pas en détails et pose des questions pertinentes.

Ben Caldwell répondit : « Je ne décide rien sans preuves. Je ne vois aucune raison de m'inquiéter. Je connais ce building, je sais comment il a été conçu. Un petit incendie localisé... » Il haussa les épaules.

Le gouverneur s'adressa à Frazee. « Vous voulez qu'on vous tienne la main, qu'on vous dise ce que vous devez faire ? Très bien. Fiez-vous au jugement des pompiers. S'ils croient prudent de faire évacuer cette salle, faites-le, parbleu, sans vous soucier de ce que la presse... »

C'est à cet instant que la lumière s'éteignit et que le système de climatisation cessa de ronronner. Plus tard certains déclarèrent que le gratte-ciel eut un sursaut convulsif. La musique se tut, toutes les conversations cessèrent. Quelque part, dans la salle, une femme poussa un cri aigu.

Il était seize heures et vingt-trois minutes.

11

Le feu qui envoyait de la fumée dans les conduits de ventilation aurait été maîtrisé rapidement et automatiquement dans des circonstances normales car il n'était pas grave.

Il avait éclaté dans le local 452, couloir sud, quatrième étage, déjà loué et à la décoration duquel on travaillait. MM. Zimmer et Schloss n'avaient aucune confiance dans les peintures au latex. Ils jugeaient presque indécente la facilité avec laquelle les peintres qui l'utilisaient lavaient leurs brosses à l'eau et au savon, sans plus. Mais surtout les couleurs ne *chantaient* pas !

On peignait donc le 452 à la peinture à l'huile, selon la tradition. Des boîtes de quelque cinq litres de dissolvant se trouvaient sur le sol, au centre de la pièce principale, sous un panneau de contre-plaqué reposant sur deux tréteaux, que les peintres utilisaient comme établi.

Des chiffons gras auraient déclenché l'incendie, tout au moins c'est ce que l'on crut plus tard. La chaleur fit éclater, semble-t-il, une grosse boîte de dissolvant qui se répandit en flammes dans toutes les directions. Les bouches à eau du plafond entrèrent automatiquement en action, mais le panneau de contre-plaqué protégea le noyau de l'incendie assez longtemps pour qu'il prenne de la vigueur. D'ailleurs l'eau n'est guère efficace pour éteindre un dissolvant enflammé qui se répand au contraire sur l'eau, comme de l'essence en feu, et continue à brûler. Cependant, si elles n'avaient pas été protégées par le contre-plaqué, les premières petites flammes auraient probablement été noyées.

Une ampoule d'alerte s'alluma au pupitre de l'ordinateur central dans les entrailles du gratte-ciel, mais il n'y avait plus personne pour la voir.

Les gaines de climatisation continuèrent à souffler de l'air frais dans le local 452, apportant ainsi de l'oxygène aux flammes.

La peinture fraîche s'enflamma sur les murs. D'autres bidons de dissolvant firent explosion et la chaleur s'accrut.

Puisque la chaleur augmentait, le système de climatisation poussa son effort pour envoyer plus d'air frais, donc plus d'oxygène. De la fumée commença à filtrer dans les gaines et au bout d'un moment atteignit les bouches de ventilation de la Salle d'honneur.

Mais, même à ce moment-là, l'incendie ne posait pas de problème grave et n'était pas dangereux.

Les systèmes primaires fonctionnèrent presque immédiatement et les systèmes d'appui se tinrent prêts à agir en cas de besoin.

L'alerte sonna automatiquement au poste de pompiers situé à deux pâtés de maisons plus loin. En moins de trois minutes, deux voitures de premiers secours arrivèrent sur les lieux et se frayèrent un chemin à travers la foule déjà plus clairsemée.

Mais les badauds affluèrent de nouveau et gênèrent le travail des pompiers. Les agents de police, parmi lesquels se trouvaient Shannon et Barnes, repoussèrent la cohue derrière les barrières encore en place, rétablissant ainsi un minimum d'ordre.

Un panache de fumée apparut, noir et laid, dans le ciel bleu, au flanc du gratte-ciel tout neuf. Quelques badauds levèrent le doigt pour le montrer à leurs voisins. Quelques-uns jubilaient car constater que les forts et les puissants ont aussi leurs problèmes procure une joie malsaine.

Sur l'écran de télévision, au Charlie's Bar, la caméra avait commencé une ascension incroyablement longue sur la façade du gratte-ciel. D'étage en étage, l'image rapetissait.

« Ce foutu truc est vraiment beau ! dit Giddings. L'avouer me fait mal au cœur, mais c'est vrai. Demain nous saurons tout au sujet des permis de modification et nous remettrons les choses en ordre. J'ai parlé avec Bert McGraw. Il m'a assuré qu'il fera tout ce qu'il faut. Ce qu'il dit, il le fera. » Il poursuivit, en proie à un élan de bienveillance. « Parfois vous êtes un emmerdeur épineux, Nat Wilson, mais, même si vous avez de temps en temps des idées bizarres, vous connaissez votre métier à fond. Vous... »

Giddings se tut soudain. Son regard était toujours fixé sur l'écran de la télévision. La caméra arrivait au niveau de la terrasse servant d'assise à la Tour proprement dite. Elle s'y arrêta. Le bâtiment bleu clair aux lignes pures se détachait sur le fond du ciel également bleu.

« Qu'est-ce que c'est que ce petit panache de fumée ? dit Giddings d'une voix un peu trop aiguë. Là, juste au pied de la Tour.

— Je le vois, dit Nat.

— C'est à une sortie d'air du système de climatisation, dit Giddings. Il y a donc de la fumée quelque part à l'intérieur et ça signifie... Hé là ! Où allez-vous ? »

Nat avait déjà un pied hors du box. Giddings le retint fermement par le pan de son veston. « Dites-donc, saligaud, dit-il à voix basse. Vous en savez trop depuis le début. Vous nous avez... »

Nat se libéra avec une facilité étonnante, sortit complètement du box. « J'y vais, dit-il. Vous venez ou vous restez assis sur vos grosses fesses ? »

Debout au milieu de la place, un chef de bataillon de pompiers, casqué de blanc, dirigeait les opérations en braillant dans un porte-voix. Des tuyaux souples serpentaient sur le pavé. Il y avait déjà des flaques d'eau sur le dallage du vestibule.

« Personne ne passe ». dit l'agent Shannon à la barrière. Puis il se reprit. « Tiens ! encore vous ? »

« Foutez-nous la paix ». dit Giddings en faisant un pas en avant.

L'agent Frank Barnes apparut. Son visage noir avait une expression de solennité. « Doucement. Mike ». dit-il à son collègue. Puis il s'adressa à Giddings et à Nat. « C'est la consigne. Excusez-nous. »

Mais une sirène de plus retentit dans la rue. Une limousine noire avec un clignotant rouge sur le toit s'arrêta. Le commissaire adjoint Brown en descendit avant même qu'elle ne s'arrête. Il était tête nue. sa chevelure rousse flamboyait. Sa démarche avait la bizarrerie de celle des échassiers. Il suggérait l'idée d'une cigogne en colère.

Il vint tout droit vers Nat. « Est-ce que vous supposiez ou bien saviez-vous que ça allait arriver ? »

Nat devina aussitôt qu'on allait lui répéter cette question à n'en plus finir. « Ça n'a plus d'importance maintenant. dit-il. Vous avez un incendie sur les bras et nous sommes ici pour faire notre possible.

— Qu'entendez-vous exactement par là ?

— Je ne sais pas mais à nous deux nous connaissons ce building mieux que quiconque n'est pas dedans. » Il pensait à Ben Caldwell. évidemment. et à Bert McGraw. Encore ces derniers n'avaient-ils fait que diriger la construction alors que Giddings et lui avaient suivi le travail jour après jour. mois après mois. sur place et en connaissaient parfaitement tous les détails. « D'ailleurs personne ne le connait mieux que nous.

— Bon. dit Brown. Venez. mais tenez-vous tranquilles. »

Shannon ouvrait la bouche pour protester. mais Barnes le fit taire d'un geste. « Bonne chance ». dit l'agent noir qui ajouta aussitôt : « Je vous le souhaite sincèrement. »

Brown rejoignit le chef de bataillon au casque blanc au milieu de la place. « Qu'est-ce qui se passe ? demanda-t-il.

Nous ne savons pas encore où le feu a pris. Troisième

étage ? quatrième étage ? » Le commandant haussa les épaules. « Il a éclaté vivement, beaucoup trop vivement.

— Et les bouches d'arrosage automatiques ? » demanda Giddings.

Le pompier le regarda attentivement. « L'arrosage automatique, répéta-t-il. En général ça marche. Ça éteint la plupart des feux à leur début. Pas cette fois.

— Qu'est-ce que ça veut dire ? demanda Nat.

— Comment le saurais-je ? répondit le pompier. Quand tout sera fini, j'espère que nous saurons pourquoi ça n'a pas marché. L'arrosage automatique aggrave certains incendies. En cas de court-circuit. Avec la potasse, la soude, l'essence, l'eau donne un mauvais résultat.

— Potasse, soude, répéta Nat lentement. Il s'agirait d'une bombe alors ?

— C'est possible. » Le commandant éleva son porte-voix. « Faites avancer la tuyauterie à l'intérieur », cria-t-il. Puis il se tourna vers Nat. « Il y a beaucoup de fumée. Ça peut signifier bien des choses.

— Vous avez parlé de court-circuit, dit Giddings. Vous croyez que c'est ça ? » Il interrogea Nat du regard.

« Dieu seul le sait, dit Nat. Troisième étage, quatrième étage... Ce ne sont pas des étages réservés à l'électromécanique.

— Le commissaire à la lutte contre l'incendie est là-haut, au sommet de la tour, dit Brown. Le maire aussi.

— Et encore plus de gros bonnets que vous ne pourriez en énumérer », ajouta Giddings.

Brown ne prit pas la peine de lui répondre et il demanda au chef de bataillon. « Faut-il faire descendre tout ce monde ? Il y a le téléphone. Deux ascenseurs express suffiront.

— Le cœur du bâtiment où passent les ascenseurs est aussi absolument que possible à l'abri du feu », dit Giddings.

Plus qu'ils ne l'entendirent ils perçurent l'explosion presque sous leurs pieds. C'est seulement un instant plus tard que retentit un bruit sourd, pareil à celui d'une porte de placard vide qui claque brutalement. Les flaques d'eau s'étendaient lentement sur le dallage du vestibule. Les lumières s'étaient éteintes subitement à l'intérieur.

« Doux Jésus », souffla Giddings.

Brown demanda à Nat : « Qu'est-ce que ça signifie ? »

Nat ferma les yeux, les rouvrit et secoua la tête pour s'éclaircir les idées après le choc. « Les viscères du bâtiment sont là, en bas : tout ce qui le fait vivre.

— Le courant électrique arrive dans les sous-sols, n'est-ce pas ? » demanda le chef de bataillon.

Nat acquiesça d'un hochement de tête.

« Doux Jésus, répéta Giddings.

— Il arrive tout droit de la sous-station, poursuivit le chef de bataillon, à huit ou dix mille volts. » Il emboucha son porte-voix et dépêcha quelques-uns de ses hommes dans les entrailles du gratte-ciel.

« Treize mille huit cents volts, pour être précis, dit Nat. Je ne suis pas ingénieur électricien, mais si quelqu'un a tripoté les gros transformateurs, je sais que... oh, mon Dieu ! » Il resta muet et figé, le regard plongeant dans l'obscurité du vestibule. « Allons, dit-il tout bas. Allons-y !

— Allons où ? Qu'est-ce que vous dites ? demanda Brown les sourcils froncés.

— Il y a des alternateurs de secours, dit Giddings. S'ils fonctionnent nous aurons au moins assez d'énergie pour les ascenseurs.

— Et s'ils ne fonctionnent pas ? demanda Brown tranquillement.

— Alors vous avez là-haut la Salle d'honneur bondée de personnalités, à cent vingt-cinq étages au-dessus de l'incendie. Si on ne peut pas maîtriser le feu...

— Nous le maîtriserons, dit le chef de bataillon.

— Peut-être, dit Giddings qui demanda à Nat : A quoi pensez-vous ?

— C'était une explosion, dit Nat. Peut-être une bombe. Mais il pourrait s'agir aussi d'un formidable court-circuit au primaire du transformateur. Avez-vous déjà entendu claquer un court-circuit dans une installation de cent dix volts ? »

Au bout d'un moment de silence Giddings s'exclama : « Continuez, bon Dieu ! à quoi pensez-vous ?

— Je vous ai déjà dit que je ne suis pas ingénieur électricien, répondit Nat. Mais quand même, je me demande quelle surtension au secondaire nous aurions en cas de cour-circuit partiel au primaire et combien de temps il faudrait aux câbles surchauffés pour faire fondre leur isolant, ce qui généraliserait le court-circuit du haut en bas de l'immeuble... surtout en cas de câblage inférieur aux normes.

— Inférieur aux normes ? » demanda le chef de bataillon qui interrogea du regard ses trois interlocuteurs l'un après l'autre.

« Nous ne sommes sûrs de rien, dit Nat d'une voix presque résignée. Je n'ai pas entendu démarrer les alternateurs de secours. Mais les entendrait-on ?

— On les entendrait probablement et ils n'ont sans doute pas fonctionné, dit Giddings. L'explosion les a peut-être mis hors d'usage eux aussi. Le contrôle par ordinateur aurait dû...

— Aurait dû, n'aurait pas dû... ces mots n'ont aucun sens », dit Nat se rappelant ce que lui avait dit Ben Caldwell.

Un pompier apparut en titubant à la porte la plus proche du vestibule. Il vomit. Lorsqu'il arriva à l'air libre, il s'arrêta et resta penché en avant, presque cassé en deux et vomit encore à n'en plus finir. Il avisa le chef de bataillon, se redressa, s'essuya la bouche et le menton. « Ça va mal là-dessous, bredouilla-t-il. Tout brûle, comme dans la machinerie d'un bateau. » Un spasme le fit taire. Du vomi noir coula sur son menton. « Avons trouvé un homme frit comme du bacon. » Il marqua un temps d'arrêt. « Il y en avait un autre, devant ce qui ressemble à un panneau d'ordinateur... Il était mort, lui aussi. »

Un ambulancier prit le pompier par le bras pour l'emmener.

« Qu'est-ce que c'est que cette histoire de câblage inférieur aux normes et d'un gros court-circuit qui l'aurait surchauffé ? demanda Brown.

— Il veut dire qu'au lieu d'un incendie au sous-sol et un

autre à un étage quelconque, nous avons peut-être une centaine de foyers qui mûrissent partout où les fils surchauffés ont cuit leur isolant, dit le chef de bataillon en considérant d'un air effaré la façade du gratte-ciel.

— C'est impossible », dit Brown.

Le chef de bataillon le regarda droit dans les yeux. « Oui, je le sais, dit-il. Rien de tout cela n'était possible. » Il marqua un temps d'arrêt et reprit à voix lente : « Mais c'est peut-être arrivé. Peut-être. »

Brown se tourna de nouveau vers Nat. Il ne dit rien mais l'interrogation de son regard était évidente.

« Qu'est-ce que nous faisons maintenant ? demanda Nat. Nous essayons de nous représenter ce qui s'est passé. Nous suggérons des idées à Joe Lewis l'ingénieur électricien et il en fait ce qu'il peut. Nous nous efforçons de trouver un moyen de faire descendre tous les gens qui sont là-haut, même sur leur derrière s'ils n'ont pas les jambes assez solides. Vous autres, vous continuez à faire votre possible et nous essayons d'imaginer quelque chose. » Il écarta les deux mains. « Que faire d'autre ? »

16 heures et 23 minutes — 16 heures et 34 minutes

Même lorsque les tubes fluorescents se furent éteints, on y vit largement assez clair dans la Salle d'honneur car la lumière y pénétrait par les fenêtres aux verres teintés et les bougies continuaient à brûler. Le gouverneur demanda d'un ton presque accusateur à Ben Caldwell : « Plus de lumière électrique ? Plus de courant du tout ? Qu'est-ce que ça veut dire ?

— Je ne sais pas, répondit Caldwell.

— Vous êtes l'architecte, c'est à vous de chercher. » Beth Shirley constata que le gouverneur prenait spontanément le commandement et cette idée la réconforta. Elle se rappela une des rengaines de *South Pacific* : *Par une nuit d'enchantement*. En écoutant Armitage, en cet instant critique, alors qu'il prenait la direction des opérations sans hésiter, il lui fut impossible de se dominer... comme une écolière en présence de son premier béguin. Eh bien, qu'il en soit ainsi, pensa-t-elle en posant doucement la main sur l'avant-bras du gouverneur.

« Tout va bien, lui dit-il aussitôt. De toute façon nous nous en tirerons.

— Grâce à vous, gouverneur.

— Ne m'appelez plus jamais comme ça. Pour vous, je suis Bent. » Il prit le temps de lui adresser un bref sourire puis s'adressa à Grover Frazee qui semblait paralysé. « Où est le commissaire à la défense contre l'incendie ? Et Bob Ramsey, où est-il ? Vous avez dit que vous avez le téléphone ici. Conduisez-moi. »

Ils traversèrent la vaste salle où le bruit avait repris. On bavardait partout autour d'eux. Grover Frazee précéda Bent et Beth qui se donnaient le bras. « Qu'est-ce qui se passe, gouverneur ? demanda quelqu'un. Pouvez-vous nous le dire ? » Aussitôt tout le monde se tut autour d'eux.

Bent Armitage s'arrêta et éleva la voix. « Nous ne le savons pas encore, mais nous le saurons et alors nous le dirons. C'est promis. » Il eut un sourire bon enfant. « Il ne s'agit pas d'une promesse de campagne électorale », ajouta-t-il, soulevant un léger murmure de rires. Puis il rattrapa Frazee, Beth toujours à son bras.

Contigu aux cages d'ascenseur, le bureau n'avait pas de fenêtres. Deux bougies seulement éclairaient à peine cette pièce agréablement meublée et décorée. Le maire était assis à une table de travail, le téléphone à l'oreille. Il salua le gouverneur d'un signe de tête et dit dans le combiné. « Alors, trouvez-le. Je veux un rapport du commissaire-adjoint Brown en personne. » Il raccrocha.

Frazee demanda : « Qu'est-ce que nous faisons ? Faut-il évacuer la Salle ? » Il s'adressait à la fois au maire et au commissaire à la défense contre l'incendie, debout, haut et large, à côté de Bob Ramsey.

« Vous avez entendu, dit le gouverneur. Avant de décider quoi que ce soit il faut savoir où nous en sommes et ce que l'ont peut observer du dehors. Nous savons qu'il y a le feu...

— Ce n'est pas le feu qui a secoué ce gratte-ciel, dit le commissaire sur un ton presque insolent. Ou alors, il a atteint un dépôt de munitions quelque part. Nous avons donc affaire à autre chose qu'un incendie. Je veux savoir de quoi il s'agit avant de laisser qui que ce soit aller n'importe où.

— Personne ne le conteste, dit le gouverneur. Mais il y a déjà certaines choses à faire en attendant. Les ascenseurs fonctionnent-ils ? Il devrait y avoir des génératrices de secours, non ?

— Diable oui, il devrait y en avoir ! Mais rien n'indique qu'elles fonctionnent », répondit le commissaire. Son ton n'avait plus rien d'agressif. Son regard fixé sur le gouverneur indiqua qu'il attendait la suite.

« Il y a des escaliers de secours, n'est-ce pas ?

— Un de chaque côté, de haut en bas du bâtiment.

— Très bien, dit le gouverneur. Grover, demandez à Ben Caldwell de vérifier où en sont les ascenseurs, et vous, occupez-vous des escaliers. Ah, oui, dites aux garçons et aux serveuses de continuer à offrir des boissons. Bien sûr je n'ai pas envie d'avoir affaire à une cohue de gens ivres, mais je ne veux pas non plus de panique. Allez, mon vieux, grouillez-vous et revenez ici avant d'avoir dit quoi que ce soit à quiconque. » Il se tut un instant puis s'adressa au maire. « Nous sommes dans votre ville, Bob. Etes-vous d'accord ?

— Vous me semblez assumer les responsabilités, dit le maire avec un léger sourire. Continuez donc. »

Heureuse et fière, Beth serra le bras du gouverneur ; s'il s'en rendit compte, rien ne le manifesta. « Il n'y a sans doute pas lieu de s'inquiéter, dit-il, mais faisons tout de même le nécessaire. »

Le sénateur Peters entra, salua tout le monde d'un simple

hochement de tête et s'adossa au mur. Sans aucun préambule, il dit avec son terrible accent faubourien : « C'était un jeune truand qui tentait son premier hold-up dans une banque et il n'était pas sûr de lui. Le visage masqué, il se précipita revolver au poing dans la salle des guichets et brailla : Ça va, tas d'embrasés, les culs en l'air ! » L'atmosphère se détendit. Le gouverneur jeta un coup d'œil à Beth. La grossièreté de cette contrepèterie la faisait sourire.

« C'est du Jake tout craché, dit Bent Armitage. Il est capable aussi de citer des kilomètres de Shakespeare. Il adapte son répertoire à la situation... Vous suivez un cours accéléré de la politique telle qu'elle se pratique dans les coulisses. » Il sourit. « Déçue ?

— Pas du tout, répondit-elle. C'est vous, messieurs qui dirigez les opérations, j'en suis heureuse.

— Madame... », commença le commissaire, mais la sonnerie du téléphone l'interrompit.

Le maire décrocha, dit son nom, écouta un instant. « Ça va, Brown, dit-il. Je vous passe le commissaire. Faites-lui votre rapport. Un rapport complet. Compris ? » Il passa le combiné au commissaire.

Le sénateur dit tout bas : « Quand je suis auprès de quelqu'un qui téléphone et que j'entends seulement la moitié de la conversation, je ne sais jamais s'il faut regarder du côté de l'appareil ou vers la fenêtre. » Il ajouta, sans changer de ton : « Vous nous offrez une belle attraction, Bent. » Il se rappela alors la vague prémonition qu'il avait eue avant de quitter Washington.

« Au cas où vous l'ignoreriez, sachez que ce n'est pas exactement ce que nous avions prévu, dit le gouverneur.

— Compris, dit le sénateur. Les serveuses en monokini ont fait défaut alors vous avez imaginé quelque chose d'autre, non ? »

Ben Caldwell entra. Il considéra Bob, le commissaire qui tenait le combiné à son oreille, puis jeta un coup d'œil circulaire autour de lui, hocha la tête, impassible, et ne dit rien.

« Où est Bert McGraw ? demanda le gouverneur. Il devrait être ici.

— McGraw a eu une crise cardiaque, dit le maire. C'est tout ce que je sais. »

Le gouverneur ferma les yeux. Quand il les rouvrit un bref instant plus tard, il dit doucement. « Je l'avais toujours cru indestructible.

— Aucun de nous ne rajeunit, Bent, dit le sénateur. Voilà longtemps que je n'ai plus d'illusion d'immortalité. »

Le commissaire posa la main sur le micro, s'éclaircit la gorge et dit : « D'après Brown, le feu qui a éclaté à un étage inférieur se présente mal. Mais le chef de bataillon croit qu'il en viendra à bout. Il a fait venir des renforts et du matériel supplémentaire. »

Silence. La main de Beth serra le bras du gouverneur. Il la couvrit de la sienne.

« Mais le plus épineux, reprit le commissaire c'est ce qui s'est passé à l'étage électromécanique du sous-sol. Dans la mesure où ils sont capables de discerner quelque chose... d'ailleurs un de vos hommes est là-bas, monsieur Caldwell.

— Nat Wilson, j'espère ? dit l'architecte.

— Oui, Will Giddings, le fondé de pouvoirs de Bert McGraw, est avec lui. Dans la mesure où ils peuvent y voir clair, comme je l'ai dit, un louftingue est entré dans l'immeuble en se faisant passer pour ouvrier électricien chargé d'une tâche sans grande importance. On l'a retrouvé dans le sous-sol du principal transformateur, ratatiné et carbonisé. Dieu sait comment il a réussi à provoquer un court-circuit, mais il y a tant de fumée dans les sous-sols qu'ils ne sont sûrs de rien, sauf d'une seule chose : il n'y a plus de courant électrique.

— Les alternateurs de secours ? » demanda Ben Caldwell.

Le commissaire haussa ses larges épaules et les laissa retomber. « Pas de courant électrique, dit-il. Un point, c'est tout. »

Ben Caldwell hocha la tête. Il était toujours aussi calme et sûr de lui. « Les ascenseurs n'obéissent pas, dit-il. Je les ai tous essayés. Mais il reste les escaliers, bien sûr. Si l'incendie à un étage inférieur est maîtrisé comme il devrait l'être, ces escaliers seront parfaitement sûrs. Les portes de secours servent précisément à ça. A mon avis, nous devrions, dès maintenant, envoyer tout le monde sur ces escaliers. La moitié d'un côté, la moitié de l'autre. »

Le gouverneur acquiesça et ajouta : « Avec des instructions précises pour éviter toute précipitation. Il faut envoyer une petite escouade en tête de chaque groupe pour prévenir la panique. Cette descente est affreusement longue. Certains ne pourront pas arriver en bas par leurs propres moyens, il faudra les aider. » Il jeta un coup d'œil circulaire dans la pièce. « Descendre à pied, ça ne fait pas moderne mais quelqu'un a-t-il une meilleure idée ? » Il serra doucement la main de Beth.

Grover Frazee entra et s'arrêta sur le seuil de la porte. Il transpirait. « Les portes des escaliers... commença-t-il, et il s'arrêta, à bout de souffle. Les portes des escaliers... sont bloquées.

— C'est impossible ! dit le commissaire. Vous n'avez pas su les ouvrir, mon brave. Je ne vois pas comment... » Il retira la main du micro et dit dans l'appareil : « Je vous rappelle dans un instant, nous avons quelque chose à vérifier. » Il raccrocha.

Le gouverneur dit à Caldwell : « Ben, allez avec le commissaire... Vous, Grover, asseyez-vous et remettez-vous. » Il se tourna vers Beth. « Je suis désolé, ma chère.

— Pas moi, dit-elle. En d'autres circonstances je ne vous aurais pas aussi bien connu.

— Madame ne voit que le bon côté de la vie, intervint le sénateur. Bravo ! »

12

Grièvement atteint, le gratte-ciel était en tourment. Pendant un certain temps, des minutes peut-être, et peut-être des heures, nombre de ses blessures les plus sévères resteraient invisibles. On n'aurait pu les percevoir que par déduction, comme les maux d'un malade à l'auscultation.

Il y avait eu une explosion ; ça au moins, c'était certain. Beaucoup plus tard les experts évalueraient les dégâts que la bombe avait causés dans la salle du transformateur principal et détermineraient ainsi la puissance de l'explosif que Connors avait apporté dans sa boîte à outils.

Le plastic est un explosif d'un maniement sûr. D'un gris brunâtre il a la consistance du mastic de vitrier. On peut le laisser tomber, le pétrir et le malmener sans qu'il proteste. Seule une étincelle le fait éclater. Alors sa puissance de déflagration est presque incroyable.

Les principaux transformateurs avaient été durement touchés. Certes le feu qui s'était déchaîné aussitôt après l'explosion détruisit ou déforma une bonne part du matériel que les experts auraient pu examiner plus tard. Mais les ordinateurs de Joe Lewis, fonctionnant à l'envers, pourrait-on dire, c'est-à-dire à partir du résultat pour remonter à la cause, donnèrent des renseignements intéressants.

Un formidable court-circuit avait mis hors jeu une bonne partie des spires au primaire. A coup sûr, c'est l'explosion qui avait provoqué ça. Aucune autre explication ne cadrait avec les faits.

Le raccourcissement des enroulements primaires avait provoqué une surtension au secondaire, pendant le bref laps de temps où le transformateur avait continué à fonctionner, bien que gravement endommagé. Or, le câblage destiné à un courant d'une tension déterminée, celle qu'exigent l'éclairage fluorescent et les machines à écrire électriques, par exemple, avait chauffé en fonction du voltage excessif.

Cette surtension n'avait sans doute duré que quelques secondes. Ce temps infime avait suffi.

Comme l'avait redouté le chef de bataillon des pompiers il en était résulté une catastrophe immédiate. Certains câbles avaient fondu, d'autres avaient pour le moins fait fondre leur isolant.

De-ci, de-là, d'autres court-circuits se produisirent qui dégagèrent une chaleur formidable, comparable à celle d'un appareil de soudure à l'arc. Des étincelles jaillirent sur des matériaux servant à l'isolation sonore et thermique qui résistent tous à l'incendie, mais ne sont jamais totalement ignifuges.

Si on pousse les recherches assez loin, tout est inflammable. Il n'y a pas besoin d'atteindre la même température qu'au centre du soleil pour anéantir la plupart des substances. Hiroshima, Nagasaki, Hambourg et Dresle en ont donné la preuve.

Dans la colonne creuse occupant le centre du gratte-ciel, le feu couva partout et éclata de-ci, de-là.

Certains de ces foyers devaient mourir faute d'oxygène, ne laissant que des empreintes sur les murs.

Mais d'autres atteignirent des gaines d'aération ou simplement des couloirs de l'immeuble. Ils y trouvèrent suffisamment d'air pour croître en force et en fureur. Ils consumèrent en rugissant, peintures, boiseries, moquettes, rideaux, tous les matériaux qui se consument rapidement et aussi d'autres qui sont considérés en général comme presque ininflammables, par exemple certaines dalles en matière plastique.

Les bouches à incendie des plafonds fonctionnèrent dès

que leurs obturateurs fusibles eurent fondu et, pendant un moment, l'eau contint la progression du feu.

Mais une chaleur trop élevée fit bouillir l'eau dans les tuyauteries qui éclatèrent et les bouches d'arrosage se tarirent.

Certes le feu ralentit ici, s'apaisa ailleurs ; il y eut des escarmouches et de grandes batailles. L'incendie en perdit mais en gagna aussi contre ses nombreux ennemis.

En fin de compte, comme le montrèrent plus tard les ordinateurs de Joe Lewis, le sort de la guerre était joué dès le début et ne laissait pas de place au doute.

16 heures et 10 minutes — 16 heures et 31 minutes

Patty Simmons, née McGraw, avait toujours détesté les hôpitaux. Sans doute parce qu'elle en avait peur elle s'y sentait mal à l'aise, ainsi qu'elle se l'avouait à elle-même. Elle avait en outre l'impression de ne pas y être la bienvenue en raison de son éclatante santé, comme si ceux qui la regardaient passer dans les couloirs lui disaient : Tu n'as pas le droit d'être telle que tu es alors que moi je souffre. Va-t'en !

Mais cette fois elle ne pouvait s'en aller et cette gêne augmentait son désarroi. Bert McGraw était couché dans l'unité des soins intensifs destinée aux malades souffrant d'infarctus, à l'hôpital de l'université. On ne voyait l'intérieur de cette salle que de temps à autre quand la porte s'ouvrait. Patty devinait à peine à quoi servaient les cadrans et les instruments qu'elle apercevait. Le lit sur lequel était allongé son père ressemblait à quelque ancien chevalet de torture. Il y en sortait et il y aboutissait des fils et des tubes.

Bien d'autres ont des crises cardiaques. On lit ça tous les jours dans les journaux. Mais pas Bert McGraw, homme et père indestructible ! Illusion ridicule évidemment ; exagération due à son hérédité irlandaise. Peut-être, mais peut-être pas aussi, cette confiance n'était peut-être pas tout à fait absurde car on n'aurait pu en dire autant d'un autre homme. Dans ses souvenirs les plus lontains, elle voyait son père énorme, tapageur, poussant des rires pareils à des rugissements. Sa mère disait : « Bert, tu la traites comme un ourson et pas comme une petite fille. A la malmener comme ça, tu vas lui casser les os !

— Allons donc ! Je ne vais pas l'élever dans du coton, disait le père. D'ailleurs, elle adore ça. » Et Patty l'approuvait d'un glapissement de joie.

Leurs relations n'étaient pas celles du père et du garçon manqué qu'on trouve dans les livres. Un jour Patty avait demandé tout de go à Bert s'il n'aurait pas préféré un garçon. Il lui avait répondu comme il le faisait toujours, sans hésitation, sans faux-fuyant : « Diable non ! Si j'avais un garçon, je ne t'aurais pas, toi, et je serais un vieux bonhomme très esseulé. »

La porte de l'unité de soins intensifs s'ouvrit et une infirmière en sortit. Patty entr'aperçut son père pendant un instant fugace : un vieux bonhomme très esseulé... Cette phrase lui revint à la mémoire et elle se demanda pourquoi car, en réalité, l'homme qui gisait seul et sans défense sur un lit d'une blancheur immaculée était encore un fier vieillard.

Quand nous sommes petits, pensa-t-elle, ils font tout pour nous. Ils nous ramassent, nettoient nos plaies et posent un baiser sur nos bobos ; ils sont toujours là quand on a besoin d'eux et nous trouvons ça normal. Puis quand vient leur tour, nous ne pouvons rien faire sinon attendre et regretter de ne pas avoir la foi parce qu'une petite prière serait bien utile.

On était parvenu à joindre Mary McGraw au siège d'une des bonnes œuvres dont elle s'occupait à Queens. Elle arriva trottant à pas menus, le long des couloirs, le souffle court. Patty se leva, prit les mains de sa mère et l'embrassa.

« Il est là-dedans, dit-elle, en indiquant la porte fermée. On ne peut pas le voir. Le médecin est un grand spécialiste du cœur. Il n'a rien dit. Peut-être parce qu'il n'a rien à dire. Assieds-toi, maman.

— Il se plaignait de sa respiration, dit Mary McGraw. Je lui ai dit qu'il était trop gros, qu'il se surmenait. Peut-être...

— Ne pense pas à ça. Avant peu ce serait de ta faute et tu n'y es pour rien », dit Patty qui pensa aussitôt : et c'est peut-être un peu de la mienne. Je n'aurais pas dû lui confier mes ennuis en déjeunant. Puis un détail lui vint à l'esprit. « Paul était auprès de lui quand ça lui est arrivé », dit-elle. Et qu'était devenu Paul, depuis ?

Mary McGraw parut un peu rassérénée. « Tant mieux ! dit-elle. Ton Paul est un garçon si bien. Ton père et lui s'entendaient parfaitement. »

A quoi bon la décevoir ? Patty ne répondit pas.

Sa mère enchaîna : « Ton père avait toujours craint que tu épouses un rustre... comme lui, disait-il sans cesse. Et pourtant, il ne l'était pas du tout. Quand tu as amené Paul chez nous, nous avons passé une bonne partie de la nuit à nous demander si c'était l'homme qui te convenait. Tu te rappelles ton mariage ? Mais bien sûr ! Il y avait tant de gens tellement huppés du côté de ton mari et ton père te conduisait à l'autel...

— Mère ! dit Patty presque durement. Papa n'est pas mort. D'autres ont eu des crises cardiaques et s'en sont remis. Tu... tu parles comme s'il était déjà parti. »

Mary McGraw se tut.

« Il faudra seulement veiller à ce qu'il ne travaille plus autant, à ce qu'il n'ait plus de fardeau aussi lourd sur ses épaules.

— Paul pourrait l'aider, dit la mère en souriant. Il est jeune et fort. Ton père dit qu'il se débrouille bien.

— Oui.

— J'espère que Bert n'est pas au courant de ce qui se passe à l'inauguration de la World Tower. Il aurait dû y être et il m'avait demandé de l'accompagner, mais j'ai refusé. Tous ces gens importants — le gouverneur, des sénateurs, des représentants, le maire — me mettent mal à l'aise. Mais pas ton père. Ils ne l'impressionnent pas du tout. Il...

— Qu'est-ce qui se passe à l'inauguration ? demanda Patty d'un ton autoritaire.

— Je venais à peine d'arriver à la maison quand je l'ai vu à la télévision.

— Nous t'avons cherchée partout cet après-midi. » A quoi bon revenir là-dessus. « Qu'est-ce que tu as vu à la télé ?

— De la fumée. Il y a un incendie. Apparemment personne ne sait au juste ce qui se passe. » Mary se tut un instant. Puis tout à coup elle souffla : « Bert, Bert, je t'en prie !

— Il va se remettre, mère.

— Evidemment », répondit Mary, plus calme et en manifestant pour la première fois un rien d'énergie. Elle secoua la tête comme pour s'éclaircir les idées et rajusta une mèche de cheveux. « Voilà longtemps que tu attends ici, mon enfant, dit-elle.

— Ça ne fait rien.

— C'est l'attente qui est pénible, dit la mère avec un sourire à peine perceptible. Il faut se faire une raison... Je reste avec lui.

— Mais tu ne peux pas le voir.

— Il saura que je suis ici. Va prendre une tasse de thé, marche un peu et reviens quand tu seras détendue. Je serai ici.

— Mère...

— Fais ce que je te dis. J'aime mieux être seule. Je prierai pour nous deux. » Mary McGraw s'exprimait sur un ton plus énergique. « Va. Laisse-moi avec ton père. » C'était catégorique.

Dehors, le soleil fit du bien à Patty. Elle fut soulagée de ne plus être... oui, dis-le donc ! à un endroit où l'on meurt. Mais pas toi, papa, je t'en prie. Ça viendra pourtant un jour, mais nous ne voulons pas l'admettre. Nous nous faisons croire sottement que la Camarde restera indéfiniment dans l'ombre, tout en sachant qu'elle finira par surgir.

Où va-t-on se promener en de telles circonstances ? Au parc, dans la verdure, parmi les arbres ? Oui, au parc où papa te conduisait le dimanche. Une excursion à Manhattan, pour voir les singes faire des folies, les lions de mer s'amuser dans leur bassin, pour manger du pop-corn, trop de pop-corn ; parfois une crème glacée. Non, pas au parc.

Patty marcha. Plus tard elle ne se rappela pas par où elle était passée mais sans doute obéissait-elle à une impulsion dont elle n'avait pas conscience car tout à coup elle se trouva au pied de la gigantesque World Tower dont elle avait souvent visité le chantier pendant sa construction. Mais le gratte-ciel était en tourment, aussi durement atteint que McGraw qui l'avait construit. Un vilain panache de fumée jaillissait désormais près du sommet... Sur la place sinuaient les tuyaux des pompiers. Ils rappelèrent à Patty les tubes qui sortaient du lit de McGraw. Ceux-là convergeaient vers les portes du vestibule et y disparaissaient dans la fumée.

Les badauds regardaient, bouche bée, alignés devant les barrières de police, pareils aux spectateurs d'une exécution publique qui souhaitent encore plus de sang, plus d'horreur. Mon Dieu ! pensa Patty. Est-ce que je vais m'évanouir ?

Poli, bienveillant même, un agent de police au visage noir lui demanda : « Ça ne va pas, mademoiselle ? » Derrière lui, un autre flic fronçait les sourcils, soucieux.

« Non, je vais bien, répondit Patty. Mais... » D'un geste vague, elle montra la Tour.

« Oui, madame, dit le flic noir. C'est lamentable. » Il scruta le visage de Patty. « Vous cherchez quelqu'un ? demanda-t-il.

— Je ne sais pas qui est ici », répondit Patty. Puis elle réalisa que ses paroles n'avaient guère de sens et elle s'efforça de remettre de l'ordre dans ses idées. « Mon père devrait être là-haut, à l'inauguration.

— Votre père, madame ?

— Bert McGraw. Il a construit ce gratte-ciel. »

Un sourire illumina le visage du gros agent irlandais. « C'est un grand monsieur.

— Il est à l'hôpital. Une crise cardiaque. »

Cette conversation rappelait celle d'*Alice au Pays des merveilles*. Chaque phrase semblait dénuée de rapport avec les précédentes. « Je veux dire...

— Vous êtes venue à sa place, dit l'Irlandais en hochant la tête d'un air entendu. Tu vois comment ça se passe, Frank. » Une expression de solennité avait effacé son sourire. « L'édifice est en difficulté et mademoiselle est venue à la place de son père pour lui porter secours... Est-ce que vous connaissez les deux messieurs qui sont ici ? demanda-t-il à Patty. Il y a un grand type qui s'appelle... » Shannon interrogea son collègue du regard.

« Giddings, dit Barnes. Il y a aussi un certain Wilson, architecte.

— Je les connais, dit Patty. Mais ils seront très occupés. Ils...

— Je vais vous conduire auprès d'eux », dit Shannon. Il lui prit le bras d'une main aussi énorme que celle de Bert McGraw, lui fit franchir la barrière et l'escorta à travers la place parmi les agents de police et les pompiers. Ils contournèrent des flaques d'eau et enjambèrent les tuyaux gonflés qui serpentaient sur le sol.

Ils arrivèrent au bureau provisoire du chantier : une remorque immobilisée tout près de la sous-station. S'y trouvaient des tables à dessin, des classeurs, des tabourets, des appareils téléphoniques. Patty reconnut l'odeur d'homme qu'elle avait perçue depuis sa plus tendre enfance dans des cabanes de ce genre et ça la réconforta.

« Voici Mlle McGraw », dit Shannon.

Sans lui laisser le temps de continuer, Nat saisit la main de Patty et lui dit : « Entrez donc. Nous sommes au courant. Je suis désolé pour Bert.

— Il s'en tirera, affirma Giddings. Il en a vu bien d'autres ! » Puis il ajouta : « Ces bon Dieu de portes ne peuvent pas être fermées. C'est impossible. »

Le commissaire adjoint Brown était là avec trois pompiers en uniforme. Ils observaient et écoutaient.

« On ne peut pas les ouvrir de l'intérieur, affirma Nat. Ben Caldwell l'a vérifié. » Il expliqua à Brown : « Les serrures de ces portes sont absolument sûres. En temps normal, pour des raisons de sécurité des électro-aimants les bouclent de l'extérieur. En cas de danger, et Dieu sait si c'est bien le cas ! ou s'il y a une panne de courant, la serrure s'ouvre automatiquement.

— Oui, c'est écrit ici, en petites lettres, dit Giddings. Mais quelque chose a mal tourné. En tout cas, elles ne devraient jamais être fermées de l'extérieur et elles le sont ou alors... » Il secoua la tête d'un air farouche. « Elles pourraient être bloquées, pas bouclées.

— Alors, envoyons un homme sur chaque escalier, dit Nat.

— Cent vingt-cinq étages à pied ? demanda Giddings.

— En montagne on s'élève à peu près de mille pieds à l'heure sur une piste. Ici c'est évidemment plus dur parce qu'il faut gravir presque à la verticale. Alors disons deux heures... une heure trois quarts. Mais que faire d'autre ? » Il attendit une réponse qui ne vint pas. Alors il s'adressa à Brown. « Avez-vous de bons grimpeurs ? Munissez-les de haches et de walkies-talkies et faites-les monter. »

Il montra l'appareil téléphonique que tenait Brown. « Lancez-les à l'ascension.

— C'est sans doute du matériel de radio et de télévision pour le dernier étage, dit Giddings. On l'aura entassé derrière les portes de secours. Je l'ai interdit, j'ai tempêté, mais personne n'écoute. Il y a des caisses drôlement lourdes.

— Alors qu'on leur donne des leviers au lieu de haches, dit un des pompiers.

— Dites-leur de démarrer lentement et de monter d'un pas régulier dès le début. » Tout à coup il se rappela la présence de Patty auprès de lui. « Vous avez vu Paul ? demanda-t-il.

— Ce matin de bonne heure, mais pas depuis. Vous avez besoin de lui ?

— Oui, lui seul peut me donner certains renseignements. »

(On avait décrit par téléphone à Joe Lewis l'état dans lequel se trouvait l'étage électromécanique du sous-sol et il s'était exclamé d'abord : « Ah mon Dieu ! Tout est foutu !

— Pas de courant du tout, avait précisé Nat. On a trouvé deux cadavres dans cette cave. Les pompiers disent que l'un d'eux est carbonisé.

— S'il a touché au câble du primaire, ça ne m'étonne pas, avait dit Joe. Vous craignez que des foyers d'incendie couvent dans les circuits électriques un peu partout, c'est bien ça ? Je ne peux rien affirmer de but en blanc. D'après notre projet de câblage une pointe de surtension ne pouvait aller loin. Nous avions prévu des coupe-circuits, des prises de terre, toutes sortes d'éléments de sécurité. C'est ce que nous avions conçu, mais si on a tenu compte des permis de modification, je ne garantis rien. Que dit Simmons ? Lui, il est au courant. »)

Trouver Simmons.

« Je ne sais pas où il est, dit Patty. Je le regrette. Il a vu mon père aussitôt après déjeuner. Ils étaient ensemble quand papa a eu son attaque. Mais je ne sais pas ce qu'il est devenu depuis. A moins que... » Elle se tut.

« A moins que quoi, Patty ? » demanda Nat.

Patty regarda autour d'elle. Tout le monde l'observait. Elle secoua la tête sans rien dire.

« Venez », dit Nat. Il lui prit le bras pour la conduire dans un coin du bureau. « Où pourrait-il être ? demanda-t-il à voix basse.

— Excusez-moi, Nat, mais ça ne vous regarde pas, répondit-elle en soutenant fermement son regard.

— Rien de tout ça ne me regarde, dit Nat. Les cent personnes qui sont prisonnières dans la Salle d'honneur, sans issue pour s'évader ne me regardent pas. Les cent foyers d'incendie, peut-être mille, qui se sont déjà manifestés et qui vont d'un instant à l'autre passer à travers les murs... » Il se maîtrisa et reprit à voix basse. « Patty si vous savez où il est, ou seulement où il pourrait être, dites-le-moi pour que nous sachions où nous en sommes.

— Papa est peut-être au courant. »

Nat ne dit rien.

« Mais même s'il le sait, dit Patty, il ne peut rien nous dire, n'est-ce pas ? Excusez-moi, je n'ai pas les idées claires. » Elle prit une profonde inspiration et lâcha en détournant la tête : « Zib sait peut-être où il est. »

Nat ne broncha pas mais son expression durcit subitement. « Est-ce que ça signifie ce que je suppose ? demanda-t-il à voix basse.

— Je suis désolée, Nat.

— Ne vous désolez pas et répondez, je vous en prie. » Patty releva la tête. « Ça signifie que mon Paul et votre Zib s'offrent du bon temps ensemble. Une intrigue. Je crois qu'on appelle ça autrement maintenant. Tous les mots changent. Je le regrette. Pour vous. Pour moi. Pour tout. Mais en fin de compte Zib sait peut-être où est Paul. Moi, je l'ignore ».

Nat se dirigea vers l'appareil téléphonique le plus proche, décrocha, forma le numéro d'une main qui ne tremblait pas. Son visage était impassible. « Zib Wilson, s'il vous plaît », dit-il à la téléphoniste de la revue. Sa voix n'exprimait aucun sentiment.

« De la part de qui, s'il vous plaît ?

— Son mari. » N'avait-il pas dit ça avec colère ? Aucune importance.

« Ravie de t'entendre, chéri, chantonna Zib avec l'aisance de la jeune femme qui est passée par les écoles les plus chic et n'a jamais fréquenté que du beau monde. Quoi de neuf ?

— Sais-tu où est Paul Simmons ? »

Une hésitation à peine perceptible. « Pourquoi voudrais-tu que je le sache, mon chéri ?

— Ne te soucie pas du pourquoi en ce moment, dit Nat. Sais-tu où il est ? J'ai besoin de lui. Besoin urgent.

— Mais pourquoi, mon Dieu ? »

Nat respira profondément pour se maîtriser. « Il y a plusieurs incendies dans la World Tower. Bert McGraw a une crise cardiaque, il est à l'hôpital. Une centaine de personnes sont coincées dans la Salle d'honneur au cent vingt-cinquième étage. J'ai besoin de renseignements que seul Paul peut me donner.

— Mon chéri, dit Zib avec la patience d'une institutrice d'école maternelle s'adressant à un enfant attardé. Pourquoi n'interroges-tu pas Patty ? Elle...

— Elle est ici, à côté de moi. C'est elle qui m'a dit de m'adresser à toi. »

Un instant de silence. « Je vois », dit Zib et ce fut tout.

Nat se laissa emporter. « Je répète ma question. Où est ce salopard ? Si tu ne sais pas où il est, cherche, trouve et envoie-le ici en vitesse. C'est clair ?

— Tu ne m'as jamais parlé comme ça.

— J'avais tort. J'aurais sans doute dû botter tes fesses patriciennes. Trouve-le. Envoie-le. Compris ?

— Je ferai de mon mieux.

— Ça ne suffit pas. Trouve-le. Envoie-le, un point c'est tout. » Il raccrocha et resta immobile, le regard fixé sur le mur de planches.

Giddings et Brown se regardaient en chiens de faïence, sans rien dire.

Le walkie-talkie que tenait un des pompiers en uniforme se mit à bruire. « Chef ? »

Le chef Jameson saisit l'appareil. « C'est moi.

— Ici Walters. Le premier incendie a éclaté au quatrième étage. Il est pratiquement maîtrisé.

— Superbe ! dit Jameson. Bravo ! » Il sourit.

« Pas tellement superbe, dit Walters. Il y a une douzaine d'autres foyers, et même plus, au-dessus de nous, au-dessous. Partout. » Il toussa d'une toux profonde, suggérant qu'il allait vomir. « Ça doit être le câblage électrique. Je ne sais pas ce qui s'est passé dans le sous-sol, mais il en a résulté une surtension infernale du haut en bas de l'édifice. »

Silence. Nat se tourna vers Giddings. « Maintenant, nous sommes renseignés. Plus besoin de nous creuser la cervelle.

— Nous n'avons plus qu'à prier », dit Giddings en hochant la tête d'un air gauche et épuisé.

13

16 heures et 39 minutes — 16 heures et 43 minutes

Le commissaire hocha la tête et dit : « Tenez-nous au courant. » Il raccrocha le téléphone, regarda tous ceux qui se trouvaient avec lui dans le bureau contigu à la Salle d'honneur. « On envoie des pompiers à l'ascension des escaliers », dit-il d'une voix neutre.

Le gouverneur demanda : « Il faut combien de temps pour atteindre un cent vingt-cinquième étage ? » Il attendit, mais personne ne répondit. « Très bien, dit-il. Nous pourrions nous y mettre de notre côté aussi. » Il médita un instant sans rien dire et reprit : « Ben, vous et le commissaire, réquisitionnez donc trois ou quatre garçons. Il y a de solides gaillards parmi eux. Qu'ils s'attaquent à une des portes de secours. » Puis il s'adressa en particulier au commissaire à la défense contre l'incendie. « Si nous parvenons à ouvrir une de ces portes nous sommes sauvés, non ? Elles débouchent sur une cage d'escalier bien isolée d'ici au rez-de-chaussée. »

Le commissaire hésita.

« Répondez donc, mon vieux ! intervint le maire.

— Oui, nous devrions être sauvés, dit le commissaire de mauvais gré.

— Vous n'en êtes pas tellement sûr ! s'exclama le gouverneur. Pourquoi ? »

Beth Shirley observait et écoutait. Il lui semblait voir l'ascendant du gouverneur croître d'instant en instant et dominer tous les autres hommes qui se trouvaient dans la pièce. Non, pas tous : à sa façon, tantôt grossière, tantôt pleine d'érudition et de sagesse, le sénateur Peters tenait parfaitement le coup à ses yeux. Dire qu'en temps de crise les qualités d'un homme se manifestent plus clairement que dans des circonstances banales n'est qu'un truisme, et il s'applique d'ailleurs à bien des femmes. Mais Beth n'avait jamais imaginé qu'elle assisterait à une démonstration aussi éclatante.

Le commissaire hésitait toujours. Il jeta un coup d'œil à la jeune femme. « Cette dame... », commença-t-il.

La main du gouverneur serra celle de Beth.

« Cette dame s'intéresse autant à notre situation que tous les autres, dit-il. Vous n'osez pas le dire, mais il semble bien que les cages d'escalier ne sont pas le havre de grâce que nous avons cru. Pourquoi ?

— Les pompiers qui gravissent l'escalier communiquent avec la remorque par walkie-talkie. Ils... ils signalent de la fumée. »

Silence absolu dans le bureau.

« Qu'est-ce que ça signifie ? demanda le gouverneur à Ben Caldwell.

— Il me faudrait plus de renseignements pour me prononcer », dit l'architecte. Il scruta du regard le visage du commissaire. « Vous n'avez pas tout dit. »

Le commissaire soupira et se décida enfin à parler. « Le premier incendie est maîtrisé. A lui tout seul il n'aurait pas eu de conséquences trop graves. Mais il s'est produit une catastrophe en bas, dans la salle du principal transformateur. Deux hommes y sont morts. Il semble en être résulté des incendies... du haut en bas de cet édifice. »

Grover Frazee secoua la tête en signe de dénégation. « Un gratte-ciel moderne comme celui-ci, totalement à l'abri du feu... c'est ridicule. Vous avez mal compris. » Il se tourna vers Caldwell. « N'est-ce pas, Ben ? Expliquez-lui.

— Résistant au feu, oui, mais pas totalement ignifuge, dit Caldwell. Maintenant, tenez-vous tranquille, Grover. Laissez-nous évaluer où nous en sommes. » Il tendit le doigt vers le commissaire et dit : « Rappelez la remorque. Je veux parler à Nat Wilson.

— Mais vous voyez ! s'exclama Frazee. Le téléphone fonctionne. Nous ne sommes donc pas privés de courant électrique. Rendez-vous compte. » Il regarda ses interlocuteurs à tour de rôle, d'un air triomphant.

Caldwell dit d'un ton las : « Les téléphones sont alimentés d'une manière tout à fait indépendante qui n'a aucun contact avec le reste de l'installation. »

Il prit le combiné que lui tendait le commissaire. « Nat ? » demanda-t-il et il appuya sur le bouton de l'amplificateur.

« Oui, monsieur. » La voix de Nat sonna creux dans le bureau. « Vous voulez un compte rendu complet, sans doute. Le feu du quatrième étage est maîtrisé. Ce qui s'est passé au sous-sol n'est pas encore clair et nous ne saurons peut-être jamais rien de précis parce qu'il ne semble pas y rester grand-chose. En tout cas, il a dû produire un court-circuit partiel au primaire du transformateur. Joe Lewis, Giddings et moi croyons que ce court-circuit a provoqué au secondaire une surtension qui a jailli de bas en haut de l'immeuble. Les câbles surchauffés ont cuit leur isolant et le court-circuit s'est généralisé partout. » Nat se tut.

Caldwell dit lentement : « Ça pourrait expliquer la présence de fumée dans les cages d'escalier ?

— C'est ce que nous pensons, nous aussi, dit Nat sans remarquer qu'il ne disait plus monsieur à son patron. Les pompiers qui gravissent l'escalier disent que par endroits les murs sont tellement brûlants qu'ils ne peuvent pas les toucher. Nous pouvons tout juste deviner ce qui se passe derrière les portes de secours. » Nat marqua un temps d'arrêt. « Il ne s'agit pas tellement de deviner. Nous en sommes foutument certains. Quand Simmons sera là, nous en saurons peut-être un peu plus. »

Caldwell réfléchit. « Simmons », dit-il. Puis il se tut encore un moment. « Au sujet de la surtension, Joe Lewis est d'accord avec vous ?

— Oui. » Ils semblaient s'exprimer en un langage convenu qu'ils étaient seuls à comprendre.

« Et vous croyez que Simmons... » Caldwell n'en dit pas plus. « Bert McGraw...

— Bert est à l'hôpital, il a une crise cardiaque », dit Nat. Puis, mu par une sorte d'intuition, il ajouta : « Simmons n'y est peut-être pas pour rien. »

Caldwell prit son temps. « Il s'agit de savoir si nous devons forcer les portes de secours. Oui ou non ? Si...

— Est-ce qu'il vous arrive beaucoup de fumée par les bouches de climatisation ?

— Non, pas trop.

— Alors ne touchez pas aux portes », dit Nat d'un ton autoritaire.

En voilà encore un, pensa Beth. Elle n'avait jamais vu cet homme qui se révélait capable de donner des ordres à son patron en pleine catastrophe. Elle leva les yeux vers le visage du gouverneur qui hochait la tête d'un air entendu.

Ben Caldwell hésita.

La voix de Nat reprit : « Nous savons qu'il y a de la fumée dans les cages d'escalier. Rien ne peut l'empêcher de s'élever jusqu'à votre étage. Puisque vous n'êtes pas trop enfumés pour le moment, restez-en là. Ne touchez pas aux portes.

— Je crois que vous avez raison, dit Caldwell.

— D'après Giddings, les portes pourraient être immobilisées par du matériel de radio et de télé qu'on était en train de monter jusqu'au sommet, dit Nat. Il dit que c'est déjà arrivé et je l'ai constaté moi-même. S'il en est ainsi il y a peut-être des obstacles sur les escaliers. »

Caldwell eut un sourire crispé. « Rien de tel n'était prévu sur nos plans, Nat, dit-il. Tout une chaîne d'erreurs qui s'ajoutent les unes aux autres...

— Nous avons pris contact avec l'armée, dit Nat. Vous

verrez apparaître un ou deux hélicoptères d'un instant à l'autre.

— C'est vous qui avez pensé à ça ? demanda Caldwell en écarquillant les paupières.

— Brown a appelé l'état-major. Comme il est commissaire adjoint on a pris sa requête en considération, alors qu'on ne m'aurait même pas écouté. A vrai dire, je ne sais pas à quoi serviront ces engins, mais il m'a semblé qu'il serait bon d'observer le gratte-ciel sous tous les angles possibles.

— Continuez à réfléchir, Nat, dit Caldwell en souriant.

— Nous ferions bien de rester en contact permanent. Ne raccrochez pas, s'il vous plaît.

— D'accord, dit Caldwell en hochant la tête. Je crois que c'est tout pour l'instant. » Son regard fit le tour de la pièce. « Commentaires ? demanda-t-il à la cantonade. Questions ?

— Une seule, dit le gouverneur. Comment tout cela est-il arrivé ? »

14

AU TEMPS DE LA CONSTRUCTION

Pour certains ce fut dès le début une de ces tâches qui donnent des cauchemars à se tordre dans le sommeil et à s'éveiller trempé de sueur. L'énormité de la World Tower suffisait déjà à effrayer, mais il y avait plus et pire que cela. En prenant forme, l'édifice semblait acquérir une personnalité et cette personnalité se révélait maligne.

Par une froide journée d'automne, un coup de vent traversa le terrain vague qui devait devenir la place de la Tour, et souleva une tôle. Un ouvrier nommé Bowers se rendit compte du danger, essaya de l'esquiver, mais trop tard. C'est tout juste si la tôle ne le décapita pas complètement.

Un pneu avant d'un camion, à moitié déchargé et qui stationnait tout à fait immobile, éclata avec une telle violence qu'il fit dévaler une montagne de buses sur trois ouvriers : un mort et deux mutilés à vie.

Par une autre froide journée d'automne le feu se déclara dans un sous-sol, mordit sur une pile de poteaux de mine et prit au piège deux hommes. On les en tira vivants... mais de justesse.

Paul Simmons discutait avec un de ses chefs d'équipe en bordure du chantier lorsque Pete Janowski dépassa l'extrémité d'une poutre d'acier au soixante-cinquième étage. L'effet Doppler amplifia le hurlement du malheureux qui se termina au sol par un *tunk* écœurant. Paul se trouvait à moins de trois mètres du point de chute et ne devait jamais oublier cette horreur. Il s'efforça de ne pas regarder. Ce lui fut impossible et il vomit aussitôt sur ses propres pieds.

Etait-ce déjà le commencement de la fin ?

« C'est des choses qui arrivent, dit McGraw le soir dans sa petite maison de Queens où dînaient Paul et Patty. Elles me déplaisent tout autant qu'à toi, mais c'est la fatalité, on n'y peut rien.

— Il me semble quand même, dit Paul, qu'il y en a trop. C'est tout. J'attendais des transformateurs depuis dix jours. Nous les avons trouvés aujourd'hui. Savez-vous où ? A quatre mille huit cents kilomètres d'ici, à Los Angeles. Ne me demandez pas pourquoi ils étaient là-bas. Et personne ne s'est soucié de ce qu'ils y faisaient. Cependant les ouvriers qui devaient les monter se croisaient les bras. Je les payais pour rien et mes frais ont augmenté. Nous commandons les câbles. On nous en livre, mais ils n'ont pas le calibre voulu. Nous vérifions l'installation d'un ascenseur ; le moteur refuse de se mettre en route, ou bien la porte ne s'ouvre pas, parce qu'elle n'a pas été posée correctement. Mon meilleur câbleur, le seul qui savait faire une épissure dans les câbles de haute tension, se blesse chez lui avec sa tondeuse à gazon qui lui arrache trois orteils.

— A t'entendre on a l'impression que tu es atteint toi aussi », dit McGraw en scrutant attentivement le visage de son gendre.

Paul reprit d'un ton plus raisonnable : « Dans une certaine mesure c'est vrai. » Il arbora un sourire confiant d'acteur de cinéma. « Il faut avouer qu'il y a eu trop d'incidents étranges sur ce chantier.

— Je l'avoue, mon gars, mais je ne vais pas me laisser sombrer pour ça.

— C'est presque comme en temps de guerre, quand on ne parlait que de sabotages.

— Tu crois ça, vraiment ? demanda McGraw en lui lançant un regard en biais.

— Non, tout de même pas.

— Il y a eu des sabotages, dit McGraw. J'ai connu ça et pas seulement en temps de guerre. Mais cette fois il ne s'agit pas de ça. » De nouveau il observa Paul attentivement et lui demanda : « Est-ce que tu cherches à me confier quelque chose ? »

Paul secoua la tête en signe de dénégation, espérant donner le change par son sourire plein d'assurance.

« Si tu as une idée derrière la tête, c'est le moment ou jamais de le dire.

— Je n'ai rien à avouer », dit Paul.

McGraw prit son temps. « Mon garçon, tu fais partie de la famille maintenant et pour moi les liens de parenté sont sacrés. Mais nous sommes en affaires, dans un dur métier et nous sommes liés par un contrat, toi et moi. Je veillerai à ce que tu tiennes tes engagements, tu le sais.

— Certainement. Je ne me suis jamais fait d'illusions à ce sujet. » Tu parles ! Mais le sourire d'acteur exprima une certitude imperturbable.

Patty avait soupçonné quelque chose de louche mais n'était pas parvenue à tirer au clair cette impression. Plus tard, un soir où elle rentrait avec son mari d'un dîner chez des amis à Westchester, elle lui dit : « Il me semble que tu as eu quelque tracas avec Carl Ross. » Le bruit de leur discussion avait en effet troublé la soirée à plusieurs reprises.

« Carl est le parfait connard de Westchester sans aucun mélange », répondit Paul.

Patty remarqua la hargne que révélait la voix de son mari mais elle dit en riant : « Pas de Westchester, Carl vient de Des Moines, dans l'Iowa.

— Ici, tout le monde vient d'ailleurs. Ce n'est pas nouveau. Ou bien on vient de Des Moines, comme Carl, ou de la Caroline du Sud, comme Pete Granger, ou encore de quelque montagne perdue dans l'Ouest, comme ce cow-boy de Nat Wilson... »

Ils continuèrent à rouler en silence pendant un moment puis Patty demanda : « Qu'est-ce que tu reproches à Nat ? Il m'a toujours été sympathique et papa le considère comme un brave homme.

— Tous les gens de chez Ben Caldwell se prennent pour des dieux et se croient capables de marcher sur l'eau. Pour avoir du boulot dans cette boîte il faudrait être sorcier. »

Patty ricana en se refusant à prendre la mauvaise humeur de Paul trop au sérieux, mais cela ne lui fut guère facile. « Et que leur arrive-t-il s'ils mouillent leurs chaussettes en marchant sur l'eau ? » demanda-t-elle.

Paul pensait encore à Carl Ross. « C'est un de ces types du genre : tiens-puisque-nous-en-parlons, un-bruit-m'est-venu-à-l'oreille-aujourd'hui. Et ces bruits sont toujours malveillants.

— Nat ? demanda Patty intriguée.

— Nat ? Quoi Nat ? » demanda Paul d'une voix sèche, comme s'il se mettait sur la défensive.

Mon Dieu ! pensa Patty, sommes-nous déjà tellement étrangers l'un à l'autre ? « De qui parlais-tu ? Qui entend des bruits ?

— Carl Ross, bon Dieu ! Nat ne se soucie pas des rumeurs. Jamais. Il ne voit jamais que ce qui est sous son nez, écrit noir sur blanc ou précisé sur un plan. Il...

— J'avais toujours cru qu'il te plaisait et Zib aussi », dit Patty.

Pendant un long moment de silence le paysage de banlieue défila auprès d'eux, entrecoupé de lueurs dans l'obscurité nocturne. « Tout le monde change », dit enfin Paul.

Patty fut tentée de lui faire remarquer qu'en général il n'usait pas de tels clichés, mais elle s'en abstint. « C'est Nat qui a changé ? ou Zib ? » demanda-t-elle. Elle répondit aussitôt à une de ses propres questions. « Je ne suis pas une fervente du MLF que Zib considère comme sacré ces derniers temps. Bien sûr elle peut se passer de soutien-gorge, je le lui accorde. Mais moi aussi et je ne me permets quand même pas d'en faire un tel étalage.

— Il n'y a rien à reprocher à Zib », déclara Paul d'un ton définitif. Cette phrase flotta dans la pénombre de la voiture.

L'esprit de Patty resta paralysé un instant, puis elle fut prise de soupçons. Aussitôt ce soupçon fit place à la conviction, presque à un sentiment de *déjà vu,* à l'impression d'avoir déjà vécu un tel instant, mais dans un cauchemar. Enfin elle s'en prit à elle-même, se reprocha d'avoir été aveugle, de ne pas avoir compris plus tôt que son mari n'était qu'un coureur de jupons. Mon Dieu ! pensa-t-elle, quel désastre ! Et comment se faisait-il qu'elle n'en souffrît pas ? Plus tard, songea-t-elle, quand je serai seule, quand j'aurai le temps de réaliser cette énormité. Sur-le-champ elle se contenta de dire d'un ton assez naturel : « Alors, c'est Nat qui a changé ?

— Oui. » Un point c'est tout.

« De quelle manière ?

— Je préfère ne pas en parler.

— Et pourquoi, mon chéri ? »

Alors la mauvaise humeur de Paul éclata. « Sacré nom de Dieu, qu'est-ce que c'est que cette inquisition ? Si je n'aime pas ce salopard de cow-boy, est-ce qu'il me faut déposer des conclusions à cet effet ? »

Patty ne tolérait pas qu'on lui parle sur ce ton. « Qu'est-ce que tu as fait à Nat pour qu'il te déplaise autant ? demanda-t-elle.

— Et qu'est-ce que ça signifie ? Voilà que tu fais du raisonnement psychologique, toi aussi ?

— On ne déteste jamais les gens que si on leur a joué un mauvais tour.

— Encore une idée de Bert, sans doute.

— Je crois que papa n'a jamais joué un mauvais tour à qui que ce soit, dit Patty tranquillement mais avec une certitude évidente. Il a envoyé des hommes à terre. Il a bu plus qu'eux, travaillé plus qu'eux. Il les a vaincus, oui, par sa force et son astuce, c'est vrai, mais toujours ouvertement. Il n'a jamais attaqué un homme par-derrière.

— Mais moi je serais capable de le faire, sans doute. Est-ce là que tu veux en venir ? »

Patty prit son temps et dit enfin de sa voix la plus calme : « L'as-tu fait, mon chéri ? C'est ça qui te met en ébullition ? »

Le visage de Paul n'était qu'une ombre dans l'obscurité de la voiture et n'avait aucune expression. Lorsqu'il reprit la parole, ce fut d'une voix plus normale. « Comment se fait-il que nous en soyons arrivés là ? demanda-t-il. J'ai eu une prise de bec avec Carl Ross...

— Il me semble que tu en as facilement ces temps derniers.

— Ça se peut, dit Paul. Je suis à bout de nerfs, je l'avoue. Je n'ai jamais eu à faire face à une tâche aussi énorme. Dans son genre personne n'a jamais assumé un travail aussi colossal. Est-ce que tu t'en rends compte ? On n'a jamais construit un gratte-ciel comme celui-là.

— Il ne s'agit que de ça ? demanda Patty. Il ne s'agit que du travail ? » Fais semblant de le croire, pensa-t-elle. Mais il va sûrement mentir.

« C'est un boulot dévorant, voilà tout.

— A quel point de vue ?

— Je ne veux pas en parler, je te l'ai déjà dit. Tu prétends que tu ne crois pas aux théories du MLF. Très bien. Alors, tenons-nous-en aux traditions. Occupe-toi de la maison. Je me charge de nos moyens d'existence. Tu m'as dit autrefois que tu me suivrais partout où j'irais, alors, suis-moi. »

Les chiffres ne mentent pas. Oh bien sûr, tout le monde connaît cette bonne plaisanterie assimilant les statisticiens aux menteurs. Mais ces chiffres-là étaient ceux que Paul avait alignés en personne et vérifiés à l'ordinateur. Alors, inutile de discuter avec eux. Assis devant cette comptabilité, presque médusé, il sentait ses idées se brouiller et il en avait presque la nausée.

Il avait calculé trop juste ses prix dans son devis. Le

mauvais temps avait joué contre lui. Des retards divers avaient bouleversé ses prévisions surtout en ce qui concernait la charge des salaires. Des accidents avaient diminué le rendement. Une proportion excessive de travail raté, donc à refaire grevait cette affaire. En fin de compte, Paul n'était pas aussi capable qu'il l'avait cru. Certes il était victime de la malchance. Les dieux lui étaient hostiles. Et que diable ! il pouvait énumérer une centaine de raisons mais ce n'étaient que des excuses qui n'intéresseraient personne. L'évidence s'imposait. Les chiffres clamaient les faits et ces faits étaient simples. En comparant les recettes que lui rapporterait son chantier de la World Tower avec les dépenses encourues jusqu'alors, non seulement il ne pouvait espérer aucun bénéfice, mais encore, quand l'édifice serait terminé, il n'aurait plus qu'à déposer son bilan.

Cinq heures de l'après-midi. Son bureau lui semblait plus vaste que d'habitude et plus silencieux aussi. L'antichambre et les pièces voisines devaient être désertes à cette heure-là. Le brouhaha de la circulation ne lui parvenait qu'assourdi car il était à trente étages au-dessus de la chaussée. PENSE disait une publicité IBM et Paul avait vu une affiche corrigée par un farceur clamant : NE PENSE PAS, BOIS ! Comment se faisait-il qu'une sottise de ce genre lui vînt à l'esprit à un moment pareil ?

Il repoussa sa chaise, se leva et alla à la fenêtre. McGraw agissait souvent ainsi. Pourquoi donc y pensait-il ? A cette question au moins il était capable de répondre : parce que McGraw, grand, gros, dur, intraitable, semblable à une divinité, était toujours présent à l'esprit de Paul. Je suis bien obligé de me l'avouer : je vis dans son ombre ; mais je n'ai pas comme Diogène le courage de lui dire : ôte-toi de mon soleil, Alexandre.

Il voyait par la fenêtre des gens se hâter sur les trottoirs. Rentraient-ils chez eux ? Joyeusement ? A regret ? Furieux après une journée de frustrations ? Qu'importait ? Je n'ai rien de commun avec tous ces gens-là. Personne ne compte pour moi, ni Patty, ni Zib. Personne. Je suis moi. Et — quelle est donc la formule de McGraw ? — cette fois la vie a pesé sur moi et m'a écrabouillé. Qui s'en soucie à part moi ?

Il se surprit à examiner les montures de la fenêtre comme s'il ne les avait encore jamais vues. Dans les buildings climatisés on ne doit pas normalement pouvoir ouvrir les fenêtres. Ne serait-ce pas pour empêcher les gens de se précipiter dans le vide, comme cela arrivait si souvent, dit-on, pendant la grande crise économique, à partir de 1929 ?

Mais y pensait-il vraiment ?... A ça, mon Dieu ? Allons donc ! Tu es seul. Tu n'as qu'un seul spectateur : toi-même. Alors, inutile de jouer la comédie.

Il retourna à son bureau et considéra les chiffres alignés en un ordre impeccable, comme des petits soldats qui défilent... Où vont-ils ? Vers le bord d'une falaise et ils le dépasseront. Paul entendit de nouveau le hurlement de Pete Janowski et le *tunk* écœurant qui l'avait terminé. Il fut obligé de combattre la nausée.

C'est à cet instant que le téléphone sonna. Il le regarda un moment avant de décrocher.

« Salut beau gosse. » C'était la voix de Zib.

« Toi ?... dit Paul. Bonjour. » Son regard restait fixé sur sa comptabilité.

« Quel enthousiasme ! dit-elle, narquoise.

— Excuse-moi, je... je réfléchissais.

— Tiens, moi aussi. »

Zib et lui se ressemblaient tant ; chacun ne pensait qu'à soi-même. Par politesse il s'obligea à demander : « A quoi pensais-tu ? »

Elle lui répondit avec une désinvolture affectée : « Je me disais que j'ai envie d'un mâle vigoureux et ardent, disponible à l'instant. Connais-tu quelqu'un que ça intéresserait ? »

Qui manigance de telles juxtapositions : celle d'une paillardise sans retenue et d'une véritable tragédie ? Faire l'amour ? C'est bien la dernière chose dont il avait envie. Pourquoi cette sotte n'avait-elle pas choisi un autre moment ?

« Entendrais-je une proposition ? » dit Zib.

Pourquoi pas ? Que diable, pourquoi pas ? Pourquoi ne

pas s'enfoncer dans sa sveltesse veloutée ? pourquoi pas ? Ecouter ses gémissements et se sourire à soi-même quand on en est la cause ? pourquoi pas ? Echapper au désespoir en plongeant dans une simple joie animale. « J'ai présenté une proposition muette, dit-il. A l'hôtel dans vingt minutes.

— Ah, ça va mieux ! dit-elle d'une voix joyeuse. Je croyais que tu n'y tenais plus.

— Mieux vaut vivre que mourir. Ne cherche pas à comprendre ce que je viens de dire. Pense seulement à nos ébats. »

Nue et détendue, Zib dit d'un air rêveur : « A cet instant je devrais dîner avec un écrivain qui serait arrivé inopinément en ville. Nat n'en a pas douté un instant. Travailler dans l'édition présente des avantages. »

Les yeux au plafond, Paul ne répondit pas. Son esprit était en proie à d'étranges idées tortueuses. Et si... ?

« Tu m'entends, mon chou ? demanda Zib en lui caressant la poitrine. Hmm ?

— J'ai entendu.

— Alors pourquoi ne dis-tu rien ?

— Je réfléchis.

— A un moment pareil ! En voilà une idée. » Zib soupira. « Bon, ça va. Tu es un mâle donc un cochon. Et à quoi pensais-tu ?

— A Nat. »

Zib fronça les sourcils. Sa main s'immobilisa. « Pourquoi donc ? Et que penses-tu de lui ?

— Eh bien, voilà, dit Paul en souriant car sa décision était prise. Je crois qu'il va me rendre de gros services.

— Tu es fou. Pourquoi te rendrait-il service ?

— Il ne s'en rendra même pas compte », dit Paul qui enlaça Zib. Elle s'abandonna de bon gré. « Il ne sait pas non plus qu'il me prête sa femme de temps en temps, comme tout de suite, par exemple. »

16 heures et une minute — 16 heures et 32 minutes

A QUEENS

La scène se déroule dans un immeuble moderne bâti pour le compte d'une compagnie d'assurances et destiné à des locataires ne disposant que de revenus moyens. Ceux de l'inspecteur municipal des bâtiments dépassaient la norme mais une bonne part ne figurait pas sur sa déclaration au fisc.

Les fenêtres étaient fermées et la climatisation fonctionnait presque sans bruit. Les enfants jouaient sur leur terrain de jeux mais le tapage qu'ils faisaient n'arrivait dans l'appartement que très atténué. Confortablement assis dans son fauteuil à dossier ajustable, l'inspecteur regardait l'écran de soixante-trois centimètres de sa télé en couleur, modèle dernier cri : réglage à distance par un seul et unique bouton, contrôle par cerveau magique et le tout enfermé dans une console de style méditerranéen d'une magnificence consommée. A quarante ans l'inspecteur ne pouvait plus se prétendre capable d'enfiler son uniforme datant de la guerre de Corée et ne s'en souciait d'ailleurs pas le moins du monde. « Et puis quoi ! disait-il volontiers, il s'agit de vivre et de profiter de tout ce qui s'offre parce que, lorsqu'on est parti, il ne s'offre plus rien du tout. C'est ce que je ne cesse de me répéter. »

Sa femme était assise dans un fauteuil aussi confortable mais plus petit. Deux boîtes de bière — une pour chacun — se trouvaient sur une petite table entre eux. Elle avait beaucoup peiné, sous une lampe à rayons ultraviolets, à s'appliquer plusieurs lotions pour conserver au moins en partie le hâle qui lui restait de ses vacances en Floride au début de l'année. Les voisines qu'elle rencontrait au supermarché et chez le coiffeur le lui enviaient. Le roux de sa chevelure s'harmonisait avec le rouge des ongles aux doigts et aux orteils. « Tu me fais rater *S'amuser en famille* », dit-elle.

Le dernier discours sur la place de la World Tower se terminait à peine et les caméras de la télévision montraient les personnalités qui descendaient de la plateforme pour pénétrer dans le vestibule.

« Ils vont monter à la Salle d'honneur pour boire un truc qui fait des bulles et grignoter des petits machins qu'on pique avec des cure-dents, dit l'inspecteur d'une voix où sonnait l'envie. Tu vois celui-là ? C'est le sénateur Jake Peters, l'ami du peuple. Mon œil ! Voilà trente ans au moins qu'il se bourre les poches à Washington.

— Il y a Clara Hess aujourd'hui dans *S'amuser en famille.* Elle me met dans tous mes états. Je l'ai vue la semaine dernière, mardi. Non, c'était peut-être mercredi. Ce que j'ai ri ! Mais ri à en crever. Elle mettait en boîte les bonnes femmes du MLF. A se rouler par terre !

— Et celui-là, continua l'inspecteur, c'est le gouverneur Bent Armitage : une outre pleine de vent. Et regarde ce beau gosse, notre maire, Bob Ramsey, le type même du parfait Américain. Comment se fait-il qu'on ne voie aucun des gonzes qui ont construit ce gratte-ciel ? Peux-tu me le dire ?

— Qu'est-ce qu'elle n'a pas débité sur ces folles ! Drôlement astucieuse et puis d'une vivacité étourdissante. Impossible de prévoir ce qu'elle va sortir à tout instant.

— Tiens, voilà Ben Caldwell, dit l'inspecteur. C'est tout juste si on n'est pas obligé de s'agenouiller devant lui, comme à l'église, mais sacrebleu, il enfile son pantalon tout comme moi : une jambe après l'autre. Je parierais ma chemise que c'est une fripouille lui aussi. Il le faut bien, sinon il ne serait pas arrivé où il en est. C'est pareil pour tous ces gros bonnets. Ils prennent de grands airs dignes mais ils ont tous la main tendue en douce.

— Je t'assure que Clara Hess te plairait, dit l'épouse.

— Mais qui c'est cette Clara Hess ? » Sans se soucier

de la réponse, l'inspecteur vida sa boîte de bière. « Remets-moi ça.

— Tu sais où en trouver.

— J'ai pris la dernière boîte.

— Non, il en reste et tu ne m'as même pas écoutée, sinon tu saurais qui est Clara Hess.

— Bon, ça va », dit-il. Il se leva, non sans peine, et s'en alla à la cuisine. « Ne touche pas ce poste ! dit-il. J'ai le droit d'admirer le gratte-ciel que j'ai construit de mes propres mains.

— Tu n'as rien construit du tout. Tu as regardé les autres travailler.

— Justement. Personne d'autre que moi ne veille à ce que tout soit fait correctement. »

Si on savait ! Mais ça, il ne le confierait à personne. Parfois, en général pendant la nuit, des inquiétudes montaient à la surface, des espèces de craintes stupides au sujet de Dieu, du Bien et du Mal. Elles le tourmentaient mais il n'en était plus là, sacrebleu ! il était capable de mener sa barque à sa façon sans se soucier de bêtises aussi puériles. L'expérience avait appris à l'inspecteur qu'il existe deux espèces de types en ce monde et deux seulement : ceux qui gagnent et ceux qui perdent. Voilà déjà longtemps qu'il avait choisi.

Quand on y regarde de près, se disait-il, on voit n'importe où, *absolument partout,* quelques mirotons qui ont ce qu'il faut et d'autres, bien plus nombreux, qui se contentent de ce qu'on leur donne. Il l'avait déjà constaté à l'armée quand il était encore presque un gosse. Certains de ses camarades étaient toujours de corvée de patates ou envoyés en patrouille, ou bien ils figuraient sur le merdier d'un gradé quelconque. Ça, c'étaient les perdants nés. D'autres couchaient dans des lits douillets à un PC quelconque parce qu'ils étaient secrétaires de compagnie. Et là, ils ne risquaient pas de recevoir un coup de fusil. Devenir un héros, ça, c'est à peu près acceptable. Mais au prix de sa vie, non.

Dans l'inspection municipale des bâtiments c'est le même

bordel. Il y a des pauvres caves qui s'en tiennent toute leur vie au règlement et qu'est-ce qu'ils y gagnent ? Une retraite qui leur permet à peine de se couvrir les fesses. Ils se privent de toutes les choses auxquelles tous les citoyens ont droit comme le répètent les fripouilles de la politique qui quêtent les suffrages.

Alors, si on permet à un sous-traitant d'économiser un peu ici, et un peu là, on se fait un petit rabiot. Personne n'y perd rien, et surtout personne n'en sait rien. La discrétion, voilà ce qui compte, le secret même. Chacun voit midi à sa porte. C'est la vie. Et ceux qui prétendent le contraire ne sont que des imbéciles ou des menteurs. En fin de compte il y a deux catégories de types. D'une part ceux qui ne se défendent pas et ceux qui se font pincer ; d'autre part, ceux qui se défendent et ferment leur clapet. Pas plus compliqué que ça.

L'inspecteur ouvrit une boîte de bière et la but debout auprès de son énorme réfrigérateur-congélateur. Bizarre quand même : il lui avait suffi de voir la Tour sur l'écran de la télé pour récapituler toutes ces idées. Eh bien oui, la tâche était terminée, mais pas encore oubliée. Les années de construction du gratte-ciel compteraient dans sa vie.

« Harry ! s'écria sa femme. Tu m'apportes ma bière ?

— Tais-toi, je pense ! » dit Harry.

Chaque chantier laisse des souvenirs. Parfois celui d'une période de temps glacial à geler les burnes d'un singe en laiton, parfois, un accident comme celui du gros Polack qui était tombé d'une poutre tout en haut et s'était répandu partout par terre. Ou bien, l'accident du jeunot tué dans le métro en rentrant du boulot. On se rappelle tout ça, c'est vrai. Et puis des fois on se demande : comment ? pourquoi ?

Ce Polack, par exemple, Harry avait toujours soupçonné que quelqu'un l'avait poussé. C'était un gaillard énorme. Un dur. Or, Harry aimait à penser qu'en ce monde des caves comme ça, qui croient tout savoir, finissent par tomber sur un bec, comme ils le méritent.

Quant au jeunot tué dans le métro, ça, c'était une autre affaire. Un emmerdeur ! Il faisait des tas d'histoires au sujet des ordres de dérogations au cahier des charges. S'il avait vécu plus longtemps quelqu'un aurait peut-être fini par l'écouter et le prendre au sérieux. A la réflexion, cet accident a peut-être drôlement arrangé les affaires de quelqu'un. Harry n'y avait encore jamais pensé. Ce quelqu'un, ce n'était pas Harry qui, lui, avait conservé les ordres de modification dûment signés afin de les montrer à quiconque demanderait pourquoi on avait supprimé tels circuits de sécurité. Il avait laissé exécuter ces ordres sans poser de questions. Seuls les nigauds cherchent des histoires.

Mais quand même la chance avait peut-être bien servi quelqu'un lorsque le jeunot était tombé sous un métro express. Tombé ? Harry avait vu à la télé combien il est facile, aux heures de presse, de pousser quelqu'un sur la voie. Alors ce n'était peut-être pas une question de chance. Quelqu'un avait peut-être trouvé un bon moyen de clore le bec au jeunot. La nature humaine étant ce qu'elle est, Harry ne doutait pas un instant que quelqu'un pourrait recourir à un tel procédé pour se défendre.

« Viens, Harry ! Il se passe quelque chose de drôle ! »

Harry soupira et sortit de la cuisine. « Je t'ai dit de ne pas toucher à ce poste. Si ta Clara Hess est si drôle... » Dès qu'il vit l'image sur l'écran, il se tut.

La caméra était braquée sur un panache de fumée sortant du gratte-ciel. Le speaker disait : « Nous ne savons pas de quoi il s'agit, mes amis, mais nous avons envoyé un reporter à... Le voilà. Qu'est-ce qui se passe George ? Elle est normale cette fumée ? »

Dans son salon Harry répondit : « Foutre non, elle n'est pas normale. Il y a quelque chose qui brûle quelque part dans cette Tour et ils feraient bien de s'en occuper en vitesse. » Il s'assit mais n'inclina pas le dossier du fauteuil. « Qu'est-ce qui se passe ?

— Apparemment, tu n'as pas construit cette tour très correctement, dit sa femme.

— Ça suffit !

— Quand je vois de la fumée sortir de mon four, je devine tout de suite que j'ai mal calculé mon temps de cuisson. C'est pareil.

— Boucle-la ! »

Ils regardèrent l'arrivée des voitures de pompiers, virent les tuyaux serpenter sur la place, puis la fumée sortir des portes du vestibule.

George ne parut pas sur l'écran mais on l'entendit arriver, essoufflé devant le micro. « Le feu a éclaté au quatrième étage. Nous venons de recevoir un rapport. Tout indique que l'incendie aurait été allumé... »

L'inspecteur reprit son souffle. Incendie banal, rien à voir avec les micmacs dissimulés derrière les cloisons, rien à voir avec ce qui le tracassait parfois. Il fit basculer le dossier de son fauteuil et but une bonne rasade de bière.

« Ces incendies de hasard peuvent être graves parfois, dit-il du ton judicieux de l'homme qui s'y connaît. Mais il n'y a pas à s'inquiéter. Etant donné la manière dont ce building est construit, les pompiers viendront à bout de ce feu en un rien de temps. Il y a des bouches d'arrosage automatique aux plafonds, des portes qui se ferment automatiquement pour empêcher les appels d'air. Et les gaines de climatisation éliminent la fumée. » Il haussa les épaules.

« *S'amuser en famille* est presque fini, lui dit sa femme, et tu ne m'as pas apporté de bière. Ah, je peux dire que j'ai un mari galant !

— Doux Jésus ! » souffla Harry en se levant.

Il prit d'abord une seule boîte de bière dans le frigo, puis il le rouvrit pour en prendre une seconde. Il vida celle qu'il avait à la main en trois gorgées, ouvrit les deux autres et retourna au salon.

« Ça fume toujours beaucoup, dit sa femme. Si ton building est tellement bien construit, comment se fait-il que l'incendie dure si longtemps ? » Elle prit la boîte de bière qu'il lui tendait machinalement et but. « Nous devrions peut-être avoir deux postes de télé, reprit-elle. Tu regarderais ce qui te plaît et moi aussi. Qu'est-ce que tu en dis ?

— Ah zut, alors ! Sais-tu ce qu'a coûté ce poste en couleur auquel tu tenais tant ? Et le voyage en Floride que tu m'as réclamé tout l'hiver ? Tu crois que je fabrique de l'argent ?

— J'ai seulement dit que si nous avions deux postes de télé tu pourrais regarder les matches de base-ball tous les soirs et le football le lundi et ainsi de suite, et moi...

— Tu regarderais Clara Machintruc. Et quoi, merde alors ! Le poste est à toi toute la semaine, du lundi au vendredi... »

L'image sur l'écran vacilla tout à coup. Il y eut un moment de silence. Puis le bruit lointain d'un choc sourd.

« Qu'est-ce que c'est ? » souffla Harry.

D'une voix qui chevrotait un peu, le speaker dit : « Nous ne savons pas exactement ce qui s'est passé, mais je peux préciser que le sol a tremblé. Si j'étais encore au Viêt-nam je croirais qu'une attaque au mortier vient de commencer. Hé là, chef ! pouvez-vous nous dire ce qui se passe ? »

En passant à travers la foule, le microphone capta le murmure d'une cohue surexcitée comme au coup d'envoi d'un match. Il sembla que les spectateurs jubilaient.

« Qu'est-ce que c'est, Harry ? demanda l'épouse de l'inspecteur.

— Comment veux-tu que je le sache ? Quelqu'un a peut-être caché une bombe à retardement dans cet édifice. Tu as entendu comme moi. »

Soudain les bruits confus cessèrent. On entendit de la publicité. Enfin, le speaker reprit : « Voici monsieur Brown, le commissaire adjoint à la défense contre l'incendie, messieurs, mesdames. Peut-être pourra-t-il nous renseigner. Commissaire ?

— Je ne peux pas dire grand-chose pour l'instant, répondit Brown. Nous savons qu'il s'est produit quelque chose qui ressemble à une explosion, dans la salle du principal transformateur, au sous-sol. Le gratte-ciel est complètement privé d'électricité. Il y a deux cadavres là, en bas. On envisage l'hypothèse d'un sabotage. A part ça... » Le commissaire adjoint haussa les épaules.

« Et les génératrices de secours ? dit Harry. Qu'est-ce qu'elles deviennent ces foutues génératrices ? »

Le speaker demanda au commissaire : « Qu'est-ce qu'elle représente cette panne de courant ? Plus de lumière ? Plus d'ascenseurs ? plus de climatisation ? Tout ça, c'est kaput ?

— Oui, pour le moment. Si vous voulez bien m'excuser... »

Au moment où le commissaire adjoint s'éloignait, le microphone capta dans la foule une conversation entre Giddings et Nat Wilson.

« S'il s'agit d'un court-circuit, dit Giddings, il aurait dû filer droit à la terre. C'était prévu comme ça dans le plan, sacré Bon Dieu !

— D'accord, dit Nat d'un ton las parce qu'il avait déjà entendu répéter cette remarque plusieurs fois. D'accord, à condition qu'on ait respecté les plans. Mais si quelqu'un les a modifiés ? » Les voix se turent. Le sketch publicitaire d'une soupe apparut sur l'écran.

« Harry ! » La femme de l'inspecteur hurlait. « Harry, pour l'amour du ciel, qu'est-ce qui se passe ? On croirait que tu as vu un fantôme ! »

Harry tendit le bras pour poser sa boîte de bière sur la table auprès de son fauteuil. Il la laissa tomber et la bière moussa sur la moquette. Ni l'un ni l'autre ne le remarqua.

« Qu'est-ce qu'il y a, Harry ? Je t'en supplie, parle. »

Harry se passa la langue sur les lèvres. Il avait la gorge sèche et un affreux goût de bile dans la bouche. Comment ça se fait ? Il prit une profonde inspiration et dit enfin, lentement, d'une voix hargneuse : « Bon, ça va ! Tu l'as eue ta sacrée télé en couleur, pas vrai ? Tu l'as eu, ton voyage en Floride ? » Il ajouta presque aussitôt : « T'as eu ce que tu voulais, eh bien, ne l'oublie pas. »

15

16 heures et 43 minutes — 16 heures et 59 minutes

Là-haut, dans le bureau, le gouverneur dit mélancoliquement : « Alors il ne nous reste plus qu'à attendre.

— « Quand le viol est inévitable »... commença Jake Peters. Hé, où allez-vous Bent ?

— J'ai promis un compte rendu.

— Ah, pour l'amour du ciel ! s'exclama Frazee, la situation n'est peut-être pas aussi mauvaise qu'ils le disent. Gardons ça pour nous tant que nous ne serons sûrs de rien.

— J'ai fait une promesse, dit le gouverneur avec son sourire de loup qui découvrait ses dents. J'entends la tenir. D'ailleurs les autres ont tout autant que nous le droit de savoir où ils en sont. Et peut-être encore plus parce qu'aucun d'entre eux n'a le moindre rapport avec ce qui s'est passé.

— Et moi oui ? dit Frazee. Ecoutez donc, Bent...

— Nous penserons aux responsabilités plus tard », dit le gouverneur. Il baissa la tête vers Beth Shirley. « Inutile de venir.

— Mais je tiens à y être. »

Il passait assez de lumière à travers les vitres teintées des fenêtres. D'ailleurs les garçons avaient trouvé une provision de bougies et en avaient placé un peu partout autour de la salle. Le gouverneur pensa que le décor était assez agréable pour une réunion aussi futile... mais l'était-elle encore ? Lorsqu'il entra avec Beth à son bras, les conversations ralentirent et cessèrent.

Ils allèrent jusqu'au milieu de la pièce, il fit signe à un garçon d'apporter une chaise, monta dessus et dit à pleine voix : « Dans ma jeunesse j'ai parlé au coin des rues juché sur une caisse d'emballage. Cette tribune suffira donc. » L'exorde doit toujours être divertissant... Qui lui avait enseigné cela, voilà bien longtemps ? Aucune importance. Il attendit que le murmure de rires s'apaisât.

« J'ai promis un compte rendu. Voici où nous en sommes... »

Beth observait, écoutait. Elle se dit : je n'ai aucun droit d'être ici, mais si je pouvais me retirer est-ce que je le ferais ? Certainement pas.

Elle considéra les visages les plus proches. Sur la plupart elle vit un sourire figé comme celui d'un masque et remarqua quelques expressions d'étonnement et une ou deux d'agacement.

Il y avait le jeune représentant Cary Wycoff qu'on lui avait présenté. Prenait-il cette attitude lorsqu'il attendait, à la Chambre, qu'un adversaire politique termine son exposé ? Il semblait tendu, presque crispé. Elle le soupçonna de retenir une riposte malveillante. Ses yeux restaient fixés sur le visage du gouverneur.

Il y avait Paula Ramsey, la femme du maire, grande, sereine, qui souriait comme elle l'avait fait au cours d'un millier de réunions mondaines et pendant les campagnes électorales de son mari. Son regard croisa celui de Beth et elle lui adressa un clin d'œil de complicité juvénile. Selon toute évidence elle n'avait pas conscience du danger. Le secrétaire général de l'ONU et l'ambassadeur soviétique à cet organisme se trouvaient juste en face du gouverneur. Leurs visages n'exprimaient absolument rien. Beth remarqua que, sorti du bureau, le sénateur Peters, adossé à un mur, observait la scène. Quel homme étrange à la fois grossier et complexe ! pensa-t-elle. Depuis des années il lui était arrivé de lire, au hasard, dans des journaux ou des revues, des articles consacrés aux réussites et aux petites manies du sénateur. A cet instant elle les jugea remarquablement exacts.

Ornithologue amateur il avait la compétence de bien des professionnels et son catalogue des oiseaux du bassin de Washington faisait autorité. Inspirateur de la grand-route des Appalaches, il en avait reconnu à pied tout le tracé, de bout en bout, sur trois mille deux cents kilomètres. Il lisait couramment le grec et le latin, parlait le français et l'anglais avec l'accent des faubourgs de grandes villes américaines. Son répertoire de petits poèmes grivois était plus abondant que celui de tous les autres membres du Congrès des Etats-Unis. Comme pour Beth, sa présence à cette cérémonie était due, au moins dans une certaine mesure, au hasard.

Ou au destin. Appelez ça comme vous voudrez. Elle était là et il y était aussi ; l'un et l'autre auraient pu ne pas y être. Combien de fois avait-elle entendu raconter l'histoire du voyageur qui, arrivé en retard à l'aéroport, rate l'avion qui s'écrase peu après le décollage. Cette idée lui donna un choc mental : acceptait-elle déjà l'éventualité du désastre ?

Son attention se reporta sur le gouverneur qui poursuivait son exposé.

« Le téléphone fonctionne. » Il sourit tout à coup. « C'est ainsi que j'ai appris ce que je vous dis. Je n'ai rien inventé. » Il ne s'était pas attendu à provoquer des rires mais se réjouit d'en entendre car ils témoignaient d'un bon moral. « Les secours sont en route. Des pompiers gravissent l'escalier de chaque côté du building. C'est une longue ascension comme vous pouvez vous en douter, aussi soyons patients. » Il se tut. Avait-il tout dit ? Il lui sembla que oui et qu'il lui restait seulement à conclure. « Ce qui nous arrive n'était pas prévu au programme de la cérémonie. Mais nous sommes ici pour nous divertir et c'est ce que j'ai l'intention de faire en attendant que la situation revienne à la normale.

— Et si elle n'y revient pas ? clama Cary Wycoff avec une insolence hargneuse. Qu'arrivera-t-il, gouverneur, si la situation ne revient pas normale ? »

Bent Armitage descendit de la chaise et dit tout bas au jeune représentant : « Vous vous égarez, Cary. Rappelez-vous ce qu'a dit le juge Holmes : la liberté de parole n'implique pas le droit de crier au feu dans un théâtre bondé. C'est exactement ce que vous faites. Pourquoi ? Rien que pour vous rendre intéressant ? »

Wycoff rougit mais tint tête. « Le public a le droit de savoir, dit-il.

— C'est un lieu commun et, comme la plupart, il est à la fois justifié et trompeur. L'assistance a le droit de connaître les faits et c'est pourquoi j'ai présenté un compte rendu. Mais elle n'a pas le droit, et je suis certain qu'elle n'a pas envie non plus, d'être terrifiée à en perdre la tête par un jeune homme tapageur qui braille comme un fanatique religieux annonçant la fin du monde sur une place publique. On vous accorde un certain bon sens ; c'est le moment d'en faire preuve. » Il se tourna vers Beth.

Elle vint vers lui et lui prit le bras. « Excellente allocution, dit-elle en souriant. Je continuerai à voter pour vous. Les circonstances m'enseignent les ficelles de la politique. »

Le gouverneur lui couvrit la main de la sienne et la pressa doucement. « Dieu merci, dit-il, tout le monde ne perd pas son sens de l'humour ici. »

Elle avait cru que le gouverneur retournerait dans le bureau qu'elle considérait déjà comme le poste de commandement. Mais il resta dans la salle et elle devina qu'il espérait rassurer par sa présence. Ils allèrent ensemble de groupe en groupe, s'arrêtant juste le temps des présentations quand c'était nécessaire et d'échanger quelques politesses sans intérêt très évident.

Au secrétaire général de l'ONU : « Walther, permettez-moi de vous présenter à... » Puis ils échangèrent quelques plaisanteries de bon goût.

A une actrice qui n'était plus dans sa première jeunesse : « Il y eut un film à grand spectacle, naguère, longtemps avant votre temps ; il s'appelait *King Kong*. On y voyait un gorille titanique sur l'Empire State Building. J'ai presque envie de voir apparaître King Kong. Il ferait au moins diversion.

— Vous êtes bien gentil, gouverneur ; non seulement ce film est bien de mon temps, mais j'y ai joué un petit rôle. »

Au PDG d'un réseau de radio-télévision : « Croyez-vous que vos gens s'intéressent suffisamment à nous, John ?

— S'ils nous négligent, des têtes rouleront dans la sciure, répondit John en souriant. Nous devrions en tirer un documentaire sur la manière dont la civilisation peut être victime de sa présomption. Nous savons comment construire le building le plus haut du monde, mais nous ne sommes pas certains de savoir comment en faire sortir ceux qui s'y sont aventurés. Savez-vous s'il y a un poste de télévision portatif quelque part dans cette salle ? Ou au moins un transistor ?

— Bonne idée, dit le gouverneur. Je vais me renseigner. » Mais quand il se fut éloigné il confia à Beth : « Si je trouve un poste de télé, je le mets à l'abri du public. Les gens de l'extérieur doivent dramatiser et probablement nous ont-ils déjà condamnés.

— Le sommes-nous, Bent ? »

Le sourire du gouverneur ne changea pas. C'est à peine s'il serra le bras de Beth. « Vous avez peur ? demanda-t-il tranquillement.

— Oui, je commence à avoir peur.

— Eh bien, moi aussi. Entre nous, ma chère, je préférerais de beaucoup être là-bas, sur cette prairie du Nouveau Mexique, une canne à lancer à la main, en train de ferrer une truite « coupe-gorge » comme l'appellent les gens du pays. » Il se pencha vers elle. « Avec vous, ajouta-t-il. Si ça prouve mon égoïsme et ma lâcheté, eh bien, tant pis. »

Il allait en dire plus lorsqu'on l'interrompit. « C'est un scandale Bent ! s'exclamait un homme de haute taille aux cheveux grisonnants ; le type même du PDG de combat, pensa Beth qui faillit ricaner quand la présentation confirma son intuition.

« Bonjour Paul, dit le gouverneur. Je suis d'accord avec vous. Miss Shirley, voici Paul Norris... *J.* Paul Norris. »

Il poursuivit sur le même ton : « Scandaleux, c'est le mot qui convient, Paul. Qu'est-ce que vous suggérez ?

— Mais que diable ! Quelqu'un devrait être capable de faire quelque chose ! »

Le gouverneur hocha la tête. « Je suis tout à fait de votre avis. » Son sourire s'épanouit. « Et vous êtes exaucé, mon cher Paul. L'armée s'occupe de nous. » Il montra deux hélicoptères qui approchaient de l'édifice.

Beth songea : comme ils semblent libres, à la fois proches et distants, tellement loin de cette... cette prison !

Le gouverneur serra la main qu'elle avait posée sur son bras. « Voici la diversion que j'attendais. Maintenant nous pouvons retourner à notre PC. »

Le sénateur Peters fit un pas pour les intercepter. « Je reste ici, Bent, dit-il, mais si vous avez besoin de moi pour quoi que ce soit... » Il ne termina pas mais son offre était clairement illimitée. « Je ne joue pas le même rôle que vous. Vous êtes le chef, l'administrateur, l'organisateur. Moi, je me tiens hors de la chaîne du commandement et ça me convient parfaitement.

— Vous me paraissez un peu réconcilié avec l'espèce humaine, Jake. »

Le sénateur jeta un coup d'œil circulaire autour de lui et hocha lentement la tête. « Tout le monde se conduit très bien. Jusqu'à présent. »

Ainsi donc, pensa Beth, le sénateur aussi accepte l'éventualité du désastre. Ça rappelle un roman de Tolstoï : nous en sommes au grand bal avant la bataille catastrophique... Comme c'est ridicule !

« Peut-être, dit le gouverneur (avait-elle exprimé son idée à haute voix ?) et peut-être pas. Toute notre civilisation repose sur un certain sentiment de dignité. Ailleurs on se conduit autrement. Personnellement je ne trouve guère attrayants les gens qui se frappent la poitrine à coups de poing, s'arrachent les cheveux et grincent des dents. Et vous ? » Il se pencha vers elle en souriant. « Question inutile. Je sais que vous non plus vous n'aimez pas cela. La défaite...

— Avez-vous déjà rencontré la défaite, Bent ? Je veux tout savoir à votre sujet.

— J'ai souvent été vaincu. En politique comme en sport. On gagne parfois, parfois on perd. Perdre n'est pas plus agréable pour ça, mais on s'y habitue un peu quand même. »

Dans le bureau, Grover Frazee était assis devant un verre contenant un liquide marron foncé. « Vous avez parlé aux populations ? Vous leur avez révélé des choses désagréables et vous avez carrément désigné les responsables, pas vrai ? » Ce breuvage lui faisait de l'effet.

« Et qui sont ces responsables, Grover ? demanda le gouverneur en s'asseyant à l'angle du bureau. Voilà un point que je voudrais éclaircir. »

Frazee fit un grand geste confus de dénégation. « Will Giddings est venu à mon bureau et m'a raconté une histoire à dormir debout. Je n'y ai pas compris un mot.

— Ce n'est pas tout à fait exact, Grover, dit Ben Caldwell. Vous sembliez avoir assez bien compris quand vous m'avez téléphoné à ce sujet. » L'architecte se tourna vers le gouverneur. « On a découvert tardivement des permis de dérogation au cahier des charges nous permettant de soupçonner que l'installation électrique du building n'est pas conforme au plan original. Jusqu'à présent nous ne savions pas si on en avait tenu compte. » Il montra les bougies : seul éclairage du bureau. « Désormais, nous avons toutes raisons de croire que ces ordres ont été exécutés.

— Saviez-vous que cette éventualité pouvait être redoutable ? demanda le gouverneur à Frazee.

— Et que diable ! je ne suis pas ingénieur ! s'exclama Frazee. Cessez de me rendre responsable de tout. Giddings m'a montré ces foutus permis et je lui ai dit que je n'y comprenais rien.

— Et que vous a dit Will à ce moment-là ? demanda Ben Caldwell.

— Je ne me le rappelle pas. »

Certains grandissent en temps de crise, pensa Beth, mais d'autres rétrécissent. Le sémillant patricien Frazee était déjà plus petit que grandeur nature et se ratatinait encore. Elle éprouva pour lui un mépris affligé.

— Vous m'avez téléphoné pour me demander si je croyais préférable de remettre l'inauguration : cérémonie et réception, reprit Caldwell. Pour y avoir pensé il faut bien que vous ayez compris ce que vous avait dit Giddings. Si c'est lui qui vous a suggéré d'annuler le programme, vous avez au moins dû comprendre qu'il s'agissait d'une affaire grave. » La logique est d'une froideur impitoyable. « Qu'est-ce qui s'est passé au juste, Grover ? »

D'un geste automatique, Frazee saisit son verre et le lâcha aussitôt. « Vous m'avez dit qu'il était inutile de remettre la réception.

— Non, dit Caldwell froidement. Je vous ai dit que les affaires de relations publiques ne sont pas de mon domaine. Ce n'est pas la même chose, Grover. Vous... »

Le gouverneur intervint. « On vous a posé une question, Ben. Que Giddings ait demandé la remise de la réception ou que Grover y ait pensé, ça n'a guère d'importance. En qualité de technicien, avez-vous prévu la possibilité du danger ? »

La question resta un moment en suspens puis Caldwell répondit : « Ma réponse s'impose à l'évidence. Je suis venu en personne. Je suis ici avec vous tous. » Il parlait avec un calme presque glacial. « Personne ne pouvait prévoir qu'un dingue descendrait dans la salle du principal transformateur. Personne ne pouvait prévoir non plus l'incendie qui a éclaté au quatrième étage et qui, à lui tout seul, ne pouvait guère provoquer qu'un désagrément minime. Mais si on ajoute ces deux éléments aux ordres de modifier le câblage dont on a sans doute tenu compte... » Il secoua la tête. « Comme je l'ai déjà dit, il s'agit d'une succession d'erreurs en chaîne.

— Et jusqu'où peut-elle conduire, cette chaîne ? »

De nouveau Caldwell secoua la tête. « Vous me demandez de prononcer un jugement impossible, gouverneur. »

Le maire intervint à son tour : « On vous pose une question précise, Ben, on vous demande un jugement et pas une échappatoire. »

Tiens, même mon cousin Bob dont je n'ai jamais fait grand cas est capable de rester lucide et de faire preuve d'autorité dans une crise pareille, pensa Beth. Jusqu'alors elle avait rencontré peu d'hommes capables de faire face à n'importe quelle circonstance.

Caldwell hocha lentement la tête. « Je vois », dit-il. Il s'adressa au commissaire à la défense contre l'incendie. « Demandons à vos gens de prononcer un jugement et ensuite vous me permettrez de parler à Nat Wilson. »

La voix du commissaire adjoint Brown sonna creux dans le petit haut-parleur du bureau. « Nous faisons de notre mieux... commença-t-il.

— Ce n'est pas une réponse, Tim, dit le commissaire. Je sais que vous faites de votre mieux. Je veux savoir ce que vous avez accompli jusqu'à présent et quelles sont les perspectives. »

Son adjoint hésita avant de répondre : « A vrai dire, les perspectives ne sont pas très brillantes. Comme vous le savez, notre matériel ne permet pas de vous atteindre là-haut. D'une part, nous essayons de grimper par l'extérieur aussi haut que possible. En outre, deux hommes montent par chaque escalier intérieur. Tout au moins ils essaient de monter. Ils ont des masques...

— Beaucoup de fumée ?

— Trop. Combien de temps vont tenir les portes pare-feu ? Personne ne peut le deviner à coup sûr. Si la température s'élève suffisamment...

— Je suis au courant, Tim. Continuez. »

Brown reprit d'une voix presque irritée : « Le nommé Wilson, un homme de Caldwell, me tracasse pour que je téléphone aux garde-côtes...

— Et pourquoi, mon Dieu ?

— La garde a des engins qui permettent d'expédier un câble de secours aux bateaux en difficulté. Wilson croit que peut-être, peut-être seulement.. » Le commissaire adjoint se tut.

« Wilson a au moins des idées, dit le commissaire.

— Il en a même une autre aussi tirée par les cheveux.

— Mettez-le en ligne. » Le commissaire fit signe à Caldwell.

« Allô Nat, ici Caldwell, dit l'architecte. A quoi pensez-vous ?

— Si nous pouvons amener une ligne volante de la sous-station, nous pourrons peut-être faire fonctionner un des ascenseurs express. J'ai demandé à Joe Lewis de s'en occuper. Il nous faudra des hommes...

— Simmons vous en fournira.

— Oui, répondit Nat dont la voix avait changé. J'ai hâte de parler à Simmons et pas que de ça. »

Caldwell interrogea du regard ceux qui étaient près de lui. « Vous avez entendu ? » demanda-t-il.

La voix de Nat retentit de nouveau dans le haut-parleur. « Les hélicoptères ne voient pas grand-chose. Les mâts qui pointent au sommet de la Tour leur interdisent d'atterrir.

— Bon, tant pis, Nat, dit Caldwell. Merci. »

Personne ne dit plus rien durant un long moment.

Le gouverneur fut le premier à prendre la parole. « Jusqu'à présent je n'avais connu de situation comme celle-ci que dans mes lectures et je ne m'attendais pas à affronter de telles circonstances. » Il sourit. « Quelqu'un sait jouer au jacquet ? »

Il était seize heures et cinquante-neuf minutes. Trente-six minutes s'étaient écoulées depuis l'explosion.

16

16 heures et 58 minutes — 17 heures et 10 minutes

Insensibles ? indestructibles ? le béton et l'acier ? Non. Le gratte-ciel souffre et les deux pompiers qui montent péniblement l'escalier perçoivent la fièvre du malade, même à travers les portes pare-feu.

Denis Howard et Lou Storr s'arrêtèrent pour reprendre leur souffle au trentième étage. Seule la chaleur était constante mais la densité de la fumée variait et l'air était clair à ce niveau. Ils retirèrent leur masque avec soulagement.

« Sainte mère de Dieu ! souffla Howard. Est-ce que tu te sens pareil à une chèvre de montagne ? » Il haletait péniblement.

« Tu fumes trop, je te l'ai déjà dit, répondit Storr. Moi j'ai cessé et regarde. » En réalité sa respiration était aussi pénible que celle de Howard.

« Il nous en reste quatre-vingt-quinze à gravir. »

Ils respirèrent en silence pendant un moment, puis Howard reprit : « Tu te rappelles ce poème qu'on a appris à l'école, au sujet d'un môme un peu toqué qui traversait un village en agitant un drapeau sur lequel était écrit *Excelsior ?* demanda Howard.

— Oui, quelque chose dans ce genre-là, dit Storr en hochant la tête d'un air las.

— Eh bien, je me suis toujours demandé où allait ce mouflet, dit Howard. Maintenant c'est moi qui me demande où je vais. » Il posa le pied sur la première marche. « Allons-y ! »

On avait monté du sous-sol le corps carbonisé, décemment couvert d'un drap, sur une civière. Les caméras de la télévision l'accompagnèrent jusqu'au camion de la morgue au pied duquel l'agent Barnes arrêta les brancardiers et souleva le drap pour observer attentivement pendant un bon moment le cadavre. « C'est notre zigue, Mike », dit-il à Shannon. Il pensa aussitôt : dire que j'aurais pu l'empêcher d'entrer ! Ces regrets, ces remords ne servaient à rien. « On sait son nom ? demanda-t-il à l'employé de la morgue.

— Il y en a un inscrit à l'intérieur de la boîte à outils... si c'est la sienne. »

Barnes examina la boîte à outils, noircie par l'explosion mais encore reconnaissable. « C'est bien celle qu'il portait.

— John Connors, dit l'employé de la morgue. John Connors, citoyen du monde. Un sinoque.

— Faut le dire au lieutenant, dit Barnes.

— En ce qui me concerne, le lieutenant peut prendre toute cette friture et en faire ce qu'il voudra. Tu as déjà entendu parler de fours à haute fréquence ? La cuisson instantanée. En voilà un exemple. »

Barnes partit en quête du lieutenant de police James Potter qui inscrivit le nom sur son calepin et soupira : « Très bien, c'est un début.

— J'aurais pu l'empêcher d'entrer, mon lieutenant, dit Barnes. J'aurais pu...

— Tu ne peux pas lire à travers les cartes à jouer, Frank, n'est-ce pas ? Moi non plus. Rien n'indiquait que c'était un louftingue muni d'explosifs. »

Barnes rejoignit Shannon devant la barrière qui contenait les badauds et le lieutenant s'en alla à la remorque du chantier. On y conférait. Potter soupira et s'appuya à une table à dessin en attendant la fin de l'entretien. Patty était juchée sur un haut tabouret. Le lieutenant se demanda vaguement ce qu'elle faisait là, mais il ne posa pas de questions.

« Nous avons deux solutions, dit à Nat un des chefs de bataillon : les escaliers ou bien, si vous pouvez accomplir un miracle, un ascenseur.

— Nous faisons de notre mieux, dit Nat. Ça marchera peut-être et peut-être pas... Ça n'ira d'ailleurs peut-être pas mieux par les escaliers. Arrivés à une certaine hauteur, vos hommes constateront peut-être qu'ils ne peuvent pas aller plus haut parce que l'incendie aura brisé un mur pour se propager dans la cage de l'escalier au-dessus d'eux. »

Le chef de bataillon pensa aussitôt à une autre hypothèse plausible : le feu pouvait envahir l'escalier *au-dessous* de ses hommes et alors, ce serait la fin. Il n'en dit rien.

« Il nous reste la troisième solution, dit Nat.

— Le fusil des garde-côtes pour expédier une ligne ? dit Tim Brown. Et quand le bout de la ligne sera dans la Salle d'honneur, s'il y arrive, que fera-t-on ?

— On installera un va-et-vient, comme dans la marine. »

Giddings regardait par la fenêtre de la remorque. « D'où à où ? demanda-t-il.

— De la Salle d'honneur, évidemment, jusqu'à la tour nord du Trade Center. C'est la plus proche et la plus haute. »

Les cinq hommes levèrent la tête vers le sommet des gratte-ciel qui, vus d'en bas, semblaient converger.

« Vous vous imaginez quelqu'un pendu dans un sac de toile avec les jambes qui passent chacune par un trou, à quatre cent cinquante mètres au-dessus de la rue et qui se balance au vent ? » dit Tim Brown en fixant sur Nat un regard incrédule.

Patty frémit.

« Très bien, dit Nat, presque brutalement. Qu'est-ce que vous préféreriez, vous ? Vous balancer dans un sac de toile, ce qui doit donner une frousse à en crever, je le reconnais, ou bien être réduit en cendres par un incendie qui ne s'arrêtera pas à mi-chemin du sommet ? Parce que c'est ça l'alternative.

— Sauf si on peut passer par les escaliers ou descendre en ascenseur, dit le chef de bataillon.

— Nous ne pouvons pas attendre », dit Nat.

Potter dit à la cantonade : « C'est même pas pile ou face. »

Tous les autres se tournèrent vers lui.

« Tu peux choisir le cheval qui te plaît dans cette écurie à condition que ce soit le plus proche de la porte », reprit le lieutenant. Il tira de sa poche un porte-cartes transparent pour exhiber son insigne. « Si l'un de vous peut m'accorder quelques minutes... »

La voix de Tim Brown éclata. « Ça va ! dit-il. Appelons les garde-côtes. Vous n'avez pas d'autre idée ? » ajouta-t-il à l'intention de Nat.

Il a la frousse, pensa Nat. Comme nous tous. « Pas pour l'instant », dit-il et il s'approcha de Potter. « Je ne sais pas si je peux vous être utile. »

Potter considéra l'insigne de Nat. « Architecte. Wilson. » Il marqua un temps d'arrêt. « John Connors. Est-ce que ce nom vous rappelle quelque chose ? »

Nat réfléchit un instant et secoua la tête.

« C'est celui qu'on a trouvé carbonisé dans le sous-sol, reprit Potter.

— L'électricien ? »

Potter haussa les sourcils. « Vous savez quelque chose à son sujet ?

— Les flics m'en ont parlé. L'agent noir. Cet homme était à l'intérieur du building et il circulait en ascenseur. Je l'ai entendu mais je ne l'ai pas vu. » Nat se rappela pendant un court instant l'ours grizzly qu'il n'avait jamais vu non plus, bien longtemps auparavant.

Tim Brown parla à pleine voix au téléphone, à l'extrémité de la remorque. « Mais bien sûr, capitaine, c'est insolite, je le reconnais. Et ça ne marchera peut-être pas. Mais nous n'avons guère d'autre solution. »

Sa voix retomba et ses propos devinrent inaudibles.

Potter dit à Nat : « L'autre homme qui est mort dans le sous-sol... » Il en resta là.

« Je ne le connais pas non plus, répondit Nat. Si je comprends bien il se trouvait au pupitre de l'ordinateur. »

Potter réfléchit un moment sans rien dire, puis il demanda : « Quand la catastrophe s'est produite, est-ce que ce type aurait pu faire quoi que ce soit s'il avait été vivant ? Est-ce pour ça qu'on lui aurait fendu le crâne ? »

Nous voilà tous ici, en train de parler tranquillement de ce qui s'est passé alors que la seule chose importante est ce qui va arriver à l'édifice, aux hautes personnalités qui sont dans la Salle d'honneur, pensa Nat. Qu'est-ce qu'elles vont devenir si personne ne trouve un moyen de les ramener ici, à terre ?

Il eut envie de rembarrer le lieutenant en lui disant que cette question était hors de propos. Mais elle ne l'était pas. Il faut cheminer dans les deux directions, se dit-il, vers l'avant et vers l'arrière. Pourquoi ? Parce qu'en apprenant ce qui s'est passé on saura peut-être empêcher que ça se reproduise.

« Je vous réponds oui, dit Nat à Potter. Mais je vous avoue que je n'en suis pas sûr. Le pupitre de l'ordinateur aurait signalé à peu près tout incident dans l'immeuble et y aurait paré automatiquement. Mais pour plus de prudence, un homme le surveillait. Il aurait remédié à une défaillance du système. Peut-être, en effet, aurait-il eu le temps de faire quelque chose. » Nat réfléchit un bref instant. « Voici ce qui me paraît vraisemblable : Connors, si c'est bien lui qui a fait le coup, *soupçonna* que l'homme de l'ordinateur *pourrait* faire quelque chose et il l'élimina d'avance. »

Patty remua sur son tabouret et toussota pour s'éclaircir la gorge. Nat et le lieutenant Potter se tournèrent vers elle et attendirent. « Je ne voudrais pas... vous déranger, dit-elle.

— Je vous en prie, madame, dit le lieutenant. Si vous avez une idée quelconque, parlez.

— Si ce Connors savait qu'il y avait un ordinateur au

pupitre duquel veillerait quelqu'un, c'est que ce Connors connaissait l'édifice et la manière dont il fonctionnait. »

Nat sourit en l'écoutant. « Bravo ! » dit-il. Puis il s'adressa à Potter : « Connors aurait donc probablement travaillé à la construction du bâtiment, semble-t-il. Ce serait pour ça qu'il y circulait si aisément.

— Alors, les livres de papa indiqueraient s'il a travaillé pour l'entrepreneur, dit Patty. A défaut, la comptabilité d'un sous-traitant nous révélera s'il faisait partie d'une de ses équipes.

— J'ai dit qu'il était électricien, reprit Nat lentement, mais je n'en suis pas sûr. Pour tripoter le primaire du transformateur il fallait être diablement ignorant ou avoir envie de se suicider. Autant s'asperger d'essence et allumer une allumette. Et encore, on peut survivre aux brûlures. »

Patty frémit de nouveau puis elle dit : « Je vais téléphoner au bureau de papa pour demander qu'on cherche si le nom de Connors figure sur le livre de paie. » Elle descendit du tabouret, heureuse d'avoir quelque chose à faire pour occuper son esprit qui retournait sans cesse vers le lit d'hôpital où gisait son père.

Nat sourit en la regardant s'éloigner.

Et voilà Tim Brown qui approche sur ses longues pattes de cigogne, ses cheveux roux hérissés. « Les garde-côtes nous envoient quelques hommes et du matériel. » Il haussa les épaules avec humeur. Ils pensent que ça ne marchera pas, mais ils consentent à voir sur place ce qui est possible. Malheureusement la tour la plus proche du Trade Center est probablement trop éloignée pour qu'on puisse de là envoyer une ligne dans la salle de la World Tower. Si c'est impossible... tout est foutu.

— On verra », dit Nat, l'air pensif.

Paul Simmons était déjà dans la chambre d'hôtel quand Zib arriva, essoufflée, le visage empourpré. Elle jeta un coup d'œil au poste de télévision. Il était éteint. Il n'est pas au courant, pensa-t-elle. Il croit que rien n'a changé. « Non, dit-elle en s'écartant de Paul qui tendait les bras. Je ne suis pas venue pour ça.

— Quelle nouveauté ! Alors, pourquoi m'as-tu convoqué ? »

Elle s'étonna de se sentir presque calme : résignée eût peut-être mieux convenu. « J'ai une commission pour toi, dit-elle d'une voix assez tranquille. On a besoin de toi à la World Tower. »

Elle fit un pas vers le poste de télévision et l'alluma. L'écran s'éclaira. On y vit la place, les voitures de pompier, les tuyaux, des gens en uniforme : une scène de confusion ordonnée. Zib abaissa le volume du son.

« Nat m'a téléphoné, dit-elle. Il a essayé de te joindre. En vain. Patty est là-bas avec lui et elle lui a dit que je saurais peut-être où te trouver.

— Je vois, dit Paul en regardant l'écran silencieux de la télévision. Qu'est-ce qui se passe ?

— Il m'a seulement dit que plusieurs incendies font rage dans le gratte-ciel, que Bert McGraw est à l'hôpital, qu'il a une crise cardiaque, qu'une centaine de personnes sont prises au piège dans la Salle d'honneur et qu'il a quelques questions à te poser. » Etait-ce tout ? Ces mots s'étaient répétés d'eux-mêmes dans son esprit depuis qu'elle avait raccroché le téléphone après sa conversation avec Nat.

« Pris au piège, répéta Paul, le regard fixé sur l'écran. Ça signifie qu'il n'y a pas d'ascenseurs, pas de courant électrique. » Enfin il se tourna vers Zib. « Et quelles questions veut-il me poser exactement ?

— Il ne l'a pas dit.

— C'est tout ce qu'il a raconté ? » demanda Paul avec un petit sourire mi-narquois, mi-intrigué.

Zib ferma les yeux et secoua la tête. Toute la conversation tonna dans sa mémoire. Elle rouvrit les yeux. Paul lui fit l'effet d'un étranger indifférent à toute l'affaire. « Il m'a dit exactement ceci : Où est ce salopard ? Si tu ne le sais pas, cherche-le, trouve-le et envoie-le ici en vitesse.

— Tiens, tiens ! dit Paul dont le sourire s'accentua.

— Je lui ai fait remarquer qu'il ne m'avait encore jamais parlé sur ce ton.

— Et alors ?

— Il m'a dit qu'il avait eu tort, qu'il aurait probablement dû botter mes fesses de patricienne. » Comme à une gamine, pensa-t-elle, une enfant gâtée à qui on a cédé trop longtemps.

« Bigre ! dit Paul. Comme le disent les Anglais, il semble que le chat soit entré dans le pigeonnier. »

Cette réflexion l'aurait-elle fait rire auparavant ? Peu importe. « L'heure n'est pas à la plaisanterie.

— Alors l'heure est à quoi ? Aux lamentations ? » Paul regarda de nouveau les menues silhouettes qui se déplaçaient sur l'écran. « Je n'ai rien à faire là-bas. Rien. » De nouveau il fit face à Zib. « Ce qui est fait est fait et ne peut être défait, comme aurait pu le dire Shakespeare s'il ne l'a pas dit.

— Tu pourrais chercher ce qu'il y a à faire. C'est ce qu'essaient les autres.

— Voilà encore une des platitudes qu'on nous enseigne depuis notre enfance : si tu ne réussis pas la première fois, persévère, persévère encore ; on nous cite l'exemple de David le Bruce avec sa fichue araignée. Je crois que W. C. Fields est beaucoup plus dans le vrai : si tu ne réussis pas la première fois, abandonne, cesse de te rendre ridicule.

— Alors tu saurais ce qui s'est passé ? demanda Zib lentement. C'est bien ça ?

— Comment en aurais-je la moindre idée ?

— Tu viens de dire : ce qui est fait est fait et ne peut être défait.

— Simple formule de rhétorique.

— Je ne crois pas. Je pense plutôt...

— Je me fous éperdument de ce que tu penses, dit Paul en lui coupant la parole d'une voix glaciale. Tu es belle, parfois amusante et très agréable au lit, mais penser n'est pas ton fort. »

Mon Dieu, mon Dieu ! pensa Zib, ce dialogue ressemble

trop à ceux de ma revue. Invraisemblable. La fiction qui se met à vivre. Pourtant l'insolence de son amant lui fit l'effet d'une gifle plus que d'un coup de poing. Elle en fut plus vexée qu'endolorie. « Tu me flattes, dit-elle.

— Nous étions bien d'accord dès le début...

— Qu'il s'agissait simplement de prendre du plaisir, de s'amuser, dit Zib. Oui.

— Ne me dis pas que tu commences à prendre notre aventure au sérieux. »

Le salaud ! pensa-t-elle ; on croirait vraiment que ça lui fait plaisir. « Non, dit-elle. Rien chez toi ne mérite d'être pris au sérieux. » Elle se tut et regarda l'écran. « Encore moins maintenant qu'avant. » Elle fit brusquement face à Paul. « C'est toi qui avais le contrat de l'installation électrique. Je le sais. Paul Simmons et compagnie, entrepreneurs-électriciens. Tu ne t'en serais pas trop mis dans les poches ? » Un souvenir lui revint à l'esprit. « Un jour tu m'as dit que Nat allait te rendre service et qu'il n'en saurait rien. Qu'est-ce que ça signifiait ?

— A sotte question point de réponse », dit Paul qui s'approcha du poste de télévision et l'éteignit. « Eh bien c'est dommage. Je regretterai cet hôtel, son confort, sa tranquillité. » Il posa la main sur la poignée de la porte.

« Où vas-tu ?

— Voir une ou deux personnes et, après, je rentrerai sans doute chez moi. » Il ouvrit la porte, sortit et la referma sans bruit derrière lui.

Zib resta immobile au milieu de la chambre. Invraisemblable. Incroyable. Ces deux mots revenaient sans cesse à son esprit. Elle les en chassa et se promit d'y penser plus tard pour mieux comprendre ce qu'ils signifiaient. Elle alla vers le lit, s'y allongea et décrocha le téléphone.

Elle n'eut pas besoin de chercher le numéro ; après tant d'années celui de la remorque du chantier lui était devenu familier. Nat s'y trouvait. Elle lui parla d'une voix neutre. « J'ai transmis ton message à Paul.

— Il vient ici ?

— Non... Je le regrette, Nat, j'ai fait de mon mieux.

— Où va-t-il ? »

Sa voix dénotait des qualités que Zib n'avait encore jamais remarquées. Energie ? vigueur ? quoi que ce fût, c'était dominateur. « Il m'a dit qu'il allait voir une ou deux personnes et qu'ensuite il rentrerait sans doute chez lui.

— Très bien, dit Nat.

— Que vas-tu faire ?

— Le faire arrêter. Ça te dérange ? »

Zib secoua la tête. Non, cela ne la dérangeait pas. « Il a vu à la télévision ce qui se passait. Je lui ai répété ce que tu m'avais dit. Il a répondu : ce qui est fait est fait et ne saurait être défait. Est-ce que ça veut dire quelque chose ? »

Nat répondit à voix lente mais sans la moindre hésitation. « Beaucoup de choses et même trop. » Il raccrocha.

Il parcourut la remorque du regard. Le commissaire adjoint Brown était là ; il y avait aussi les deux chefs de bataillon, Patty, Giddings et Potter. « Il semble que Simmons en ait assez vu à la télé pour comprendre. Je ne sais pas s'il nous sera utile ou non, mais je crois quand même qu'il faudrait l'amener ici.

— Si vous le voulez, nous allons le ramasser », dit Potter.

Giddings intervint : « Si Lewis a mis son projet au point, faisons venir des hommes pour essayer de mettre en marche au moins un ascenseur express. »

Nat claqua des doigts. « Le chef d'équipe de Simmons. Voilà l'homme qu'il nous faut. Comment s'appelle-t-il ?... Pat ?... Pat Harris. » Il vit que Giddings comprenait et s'adressa aussitôt à Brown. « Nous avons besoin de cet Harris et de quelques-uns de ses ouvriers. Ils pourront peut-être nous tirer d'affaire et peut-être pas. Essayons. Il nous faut Harris pour une autre raison. Simmons n'a pas fait le travail de ses propres mains. Harris doit savoir si l'installation électrique a été exécutée conformément au plan ou si on l'a modifiée. »

Patty toussota. Seule dans ce monde d'hommes, elle était

à peine intimidée. Combien de fois son papa l'avait-il emmenée sur des chantiers ? Dans combien de remorques comme celle-ci avait-elle attendu en se tournant les pouces la fin de discussions techniques après lesquelles ils partaient ensemble se promener dans la ville. Qu'est-ce qu'elle y avait appris sans s'en rendre compte ? « Quelqu'un d'autre pourrait nous renseigner à ce sujet, dit-elle. L'inspecteur municipal qui a contresigné les ordres. Qui était-ce ?

— Bravo ! dit Nat de nouveau.

— Nous saurons qui c'est et nous l'amènerons ici, le salopard. Je me rappelle très bien son visage. Mais son nom... » Il hésita un moment. « Harry, dit-il. Je ne sais plus son nom de famille, mais nous le trouverons. »

17

17 heures et 1 minute — 17 heures et 11 minutes

Le maire Ramsey sortit du bureau en quête de sa femme. Il la trouva devant une fenêtre. Elle contemplait le large fleuve brillant au soleil. Elle sourit en voyant approcher son mari.

« Que tu es solennel, Bob, dit-elle. Est-ce vraiment aussi grave que l'a indiqué Bent ?

— Je le crains.

— Tu trouveras sûrement une solution.

— Non, dit le maire. Seuls les techniciens y peuvent quelque chose : Ben Caldwell, celui de ses hommes qui est à l'autre bout de la ligne de téléphone, ou bien Tim Brown. » Il eut un sourire ambigu. « Ici, c'est Bent qui donne des ordres, pas moi.

— Nous sommes dans ta ville, Bob »

— A certains moments on est obligé d'admettre la supériorité d'autres hommes. Je ne suis pas de la trempe de Bent

— Quelle sottise ! dit Paula en souriant avec douceur. Tu me fâcherais si tu continuais à penser ça. Personne ne vaut mieux que toi. »

Ramsey resta muet un moment, le regard fixe, comme si le fleuve l'hypnotisait. « Bent a eu une idée à déjeuner, dit-il. Selon lui, ce gratte-ciel n'est qu'une écurie à dinosaures de plus. Il y a là une graine de vérité. J'ai peut-être passé trop de temps à courir de-ci, de-là, pour rafistoler ci et ça, et bien des choses m'ont échappé.

— Je ne saisis pas, Bob.

— A quoi bon construire le plus grand quoi que ce soit ? La plus grande pyramide, le plus gros bateau, le plus grand barrage, le plus haut gratte-ciel ? Et puis la plus grande ville, aussi ? Les dinosaures étaient les plus gros animaux qui aient jamais vécu sur terre et c'est leur énormité qui les a perdus. Voilà ce que voulait dire Bent. Eh bien ! nous nous sommes trompés, Paula. La qualité et le besoin devraient être nos critères. Le besoin, surtout. Avons-nous besoin de ça ? Voilà la question que nous devrions nous poser et nous devrions inscrire la réponse, en grosses lettres, à l'encre indélébile, pour ne jamais l'oublier.

— Quand t'es-tu écarté de ce principe ? demanda-t-elle.

— J'ai laissé la ville s'en écarter. Un building comme celui-ci est-il nécessaire ? La réponse est non. Nous avons largement assez de surface de bureaux et même plus que nous ne pouvons en utiliser. J'aurais pu empêcher de construire cette énormité mais au contraire j'ai fait accorder aux constructeurs toute l'aide que pouvait leur donner la municipalité. Œuvre de... de vanité : un gratte-ciel que devait admirer le monde entier.

— Et il l'admirera, Bob. »

Le maire ouvrit la bouche mais se reprit et c'est seulement au bout d'un moment qu'il murmura : « Peut-être. » Il n'était pas encore temps d'alarmer qui que ce soit.

« Trente-cinq ans, c'est long, Bob, dit Paula. On arrive à se connaître. J'ai réfléchi depuis que nous sommes ensemble ici. Et je sais ce que tu penses. » Elle sourit. « Le téléphone marche et il y a plusieurs appareils à cet étage sûrement. Nous pourrions en utiliser un. »

Le maire se renfrogna.

« Nous devrions appeler Jill, reprit son épouse. Elle devait regarder la cérémonie à la télévision et elle doit être inquiète.

— Bonne idée ! dit le maire en souriant de cet air gamin

qui plaisait tant à ses électeurs. Nous allons la rassurer.

— Ce n'était pas tout à fait mon intention.

— Une seconde. » Le sourire s'était effacé. « Pas de panique.

— Il ne s'agit pas du tout de panique, Bob, mais il est temps de ne plus nous faire croire à nous-mêmes que tout va bien. Ces hélicoptères, là-haut, à quoi peuvent-ils servir ? Bent nous dit que des pompiers montent par les escaliers... » Elle secoua la tête en souriant doucement. Son expression ne dénotait aucune réprobation mais affirmait à la fois compréhension et certitude. « La dernière course folle vers le sommet de l'Everest ? A quoi bon. Même s'ils arrivent ici, que pourront-ils faire ?

— Mais sacrebleu ! On ne peut tout de même pas... capituler.

— Je ne capitule pas, Bob.

— Je t'ai peut-être mal comprise. Que veux-tu dire à Jill ?

— Des petites choses surtout.

— Qui signifieront quoi ? »

Paula sourit comme si elle se moquait d'elle-même puis elle dit : « Elles signifieront adieu. Je veux entendre sa voix. Je veux qu'elle entende les nôtres. Je veux lui dire où, dans notre grande maison, elle trouvera l'argenterie, celle de grand-mère Jones. Je veux qu'elle sache que certains de mes bijoux, que tu m'as donnés ou qui sont dans la famille depuis des générations, sont dans un coffre à l'Irving Trust succursale de la 42e Rue et de Park Avenue et qu'elle trouvera la clé dans un tiroir de mon secrétaire. Voilà, je veux mettre au point autant de petites choses que je le pourrai.

« Mais il ne s'agit pas que de *choses*. Je veux lui dire que son divorce n'est qu'un échec, pas une faillite. Je veux qu'elle sache que nous comprenons bien des choses à son sujet. Nous l'avons mal élevée parce qu'il y avait toujours autour de nous des caméras, des reporters, des microphones. Il était déjà assez dangereux pour toi et moi, qui sommes des adultes, d'avoir une vision aussi anormale du monde et sans doute était-ce pire pour elle, une enfant. Elle ne pouvait donc considérer tout ce qui l'entourait que comme une gigantesque sucette. Tout lui appartenait avant qu'elle eût gagné quoi que ce fût. Or tu sais bien que rien de ce que nous n'avons pas gagné ne nous appartient vraiment.

« Je veux qu'elle soit heureuse et qu'elle fasse elle-même son propre bonheur. A ce point de vue il vaudra peut-être mieux que nous ne soyons plus là parce qu'elle ne pourra plus se réfugier auprès de nous pour pleurnicher sur ses déceptions.

« Et je veux surtout, Bob, qu'elle sache ce qui est vrai et l'a toujours été : qu'elle nous est précieuse, qu'elle a toujours été désirée et qu'à cet instant où nous nous trouvons dans ce ridicule pétrin, c'est à elle que nous pensons et à personne d'autre. Ça lui donnera peut-être un peu de courage, un peu plus d'énergie qu'elle n'a été capable d'en acquérir jusqu'ici. » Paula se tut un instant. « Voilà quelques-unes des choses que je veux lui dire, Bob. Ai-je tort ? »

Le maire lui prit le bras et lui dit doucement. « Trouvons un appareil téléphonique. »

Cary Wycoff repéra le sénateur Peters adossé à un mur. « Vous prenez les choses avec calme, lui dit-il d'un ton presque accusateur.

— Que conseillez-vous ? demanda le sénateur. Une allocution ? Une commission d'enquête ? Devons-nous déposer une motion ? » Sa voix changea un peu. « Ou bien faut-il appeler la Maison-Blanche pour accuser le gouvernement d'être responsable de cette affaire et ensuite révéler à la presse les ficelles de cette histoire ?

— Bent Armitage et vous me traitez comme si j'étais un gamin, comme si j'avais encore la morve au nez.

— Ça se peut, mon fils, mais c'est parce que parfois vous vous conduisez un peu comme un morveux. Pas toujours, mais parfois, comme maintenant, par exemple. » Le sénateur parcourut la salle du regard. « Bien des imbéciles ici n'ont pas la moindre idée de ce qui se passe. Avez-vous déjà assisté à une panique ? une véritable panique ? celle d'une foule affolée par la peur ?

— Et vous ? demanda Wycoff qui le regretta aussitôt car dans une discussion Jake Peters ne s'embarquait jamais sans biscuit.

— J'étais à Anchorage, en soixante-quatre, lors du tremblement de terre, dit le sénateur. Vous êtes-vous jamais trouvé dans un séisme ? Non ? Rien ne provoque une telle frayeur. En général, sans même s'en rendre compte, on s'imagine que la terre est sûre, solide, immuable. Dès qu'elle se met à trembler sous nos pieds, il semble ne plus exister de sécurité nulle part... Ne vous en faites pas, j'ai déjà vu des paniques, oui, et je n'ai pas envie d'en revoir une, surtout ici.

— D'accord, moi non plus, dit Wycoff. Qu'avez-vous envie de faire ?

— M'écarter de ce mur. »

Wycoff ouvrit la bouche, indigné.

« Ne croyez pas que je me moque de vous. Touchez-le. Depuis que j'y suis adossé, je sens la chaleur monter et elle croît vite. Ça signifie probablement que de l'air chaud, peut-être le feu lui-même, monte dans certaines gaines, au centre du bâtiment. » Il jeta un coup d'œil à sa montre et sourit sans gaieté. « Ça va plus vite que je ne l'aurais cru.

— Vous auriez dû faire une carrière scientifique, dit Wycoff d'un air dégoûté.

— Mais c'est ce que nous faisons, vous et moi. Nous pratiquons les sciences sociales. » Cette fois le sénateur sourit avec amusement. « J'avoue que ce ne sont pas des sciences très exactes, mais nous nous efforçons de tâter le pouls et mesurer la tension de ceux que nous représentons... puis d'agir en conséquence.

— Ou de ne pas agir du tout parfois, peut-être la plupart du temps.

— Ne rien faire c'est agir aussi. Il faut sans doute longtemps pour l'apprendre et certains ne s'en rendent jamais compte. « Ne reste pas immobile. *Fais* quelque chose ! » C'est ce qu'on nous crie souvent. « Ne fais rien, tiens-toi tranquille ! » serait parfois beaucoup plus sage. Vous rappelez-vous quand Mowgli tombe dans le nid de cobras, que les serpents ne veulent pas lui faire du mal et disent à Kaa le piton des rochers : « Pour l'amour du ciel, faites-le tenir tranquille et qu'il cesse de s'agiter, de nous marcher dessus ! » Que diable, mon garçon, cette situation ne me plaît pas plus qu'à vous. Mais je ne vois rien à faire ; à moins que j'imagine quelque chose d'utile ou jusqu'à ce que je trouve quelque chose à faire, je préfère me tenir tranquille plutôt que d'aggraver la situation. Alors détendez-vous et observez. Vous avez vu Bob et Paula Ramsey s'éloigner d'un air décidé. Où allaient-ils ? aux cabinets ?

— Hypothèse aussi plausible qu'une autre, répondit Wycoff en souriant.

— Peut-être même plus plausible. Au sénat, en plein milieu d'un débat qui agite les deux partis sur une affaire assez importante pour que les tribunes soient bondées, que les journaux, la radio, la télévision, les militants et même la plupart des citoyens s'imaginent que le sort du pays est en jeu, et il l'est peut-être... en plein milieu du débat, le sénateur le plus ancien du Nebraska, de l'Oklahoma, ou bien encore, oui, celui du New York, se penche vers son collègue le plus proche et lui murmure quelque chose à l'oreille. Alors, dans les tribunes de la presse on remarque qu'il va se passer quelque chose. Et c'est vrai, car le sénateur le plus ancien dit : « George, il faut que j'aille pisser ou je vais éclater : trop de café avec de la soupe aux haricots. Je reviendrai avant que le sac à vent soit fermé. » Il se lève et quitte solennellement l'hémicycle. Dans les tribunes tout le monde croit qu'il s'en va tout droit à la Maison-Blanche pour régler son compte à l'Homme. »

Wycoff sourit de nouveau. « Je vous propose votre épitaphe, Jake : Il partit en riant.»

Le sénateur secoua la tête gravement : « Non. J'aimerais

croire que je mérite la plus fière des épitaphes : Avec ce qu'il avait, il a fait de son mieux... Allons boire un verre. »

« Nous ne pouvons pas encore savoir ce qui est arrivé, dit Joe Lewis l'ingénieur électricien. Les moteurs sont peut-être cuits. Le câble qui leur apporte le courant a peut-être fondu. Nous ne pouvons qu'amener un autre câble de la sous-station et le brancher sur le fil qui alimente le moteur d'un ascenseur. » Il éleva les deux mains et les laissa retomber. « C'est le mieux que nous puissions faire.

— Alors, faisons-le, dit Giddings. La Con Edison nous fournira toute l'aide possible. » Il leva les yeux vers le ciel où les sommets des grands buildings semblaient converger. « Pouvez-vous m'indiquer une seule raison pour laquelle nous nous sommes imaginé que nous devions construire un gratte-ciel aussi foutument haut ?

— Parce que quelqu'un d'autre en avait construit un grand et il fallait que le nôtre le soit encore plus, dit Joe Lewis. Pas plus compliqué que ça. Allons-y. »

18

17 heures et 3 minutes — 17 heures et 18 minutes

De retour à sa table de travail au bureau de la revue, Zib ne parvenait pas à concentrer son attention. Il était tard. Des manuscrits s'amoncelaient sur la table. Tous avaient déjà été lus et lui avaient été transmis pour qu'elle décide de l'achat. En général elle se plaisait à exercer son jugement en les lisant. Cet après-midi-là ils lui semblaient dénués d'intérêt et même stupides. Quelle était donc la formule à la mode à cette époque ?... Dénués de signification, peut-être ?

Pourtant ce n'était pas vrai. Sans même les feuilleter elle savait qu'une bonne part de ces histoires, sinon la plupart, traiteraient de jeunes femmes et de leurs problèmes. Si c'était insignifiant, qu'est-ce qui signifiait donc quelque chose en ce monde ? Parce que Zib était une jeune femme, n'est-ce pas ? Et elle avait enfin des problèmes comme tout le monde.

Comme tout le monde. Voilà ce qui la vexait car elle s'était toujours considérée comme différente de tout le monde.

Zib Marlowe, dans sa jeunesse, elle avait porté un nom assez prestigieux. Puis elle avait épousé Nat Wilson, jeune architecte au brillant avenir de la maison Ben Caldwell. Ces deux détails suffisaient à la situer hors du commun. Mais il y avait plus.

Il y avait notamment sa situation personnelle : rédactrice

en chef pour les œuvres de fiction d'une des rares revues diffusées dans tout le pays, et elle accomplissait fort bien sa tâche. Ajoutons sa beauté, sa grâce, son instruction et son intelligence, très au-dessus de la moyenne. Il y avait encore... à vous de choisir les critères ; quels qu'ils soient ils vous prouveront que Mme Zib Marlowe Wilson était tout à fait au sommet.

Sauf en ce qui concerne peut-être les vertus qui passaient naguère pour très importantes ? Qu'en penses-tu chérie ?

Annulons cette question. Zib y avait répondu voilà des années, d'une manière qui la satisfaisait, et c'était une des raisons pour lesquelles cette jeune femme en était arrivée où elle était.

Paradoxalement, c'est là, à la revue, temple de l'intelligentsia issue des couches supérieures de la classe moyenne, qu'il lui arrivait de s'interroger à juste titre, sur la valeur des règles de vie qu'elle avait choisies. Il y avait par exemple cette nouvelle de Meacham pour laquelle elle s'était emballée voilà quelques mois et dont elle avait vainement discuté avec Jim Henderson.

« Elizabeth, ma mie, nos lecteurs sont d'une intelligence supérieure à la moyenne, sinon ils resteraient figés devant l'écran de leur télé et ne liraient pas du tout, lui avait dit Jim. Mais il y a aussi des épouses, des mères, qui se soucient de leur budget, des hypothèques sur leur maison, de l'association des parents d'élèves et d'autres choses aussi terre à terre. Si elles étaient mordues par un doute sur leur propre personnalité, elles ne s'en rendraient même pas compte pour la plupart. En ce qui me concerne, je crois bien qu'il en irait de même. Ces femmes sont le sel de la terre. Considérez cette définition comme un compliment que je leur adresse, et reportez cette histoire saugrenue d'une personne qui se contemple le nombril.

— Comme vous le faites si souvent remarquer, le patron c'est vous, dit Zib. Mais il se trouve que nous avons là quelque chose de bien écrit, de touchant, et qui plonge profondément...

— Dans la nigauderie », dit Henderson qui se leva, fit le tour de son bureau et reprit place dans son fauteuil pivotant. Grand, maigre, osseux, en manche de chemise, il reprit, inexorable : « Parfois, je ne vous comprends pas, ma belle. Comme directrice littéraire vous m'émerveillez la plupart du temps. Je dis bien la plupart du temps. Et puis quelque agent, probablement Soames, qui connaît vos faiblesses, vous envoie un truc dans ce genre-là et vous vous en entichez, tout en sachant parfaitement que ça ne convient pas à notre clientèle.

— Mais ça devrait peut-être lui convenir

— Allons donc ! N'insistez pas vous me feriez douter de votre jugement. Renvoyez ça. » Il lui tendit le manuscrit entre le pouce et l'index, comme s'il s'agissait d'une chose malpropre.

Zib retourna outrée à son bureau et appela John Soames au téléphone. « Je suis désolée, John, la nouvelle de Meacham me plaisait...

— Laissez-moi terminer, ma chère : le seigneur Henderson ne l'a pas trouvée à sa convenance. Nous ne pouvions guère espérer autre chose.

— Alors, pourquoi me l'avez-vous proposée ? »

Zib eut l'impression de voir Soames sourire à l'autre bout du fil. Avec son visage hâlé, ses cheveux grisonnants, ses lunettes, les petites rides de chaque côté de ses yeux, son sourire lui donnait un aspect très avunculaire, professoral et britannique : tout à fait l'homme de lettres sûr de lui. « Je vous l'ai envoyée, ma chère, tout simplement pour vous montrer quelle qualité de fiction votre magazine pourrait publier s'il le souhaitait. »

Zib ne se laissa pas prendre à cette astuce. « Vous ne perdriez pas votre temps à cela et vous ne me feriez pas perdre le mien non plus », dit-elle.

S'ensuivit un instant de silence. Le sourire s'effaça-t-il, ou bien Soames perdit-il un peu de son assurance ? « Je vais être franc, ma chère, dit-il sur un autre ton. Je vous ai envoyé cette nouvelle en sachant que je n'avais pas une chance sur un million de vous la vendre à votre tarif d'une générosité exorbitante dont dix pour cent seraient tombés dans mon escarcelle en guise de commission. Déçu, je vais la colporter ailleurs et je finirai peut-être par la donner gratuitement si quelqu'un consent à accepter ce cadeau. En vous la vendant à vous, j'aurais gagné cent cinquante dollars, si j'en tire dix ailleurs, j'en serai bien étonné.

— Au moins vous êtes honnête, dit Zib qui aurait dû deviner d'elle-même les véritables mobiles de Soames. « Encore une question. Si vous étiez à la place de Jim Henderson, est-ce que vous achèteriez cette nouvelle ?

— Oh, mon Dieu non ! certainement pas. Je la trouve d'une platitude tellement prétentieuse qu'elle en est outrageante. Mais comme vous, j'admets qu'elle présente un certain charme et je crois que l'establishment littéraire ferait du tapage à son sujet. »

Comment se faisait-il que Zib se rappelait aussi nettement cet incident qui datait de plusieurs mois ? Parce qu'on n'oublie jamais tout à fait ses échecs, pensa-t-elle. On les jette dans un coin en espérant que la poussière couvrira leur nudité. Elle se demanda à voix basse : en fin de compte, qu'est-ce que tu fais ici ? Réponds, Elizabeth.

Cathy Hearn corédactrice en chef apparut sur le seuil de la porte. « Zib, ma chérie, dit-elle, comment pouvez-vous rester aussi calme ? Le gratte-ciel conçu par votre jeune époux, si décidé, craque à toutes ses coutures. On ne parle que de ça à la radio. Je l'ai vu sur l'écran de la télé portative sur le bureau de Jim. Et vous, vous êtes assise là, en train de travailler pour de bon. Vous n'y êtes plus ! »

Zib voyait en Cathy le type même de la fille élevée au maïs dans un village du Middle West et qui jouissait intensément de sa vie dans la grande ville. Grassouillette, elle était obsédée par le souci de conserver sa ligne ; d'une intelligence exceptionnelle, elle s'efforçait de jouer les nigaudes ; d'une activité sexuelle égale à celle d'une lapine, elle n'en rayonnait pas moins une étonnante fraîcheur virginale.

« Oui, je n'y suis peut-être plus », dit Zib.

Cathy jucha une de ses volumineuses fesses sur un coin du bureau de Zib. « Des ennuis, chérie ? demanda-t-elle. A cause d'un homme, évidemment ? C'est toujours à cause d'eux. Mais il faut s'en tenir aux usages. Si votre mari vous trouve en train de folâtrer avec un autre quand il arrive chez vous, la politesse exige qu'il dise : « Excusez-moi, continuez. » Si vous êtes capable de continuer, ça, c'est du tact. »

Zib essaya de se figurer Nat dans ce rôle. Non, impossible. Pas de faux-fuyants, Zib, se dit-elle. Tu as épousé un naïf, digne de porter un col à la Herbert Hoover, qui croit à la mère et au foyer avec la même ferveur qu'au temps de McKinley : un cave. Une bouffée de colère l'étouffa, s'atténua et disparut.

« Vous êtes beurrée ? » demanda Cathy, sincèrement inquiète.

Zib secoua vivement la tête. Ses longs cheveux couvrirent son visage. Elle les rejeta d'un geste agacé. « Je n'ai même pas cette excuse.

— Alors, je vous conseille un sorcier ou un médecin, dit Cathy judicieusement. Soit l'homme aux pilules, soit le psychiatre. » Après un instant de réflexion elle leva vivement la tête et demanda d'un air incrédule : « Vous n'êtes pas enceinte, au moins ? Ce serait trop ridicule. »

De nouveau Zib secoua la tête et repoussa ses cheveux avec colère. Pourquoi arborait-elle une chevelure aussi longue ? Pourquoi elle ? Pourquoi tant d'autres ? Parce que c'est la mode, c'est *in*. Grotesque. « Je ne suis pas enceinte, ne vous inquiétez pas Cathy.

— Mon problème c'est que j'ai le cœur maternel. Quand j'étais petite, je rêvais d'avoir une ribambelle de gosses. Je raffolais des poussins, des agneaux, des petits veaux. C'est fou ce qu'ils me donnaient de souci. Je mettais des légumes en conserve, je faisais de la pâtisserie et je savais qu'un jour IL arriverait au trot de son cheval blanc, me saisirait par la taille, me hisserait en croupe — s'il avait la force de me soulever — et que nous partirions vers le soleil couchant pour élever une famille, et j'aurais eu ainsi des soucis qui en auraient valu la peine. Et au lieu de cela, me voici ici, en ville, en train de donner une consultation psychanalytique à l'œil...

— Allez-vous-en, Cathy. »

A son tour Cathy secoua la tête et ramena ses cheveux en arrière à deux mains. « M'en aller pour vous laisser méditer toute seule, non. Si vous regardez au fond de vous-même assez longtemps vous découvririez des choses qui ne vous plairont pas du tout. Votre existence entière n'est qu'une imposture, un ratage pitoyable. Vous avez dépensé des années à discerner qui vous êtes, comme les personnages de roman qui flairent dans les endroits les plus calamiteux et vous finissez par trouver un petit id, tout ratatiné et tellement noué qu'il n'arriverait pas à se dégager de la plus ample chemise de nuit. Voilà ce que vous trouvez, et il y a bien pire encore, cette horrible petite chose se moque de vous. » Cathy s'arrêta pour reprendre son souffle.

« Oui, vous avez raison, dit Zib lentement, solennellement. Elle se moque de moi. »

Cathy resta muette pendant un bon moment puis reprit : « Vous vous êtes fourvoyée, ma chérie. Les aristos comme vous ne devraient jamais se soucier de leur aspect et surtout ne jamais se croire responsables de quoi que ce soit. Vous...

— Vous parlez sérieusement, Cathy ? » demanda Zib d'une voix qu'elle ne reconnut pas. Elle ne s'était jamais interrogée sur elle-même sur le sérieux de ses propos, ni même de ses idées. « Vraiment ?

— Non, ce n'est pas aussi grave, dit Cathy en souriant. J'exagère beaucoup.

— Mais c'est un peu vrai quand même. » Est-ce que Nat la voyait sous le même jour que Cathy ?

« Cette discussion n'est qu'enfantillage. Nous avons débattu de tcut ça en camp de vacances à Kickapoo après l'extinction des feux, lorsque nous nous posions surtout cette question capitale : quand porterai-je un soutien-gorge ?

— Sérieusement, Cathy, dites-moi comment ça se présente à votre point de vue. »

Cathy hésita. « Vous me mettez au pied du mur », dit-elle à mi-voix. Puis elle reprit au bout d'un moment : « Bon, eh bien ! voilà. Je suis allée à une école primaire rurale d'une centaine d'élèves ramassés en autocar sur un territoire de deux cent cinquante kilomètres carrés. Ramassés, quel vilain mot, mais sans ces autocars nous n'aurions pas pu aller à l'école. Vous êtes allée où ? A l'école de Miss Ceci ou de Miss Cela : un cours privé chic. Ensuite j'ai fréquenté un collège dont vous ne connaissez même pas le nom. Vous, c'était Vassart ? Smith ? Wellesley ? Radcliffe ? Mon père avait commencé ses études secondaires dans la même boîte. Mais la grande crise économique l'a obligé à abandonner pour chercher du travail... Chercher, mais pas trouver grand-chose. Il le fallait bien, mon grand-père, un cheminot avait été mis à pied. Vous, votre père est passé par Harvard, ou bien était-ce Yale ? La crise économique a peut-être atteint votre famille aussi ; elle a peut-être été obligée de vendre jusqu'à son dernier yacht. Mais votre famille savait qu'il s'agissait là d'un contretemps passager et la mienne y voyait la fin du monde. Elle ne croyait pas du tout que la prospérité se trouvait au coin de la rue. Voilà la différence essentielle qu'il y a entre vous et moi. Quoi que vous fassiez, vous êtes certaine que c'est bien, parce que : comment pourrait-il en être autrement ? Moi je dois m'interroger à chaque pas de mon chemin parce que, aussi loin que remonte l'histoire des Hearns, ce furent toujours des miteux. Peut-être suis-je la première de la famille qui ait rompu ses chaînes, mais les gènes de la dèche sont peut-être tapis en moi, prêts à foncer d'un instant à l'autre. » Cathy marqua un temps d'arrêt puis conclut en souriant. « Voilà la différence entre un bagage ancestral et le vide culturel.

— Je ne savais pas, Cathy. Je n'y avais jamais pensé.

— Et surtout ne me dites pas que vous le regrettez.

— Je ne le dirai pas. » Zib réfléchit. « Vous connaissez Nat, reprit-elle. Vous l'avez dit décidé. Il...

— Il a fini par vous cracher dans l'œil ? » Le ton de Cathy en disait plus que les mots.

Zib la regarda plus attentivement. « Vous l'aviez prévu ? » Mais comment se faisait-il qu'elle n'éprouvât pas de ressentiment ?

« Nous n'écrivons pas de livres dans ce bureau, dit Cathy, mais nous suivons la même mode que les personnages de roman. » Elle descendit du bureau sur lequel elle s'était juchée. « Je n'arrive pas à comprendre que vous soyez ici, en train de lire ces sornettes glanées sur des tas d'ordures. Ce qui se passe en ville devrait vous préoccuper beaucoup plus. »

En fin de compte, la conversation revenait à son point de départ, mais elle révélait une vérité essentielle. « Je ne pensais pas à ce qui se passe en ville, je ne pensais qu'à moi », dit Zib sans en être gênée le moins du monde. « Penser à moi doit être une manie.

— Ça se pourrait », dit Cathy. Elle s'en alla.

19

Une petite villa proprette de Garden City. Pelouse verte, pétunias en fleur. Un panier de basket-ball accroché à bonne hauteur contre la porte du garage. Une énorme antenne de télévision, pointée vers la ville, fixée à la cheminée de brique et dominant le toit.

Mme Pat Harris ouvrit la porte. Elle portait un pantalon moulant couleur pêche, des chaussures assorties et un chemisier à rayures. Des bigoudis de plastique bleu ornaient sa chevelure. Jeune et attrayante, elle avait conscience de l'être.

« Quelle heureuse surprise, monsieur Simmons ! dit-elle. Vous voulez voir Pat ?

— Si c'est possible, répondit Paul avec son sourire et son aisance d'acteur.

— Il regarde la télévision en bas. Nous pensions que vous seriez à l'inauguration de la World Tower, monsieur Simmons. J'ai tant de choses à faire à la maison que je n'ai même pas eu le temps d'aller regarder le reportage, mais je sais qu'il a commencé. Descendez, Pat sera enchanté de vous voir. »

J'en doute, pensa Paul, mais il continua à sourire en descendant l'escalier conduisant à la salle de repos lambrissée. Sur l'écran de l'énorme poste de télévision les voitures de pompiers groupées sur la place de la World Tower prenaient la couleur du sang frais. Le volume du son était tellement réduit qu'on comprenait à peine le speaker. « Nous avons appris, mesdames et messieurs, que le feu se répand à l'intérieur du building. Ce désastre — car il semble en effet, que ce soit bien un désastre — est incroyable. Toutes les mesures de sécurité connues par les architectes... »

Pat Harris appuya sur un bouton de télécommande. L'écran s'éteignit, le speaker se tut. « Soyez le bienvenu, patron, dit Pat sans se lever. J'attendais votre visite. Je pensais bien que vous viendriez me voir. » Il posa la plaquette de contrôle sur la table basse auprès de lui et se leva d'un bond. « Vous prendrez bien un verre ? » Il y avait une pointe d'hostilité à peine perceptible dans sa voix.

« Excellente idée », dit Paul. Il s'assit et regarda autour de lui. La salle de repos était meublée d'un bar, d'un billard de grande taille, d'un vaste canapé recouvert de tissu plastifié, d'un fauteuil assorti, d'une table à jeu sur laquelle se trouvaient des cartes et des jetons ; trois flèches avaient fait mouche dans la cible accrochée au mur. « Vous avez un intérieur charmant », dit Paul. Il prit le verre que lui tendait Pat Harris, remercia d'un hochement de tête, goûta le scotch de grande marque. « Très bon.

— Oui. » Pat Harris était un homme de petite taille. Il observait attentivement de ses yeux inquiets le visage de Paul. « Quand on travaille dur on mérite quelques compensations, dit-il. Je ne suis qu'un ouvrier et j'exécute les ordres. »

Sans se soucier du poste de télévision silencieux et obscur, Paul concentrait son attention sur son chef d'équipe. « Obéir aux ordres, c'est très bien, mon ami. J'espère que vous continuerez à le faire. »

Harris alluma une cigarette, souffla un nuage de fumée. La cigarette fichée entre les lèvres, il réduisit l'allumette en miettes. Ses gestes manifestaient une nervosité certaine. « J'y réfléchissais. » Il eut un petit sourire qui ne signifiait rien de précis. « C'est drôle, hein ? Je réfléchissais justement à ça quand vous avez descendu l'escalier.

— Et quelle conclusion avez-vous tirée de vos réflexions ? » demanda Paul.

Harris souffla un autre gros nuage de fumée, se pencha en avant pour faire tomber la cendre dans un cendrier et se remit à l'aise sur le canapé. « C'est comme ça. Vous comprenez ce que je veux dire. Disons par exemple qu'on travaille pour un type. C'est un brave type, pas radin, alors on lui doit quelque chose, vous comprenez, on va pas lui coller un coup de pied dans les dents, pas vrai ?

— Voilà un point de vue qui me paraît raisonnable, dit Paul. Un sentiment amical.

— D'autre part, dit Harris, moi, faut me comprendre. Chacun doit veiller à ses propres intérêts. La vie est dure et les gens le sont encore plus. On prend sa part ou on n'a rien du tout. » Il attendit.

« Voilà un raisonnement qui me semble puissant, dit Paul.

— Puissant est un bien grand mot. »

Et prononcer de grands mots, c'est une erreur parce que celui à qui on les dit peut se sentir minimisé. Mais il était trop tard. « Continuez, dit Paul.

— La manière dont je vois les choses, vous me comprenez ?... Eh bien les deux points de vue s'équilibrent et j'essaie de voir lequel est le bon. »

Paul hocha la tête et but une gorgée de scotch qui, à cet instant, eut un goût de rance et lui brûla la poitrine. Simple crispation animale, se dit-il. « Eh bien, lequel choisissez-vous ? » demanda-t-il d'un ton assez tranquille.

Harris reprit la cigarette qu'il avait posée sur le cendrier, aspira profondément et souffla successivement quatre gros ronds de fumée. « J'ai appris que Bert McGraw est à l'hôpital. Crise cardiaque. Il pourrait ne pas s'en tirer, dit-on. » Le regard inquiet scruta le visage de Paul.

« Je ne saurais le dire. Il a eu une crise cardiaque, c'est vrai. » Paul agita la main. « Nous étions en train de parler de vos réflexions. Bert McGraw importe peu pour l'instant.

— Ah, mais non ! s'exclama Harris. Si je risquais de me trouver devant ce vieux singe qui me regarderait avec du sang dans les yeux... » Il secoua la tête.

Paul enchaîna d'une voix tout à fait calme : « Bert m'a montré des ordres de modification du plan et m'a demandé si nous en avions tenu compte. Je lui ai répondu : « Mais bien sûr, pourquoi n'en aurions-nous pas tenu compte ? »

Harris s'essuya la bouche du revers de la main. « Mon Dieu ! souffla-t-il, vous avez cafouillé, maintenant je le sais. »

Paul secoua la tête. Peu lui importait la brûlure du whisky. Peu lui importait aussi la réflexion de Harris. La seule chose qui comptait c'était ceci : « Les ordres de modification ont fait surface, dit-il. Je ne sais pas comment, mais Will Giddings en avait des photocopies. Ce que j'ai dit à Bert n'y a fait ni chaud ni froid. On allait défoncer les cloisons pour vérifier l'installation électrique. Alors, j'étais bien obligé de dire la vérité : oui, nous avons fait ces changements. Regardez la signature : Nat Wilson, l'enfant prodige de Caldwell. Devions-nous discuter ses ordres ? »

Harris écrasa méticuleusement le reste de sa cigarette dans le cendrier puis releva la tête. « Je ne suis sûr de rien, dit-il. Vous prononcez des grands mots et quand on vous écoute on croirait que tout va bien. Mais je n'en sais rien. » Il se leva, alla jusqu'à l'extrémité de la pièce, pivota sur lui-même, revint sur ses pas et se laissa tomber si lourdement sur le canapé qu'on entendit grincer les ressorts. « Je vais jouer cartes sur table, dit-il. Vous avez été bon zigue. J'ai travaillé pour des salopards et, si j'en avais l'occasion, je leur écraserais la gueule à coups de talon, mais je n'ai rien contre vous.

— Merci, dit Paul sincèrement.

— Je vais vous dire comment ça se présente. Il y a deux choses que je peux faire, vous savez. Je peux suivre deux chemins. Un. » Il leva le pouce. « Je peux aller à l'hôtel de ville quand ce truc sera terminé. » Il montra le poste de télévision. « Et je peux dire : Mon Dieu, si j'avais seulement deviné, je lui aurais dit de se carrer ses ordres... Il s'agirait de vous, bien sûr. Mais je peux aussi dire : Hé que diable ! c'est le patron, il est ingénieur, il prétend que les changements sont corrects et les ordres sont signés par l'architecte. Alors, pourquoi aurais-je discuté plus que je ne l'ai fait ? »

Au bout d'un moment de silence, Paul dit d'une voix neutre : « Pat vous n'avez discuté que d'une seule chose :

combien je vous donnerais pour que vous ne discutiez pas.

— Ça, c'est vous qui le dites. Et vous vous doutez bien que je présenterai une tout autre version, moi. Je dirai que j'ai discuté et j'amènerai trois ou quatre gars qui confirmeront que, bien sûr, j'ai discuté. Mais vous m'avez dit que tout allait bien, alors, j'ai pas insisté. D'ailleurs, Harry, l'inspecteur municipal, a approuvé. Alors, pourquoi aurais-je dû m'inquiéter de tout ça ? »

Doucement, pensa Paul. Doucement. « Et quel est l'autre... l'autre chemin que vous pouvez suivre ? »

Incapable de rester en place, Harris bondit de son siège, traversa de nouveau la pièce de bout en bout mais ne retourna pas s'asseoir. « Vous avez dit à McGraw que nous avions exécuté ses ordres parce qu'ils étaient signés de Nat Wilson. D'accord. Je peux dire la même chose. Je peux dire aussi que nous en avons discuté, que ces ordres nous étonnaient, mais que diable ! quand le bureau de Caldwell donne un ordre, on l'exécute, un point c'est tout. Caldwell ne fait pas de sottises... ce petit salopard froidement sûr de lui. Voilà l'autre chemin que je peux suivre.

— Un très bon chemin ». dit Paul.

Harris retourna lentement au canapé et s'assit en mesurant ses gestes. « Il reste deux trucs qui m'inquiètent, dit-il. D'abord, il y a le cas de Harry, l'inspecteur.

— Harry ne fera pas d'histoires, dit Simmons. S'il en faisait, ça lui retomberait sur la gueule. Vous avez dit que deux choses vous inquiètent. La seconde ? »

Harris s'efforçait de rester aussi impassible qu'un joueur de poker observant le visage de son adversaire. « Vous rappelez-vous le jeune Jimmy ?

— Non. »

Harris sourit légèrement, d'un air réprobateur. « Je m'en doutais, dit-il. C'était un jeunot qui travaillait dans une de mes équipes et fréquentait les cours du soir d'une école d'ingénieurs. » Harris prit le temps d'allumer une cigarette. « Les ordres de modification du projet ne lui plaisaient pas, surtout celui qui supprimait la mise à la terre du primaire.

Il a même dit qu'il trouvait ça dangereux et qu'il allait en parler à Nat Wilson. » Harris se tut encore un instant. « Il ne voulait écouter personne, ni Harry, ni moi.

— Je vois. » Paul n'en dit pas plus.

« Il n'en a pas parlé à Wilson parce qu'il a eu un accident. Il est tombé devant la motrice du métro express à une heure de pointe. »

Paul rompit le silence en répétant : « Je vois. » Puis il ajouta : « Pourquoi me racontez-vous ça ? Votre conscience vous tracasse ? »

Cette fois Harris sourit sincèrement. « Il faudra peut-être s'expliquer au sujet de ce jeunot, dit-il. Si je vous soutiens, je dois être sûr que vous ne craquerez pas et ne me mettrez pas tout sur le dos.

— Je ne craquerai pas », dit Paul. Il but une gorgée de whisky et lui trouva meilleur goût.

« Encore une chose, dit Harris. Qu'est-ce que j'y gagne ?

— Vous avez déjà eu votre part. »

Harris secoua la tête. « Hé là ! dit-il, vous m'avez payé pour faire un boulot. Je l'ai fait. Maintenant ce n'est plus la même chose. »

Paul se demanda s'il s'était attendu à ce chantage. Probablement, pensa-t-il, parce qu'il n'éprouvait aucun sentiment d'indignation. Il n'avait qu'une idée en tête : traiter à bon compte. Il était d'ailleurs certain de son aptitude à marchander en maître avec ce petit bonhomme. « Combien ? » dit-il.

Le sourire d'Harris s'élargit. « Ça, c'est bien dit. »

Paul remonta l'escalier tout seul. Le poste de télévision était rallumé dans la salle de repos. Harris s'absorbait dans la contemplation de la tragédie.

« Vous avez un intérieur ravissant, dit Paul à Mme Harris qui avait retiré ses bigoudis et souriait d'un air accrocheur.

— Merci, merci beaucoup, monsieur Simmons, dit-elle avec une satisfaction sincère.

— Pat a bien de la chance. »

Quand l'auto de Paul démarra, une voiture de police noire

et blanche apparut au carrefour et se dirigea vers la villa de Harris. Paul ralentit et regarda dans son rétroviseur. La voiture s'arrêta du mauvais côté de la rue. Deux agents en uniforme en descendirent.

Paul s'éloigna.

20

17 heures et 13 minutes — 17 heures et 23 minutes

L'air chaud s'élevait dans le cœur creux de l'édifice et créait son propre tirage. L'air frais de l'extérieur s'engouffrait par les portes ouvertes du vestibule.

Les plus hautes échelles de pompiers de la ville manœuvraient en vain à l'extérieur ; le mal était dedans, pas dehors.

A chaque étage, au-dessus et au-dessous du niveau de la rue, les pompiers traînaient et manipulaient des tuyaux, toussaient, parfois vomissaient, en déversant des tonnes d'eau sur leur ennemi qu'ils apercevaient rarement : le feu.

A des milliers d'endroits à l'intérieur du gratte-ciel des matériaux fondaient, s'enflammaient. D'abord les flammes hésitaient puis prenaient de la force et faisaient rage ou bien fanaient en de simples braises et s'éteignaient faute d'oxygène.

Mais, lorsque des mousses isolantes en plastique fondaient, des flux de gaz se manifestaient, créant un nouvel effet de tirage, comme dans une cheminée, aspirant l'air des corridors et même celui du vestibule, au rez-de-chaussée ; cet air affluait comme celui du soufflet d'une forge, le feu enflait et augmentait l'aspiration.

Les pompiers Denis Howard et Lou Storr s'arrêtèrent au soixantième étage. Pendant un moment ils haletèrent, se contentant de survivre pendant que leurs poumons instillaient de l'oxygène dans leur sang et restauraient petit à petit la force de leurs corps. Ils se regardaient sans rien dire.

Howard s'approcha d'une porte pare-feu, manœuvra la poignée et constata qu'elle fonctionnait. Il ouvrit prudemment la porte pour jeter un coup d'œil à l'intérieur. Une bouffée de vent brûlant l'enveloppa. Il referma vivement. « En route », dit-il.

Storr ouvrit la bouche, la referma, hocha lentement la tête. « Ça ou autre chose... souffla-t-il. Excelsior et toutes ces fariboles. »

Dans la remorque Patty raccrocha le téléphone et tendit un bout de papier au lieutenant Potter. « John Connors a travaillé comme zingueur sur ce chantier il y a quelques mois, dit-elle. On l'a mis à la porte. Le syndicat n'a pas protesté. »

Nat estima que cette dernière phrase était grosse de signification. Si le licenciement de cet homme n'avait pas été pleinement justifié, le syndicat serait intervenu énergiquement. Mais qu'est-ce que cela voulait dire en fin de compte, sinon que John Connors ne donnait pas satisfaction à certains points de vue ? Etudier plus profondément les circonstances de son congédiement ne servirait à rien. Ce qu'il avait fait ce jour-là au gratte-ciel se passait de commentaires.

Potter en arrivait sans doute à la même conclusion car il dit : « Un aigri, un agité, peut-être. On ne sait jamais jusqu'où peut aller le ressentiment chez ces gens-là. »

Patty observait par la fenêtre de la remorque l'eau sale qui s'étendait sur presque toute la place, les tuyaux entremêlés comme des macaroni, les pompes en pleine action et la foule qui regardait. « Mais quand même, pour en arriver à ce qu'il a fait ? » dit-elle d'un ton incrédule en se retournant vers les deux hommes.

Potter haussa les épaules. « On ne sait jamais. » Il glissa le morceau de papier dans sa poche. « Nous enquêterons.

— Pourquoi ? demanda Patty en relevant vivement le menton. Ce qu'il a fait est fait et il est mort.

— Disons tout simplement que nous aimons avoir des dossiers complets et clairs. »

En observant Patty, Nat constata qu'elle avait quelque chose du bouledogue ; elle avait hérité l'orgueil obstiné de son père. Il se rappela l'histoire que lui avait racontée Giddings : Bert McGraw avec un gangster, sur la charpente d'acier, au quarante-cinquième étage. Cette scène lui parut aussi impitoyable et définitive que celle d'un western. Bert ne cédait pas, sa fille Patty non plus.

« Pour faire une chose pareille cet homme devait avoir une raison, dit-elle.

— Bien sûr, souffla Potter. Nous nous efforçons d'apprendre à chacun de ces... de ces incidents. Un jour peut-être nous en saurons assez pour prévenir le crime avant qu'il ne soit commis. » Son sourire piteux raillait ses propres propos. « Ce sera beau, pas vrai ? » Il traversa la remorque, ouvrit la porte, sortit, fit deux pas, se retourna, cria : « Bonne chance ! » et s'en alla.

Un walkie-talkie crépita sur une table de la remorque. « Soixante-cinquième étage, dit une voix lasse. On se croirait dans un four, chef. Pas de fumée ici mais je n'ose pas penser à ce qui se passe derrière les portes pare-feu.

— Soyez prudents, les enfants, dit le chef de bataillon. Si vous ne pouvez pas arriver là-haut, on ne vous demande pas l'impossible. »

Nat vit le commissaire adjoint Brown froncer les sourcils. Le chef de bataillon s'en aperçut aussi et serra les mâchoires. « Je ne vais pas sacrifier deux bons soldats dans une bataille perdue, dit-il. Peu m'importe quelles sont ces personnalités coincées là-haut. »

Brown hocha tristement la tête.

« Etes-vous sûr que la bataille soit perdue ? demanda Nat.

— Non, mais vous non plus vous ne pouvez pas affirmer qu'elle ne l'est pas. Nos hommes ont hissé des tuyaux jusqu'au douzième étage, dans la colonne centrale de l'édifice, derrière les portes pare-feu. Dans la mesure où nous comprenons ce qui se passe, il y a des incendies à chacun des soixante étages qui sont au-dessus d'eux. J'ai appris mon métier pendant vingt-cinq ans.

— Personne ne doute que vous le sachiez parfaitement, Jim », dit le commissaire adjoint. Il s'ensuivit un temps de silence.

« Autre chose, reprit le chef de bataillon à l'intention de Nat. Votre électricien de génie dessine de jolis plans indiquant comment on doit brancher un fil ici, un fil là, et alors, admirez, messieurs-dames ! un ascenseur express se mettra soudain en mouvement.

— Vous n'y croyez pas, vous ? demanda Nat.

— Non, je n'y crois pas ! » Le chef de bataillon brailla presque ces mots, puis il reprit d'un ton las : « Mais j'essaierais n'importe quoi, même des fusées si quelqu'un leur accordait la moindre chance, même celle d'une boule de neige en enfer. » Il se tut pendant un moment puis se tourna vers le commissaire adjoint. « Vous ne l'avez pas encore dit, Tim, mais vous y pensez et je vous comprends. Comment diable une chose pareille peut-elle se produire ? Nous avons des règlements de sécurité : un véritable code du bâtiment qui n'est pas parfait évidemment, mais qui suffit à prévenir des catastrophes comme celle-ci. Pendant cinq ans, six ans même, on a travaillé à cet édifice, sous l'œil de Dieu et de tout le monde. Les inspecteurs, les pompiers et Dieu sait qui encore ! surveillaient chaque opération. Je ne comprends pas. Non, je ne peux pas comprendre. »

Le commissaire adjoint dit à Nat : « Vous semblez en savoir plus que tout le monde. » Il n'ajouta rien. Cette phrase comportait une accusation implicite.

Nat éprouva d'abord une bouffée d'indignation et la maîtrisa avec peine. « Je commence à découvrir diverses choses et à les mettre en ordre, dit-il lentement, prudemment. Mais il ne s'agit pas de ça pour l'instant. »

Brown alla vers la fenêtre, contempla la place puis leva la tête. « Si seulement vous ne les construisiez pas aussi gigantesques ! » dit-il, d'une voix où sonnait la colère provoquée par le dépit. Il se retourna vers Nat. « Qu'est-ce que vous essayez de prouver en construisant des trucs aussi monstrueux ?

— Voilà une question pertinente, dit Nat lentement. Je ne connais pas la réponse.

— Je crois que nous sommes allés au delà de nos capacités, dit Brown. Est-ce que vous me comprenez ? »

Il alla à pas lents vers une chaise, s'y laissa tomber, triste, outré par son impuissance. « Ecoutez, dit-il, je suis né et j'ai été élevé dans une petite agglomération rurale. Hormis la terrasse panoramique, le plus haut bâtiment de mon village n'avait que trois étages. Il y avait aussi l'Empire State Hôtel, de cinq étages au chef-lieu du comté. Mais nous avions des ruisseaux où grouillaient les poissons. Quand j'y pense, je retrouve le goût de l'eau que nous tirions du puits.

— Je comprends très bien ce que vous dites, répondit Nat.

— Mon grand-père est tombé malade pour la première fois à plus de quatre-vingts ans. Le médecin est arrivé en pleine nuit et il est resté jusqu'à midi le lendemain. A ce moment-là grand-père était mort. » Brown écarta ses grosses mains. « C'est comme ça qu'on vivait. On laissait l'existence s'écouler, puis on mourait. Oh, bien sûr il y avait de temps en temps quelques accidents et les maladies qu'on guérit aujourd'hui passaient pour incurables. Mais nous n'avions pas de gratte-ciel de cent vingt-cinq étages et nous nous passions de bien d'autres choses aussi. »

Giddings gravit les deux marches de la remorque, le visage couvert de suie. Il y avait de la colère dans ses yeux bleus.

Comme s'il ne l'avait pas vu, Brown continua son monologue. « L'oncle de ma femme a près de quatre-vingt-dix ans. Il est à l'hôpital. C'est pas la dépense qui me préoccupe, mais il n'entend rien, il ne voit rien, il ne sait rien de ce qui se passe autour de lui. On le nourrit par transfusions et le pauvre bonhomme gît dans son lit ; il respire encore, son cœur bat, reins et intestins fonctionnent. Il est dans cet état depuis trois mois. Les médecins savent comment le maintenir en vie, si on peut appeler ça vivre, mais ils ne savent pas comment le laisser s'éteindre décemment. Nous sommes trop malins pour notre bien.

— Je suis tout à fait de votre avis, dit Nat en interrogeant Giddings du regard.

— Peut-être, mais peut-être pas, dit Giddings. Personnellement, je crois que non... Nous ne savons absolument rien de ce qui s'est passé au sommet de la colonne des ascenseurs. Il y règne une chaleur intense, beaucoup trop intense. Ça, nous en sommes sûrs. Les rails pourraient être tordus... » Il haussa les épaules. « Tout ce que vous pouvez imaginer a pu se produire là-haut. Nous aurions dû leur dire de descendre par les escaliers...

— Ils ne pouvaient pas ouvrir les portes.

— Ils auraient dû les défoncer.

— Peut-être, dit Nat, je ne sais pas. Il fallait prendre une décision et je n'ai peut-être pas pris la bonne.

— Non, dit Brown. L'incendie a déjà envahi une cage d'escalier. Il se passera probablement la même chose dans l'autre. Alors, où seraient-elles, les personnalités coincées à mi-hauteur entre deux incendies ?

— Peut-être mieux que là où elles sont, dit Giddings, car ne nous leurrons pas, elles sont prises au piège... coincées. Et tout ça à cause...

— A cause de quoi ? demanda Nat. Pas à cause d'une seule chose, ni de deux, ni de trois, mais de bien des choses qui n'auraient pas dû se produire et sont pourtant arrivées. D'abord, vous et moi, nous aurions dû remarquer ce que manigançait Simmons.

— Il était trop malin pour nous. Son petit salaud de chef d'équipe aussi.

— Et l'inspecteur ? dit Nat. L'inspecteur municipal aurait dû repérer le travail qui n'était pas fait conformément aux plans. Ou bien il n'y a vu que du feu ou bien il a laissé faire. Ça aussi c'est à considérer. » Nat interrogea Brown du regard.

Le commissaire adjoint hocha la tête avec colère. « Nous

avons sans doute laissé passer bien des choses auxquelles nous aurions dû veiller plus attentivement. Il y a des prises d'eau là-haut, mais pas de tuyaux. D'ailleurs maintenant il n'y a plus de pression parce que la chaleur a fait éclater les conduits.

— Vous vouliez faire annuler la cérémonie, dit Nat à Giddings. Frazee aurait dû suivre votre conseil mais vous n'avez pas pu lui expliquer vos raisons, alors il a laissé courir. Personne ne prévoyait non plus que les flics laisseraient passer un fou dangereux qui est descendu au sous-sol électromécanique pour y causer Dieu sait quels dégâts et y laisser sa peau. Pourtant quand je suis venu ici ce matin j'ai perçu la présence de quelqu'un dans le gratte-ciel. J'aurais peut-être dû insister pour qu'on fouille l'édifice.

— Pour fouiller tous les étages il aurait fallu une armée, dit Giddings qui se calmait. C'était impossible.

— Pas tellement impossible, dit Nat. Nous aurions dû insister, faire du tapage.

— Personne ne nous aurait écouté.

— C'est sans doute vrai, dit Nat qui ajouta à l'intention de Brown : Vous avez dit vrai. Nous avons plus de connaissances que de jugement. » Il fit signe à Giddings. « Allons voir s'ils sont prêts à faire marcher un ascenseur.

— Mais ne restez pas trop longtemps absent, dit Brown. Je veux que vous soyez ici quand arriveront les garde-côtes. C'est vous qui les avez fait demander. »

Nat acquiesça d'un signe de tête las et s'en alla.

« Tôt ou tard nous aurons des ennuis, peut-être la panique », dit le gouverneur au commissaire à la défense contre l'incendie, dans le bureau attenant à la Salle d'honneur. « Nous ferions peut-être bien de rassembler quatre ou cinq serveurs, les plus jeunes et les plus costauds, et de les tenir en réserve en cas...

— Je m'en occupe », dit le commissaire qui sortit du bureau.

— Et vous, Grover, dit le gouverneur à Frazee, allez donc vous mêler à vos invités et, sacrebleu ! souriez.

— Je vais avec lui », dit Ben Caldwell.

Ils sortirent ensemble.

« Voyez comme je suis adroit, dit le gouverneur à Beth. Enfin seuls !

— Que va-t-il nous arriver ? » demanda-t-elle.

Le téléphone sonna. Le gouverneur appuya sur le bouton de l'ampli.

« Armitage, dit-il.

— Une des cages d'escalier est intenable, gouverneur, dit la voix de Brown. L'autre est encore praticable, mais ça ne durera peut-être pas. Mes hommes ne sont pas très optimistes. Ils s'efforcent quand même de vous atteindre.

— Et après ? demanda le gouverneur.

— Faites ouvrir les portes de ce côté-là, dit Brown après un court instant d'hésitation.

— Et après ? »

Brown hésita un peu plus longtemps et dit enfin : « Je ne sais pas quoi vous conseiller, gouverneur.

— Bon, dit Armitage. Voyons la situation. Une des cages d'escalier est déjà éliminée. A votre avis, les portes pare-feu de l'autre cage tiendront-elles assez longtemps pour que nous arrivions en bas ?... pour qu'un seul d'entre nous arrive en bas ? Je ne vous demande pas une certitude, mais seulement votre opinion.

— Je suis obligé de dire que ces chances sont presque nulles », dit Brown à contrecœur puis il ajouta : « Restent deux autres possibilités qui me paraissent préférables. Wilson, Giddings et leur ingénieur électricien arriveront peut-être à faire fonctionner un ascenseur. Et puis nous parviendrons peut-être à maîtriser le feu avant qu'il... » Il marqua un temps d'arrêt et ajouta sans conviction : « Maîtriser le feu. »

Impassible, le gouverneur regardait fixement le mur en face de lui, mais sans rien voir. « Alors il vaut mieux que nous restions ici ? demanda-t-il.

— Je... oui, c'est ce que je crois, répondit Brown dubitatif. Reste encore un recours possible, mais tellement tiré par les cheveux : l'idée de Wilson. Si les garde-côtes parviennent à vous envoyer une ligne depuis la tour nord du Trade Center, et à installer un va-et-vient... » Le commissaire adjoint se tut. Son scepticisme était évident.

« Si ça marche, tant mieux, dit le gouverneur qui réfléchit un instant puis se redressa sur sa chaise. Rappelez vos hommes », dit-il.

Brown ne répondit pas.

« Vous m'avez entendu ? demanda le gouverneur.

— Il vaut peut-être mieux les laisser monter jusqu'à vous, gouverneur. Pour le cas où... J'évalue les possibilités.

— Rappelez-les, insista le gouverneur. Inutile de les sacrifier dans une bataille perdue. »

Brown pensa immédiatement que le chef de bataillon venait de prononcer la même phrase. Il hocha la tête et acquiesça automatiquement. « Bien monsieur... mais les deux autres ne peuvent pas redescendre. Le feu a envahi l'escalier au-dessous d'eux.

— Alors, qu'ils viennent. Nous leur offrirons à boire et un casse-croûte. Nous ne pouvons pas faire mieux et c'est vraiment bien peu. » Il changea de ton. « Très bien, Brown, merci de me tenir au courant. » Il appuya sur le bouton pour couper la communication et, sans changer d'expression, il dit à Beth : « Vous m'avez posé une question.

— Je la retire.

— Non, dit le gouverneur en secouant la tête, elle mérite une réponse... Je ne sais pas ce qui va nous arriver, mais je doute fort que nous nous en tirions. » Et voilà : tout était dit. « Je le regrette, pour bien des raisons.

— Je sais Bent, dit-elle doucement.

— Comment pourriez-vous connaître mes raisons ? »

Un léger sourire apparut sur les lèvres de Beth : l'éternel sourire de la Femme qui sait tout. « Je sais.

— C'est possible », dit-il. D'un geste vague il montra tout le bureau, ce qui désignait en même temps le gratte-ciel tout entier. « C'est la vanité qui m'a amené ici et on paie toujours quand on lui cède. J'aime les acclamations. Je les ai toujours aimées. J'aurais pu être acteur. » Il sourit tout à coup. « En tout cas, je suis ici. » Son sourire s'élargit. « En grand danger.

— Moi aussi, alors. Mais ce que je vois ne me déplaît pas. »

Le gouverneur resta silencieux un moment, puis il dit : « Avec quelqu'un comme vous, la Maison-Blanche n'aurait peut-être pas été hors de ma portée. » Silence. « A quoi bon penser à ce qui aurait pu arriver ? » Il se redressa sur sa chaise. « J'aimerais mieux rester dans ce bureau, mais, comme je viens de le dire, il faut toujours payer sa vanité. Je dois me mêler au public... » Il secoua la tête, comme pour s'excuser.

« Puis-je vous accompagner ? » demanda-t-elle en se levant sans attendre sa réponse. Elle n'avait pas cessé de sourire.

Ils restèrent côte à côte sur le seuil de la porte pour embrasser la Salle d'un coup d'œil. A première vue rien n'avait changé. Des groupes se formaient, se séparaient, se reconstituaient ailleurs. Serveurs et serveuses circulaient, offrant boissons et amuse-gueule. On bavardait. De temps en temps, un éclat de rire retentissait... peut-être un peu trop fort.

Beth perçut le changement qui s'était produit en profondeur. Il lui sembla voir des figurants sur la scène d'un opéra ; ils jouaient leur rôle avec sincérité, mais ce n'était qu'un rôle conçu pour retenir l'attention des spectateurs jusqu'à ce qu'apparaissent les vedettes. Elle se demanda si le gouverneur avait la même impression et vit à son sourire qu'il en était bien ainsi.

« Nous entrons en scène », dit-il même.

Le PDG d'un réseau de radio-télé fut le premier qui les aborda. « Il commence à faire chaud ici, Bent, dit-il.

— Pensez aux trois cent mille malheureux qui ont été privés de courant l'été dernier, en pleine canicule, répondit le gouverneur en souriant. Il leur a bien fallu se passer de climatisation.

— Les malheurs des autres ne m'ont jamais consolé des miens.

— Moi non plus. D'autre part, mon cher, quand il n'y a rien à faire...

— J'ai l'habitude de toujours trouver ce qu'il faut faire, et vous aussi. »

Le gouverneur arbora le sourire qu'il offrait d'habitude au public, mais sa voix ne dénotait aucune gaieté. « D'habitude oui, John, mais pas cette fois.

— Alors, nous n'avons plus qu'à attendre ?

— Pour le moment, c'est la seule chose à faire », dit le gouverneur en s'éloignant, Beth à son bras.

Le maire Ramsey vint vers eux avec sa femme. « Quoi de neuf ? demanda-t-il.

— Les électriciens s'affairent sur un ascenseur. Nous saurons bientôt à quoi nous en tenir.

— Et les pompiers montent les escaliers ?

— Deux d'entre eux vont arriver ici, dit le gouverneur. J'ai renvoyé les deux autres. »

De petits muscles frémirent à la mâchoire du maire. « Consentirez-vous à me dire pourquoi ?

— Parce que les deux qui arriveront ici ne peuvent pas redescendre, Bob, l'incendie fait rage dans l'escalier au-dessous d'eux. »

Le maire laissa échapper tout l'air de ses poumons en un seul soupir. « Ça signifie que l'autre escalier n'est pas sûr non plus, n'est-ce pas ?

— J'ai tout lieu de le craindre. »

Paula Ramsey intervint. « J'ai téléphoné à Jill, dit-elle en souriant à Beth. Elle m'a dit de la rappeler à votre bon souvenir. Vous avez toujours été sa préférée. Parfois il me semblait que vous la connaissiez mieux que moi et j'étais jalouse. Je ne le suis plus du tout. »

Voilà encore des mots qui n'ont jamais été prononcés

jusqu'à cet instant, pensa Beth. Pourquoi ? « Je ne m'en étais pas rendu compte, dit-elle.

— Ça n'a plus d'importance maintenant. Mon ressentiment est complètement oublié. Jill... » Paula secoua la tête.

« Elle est jeune, dit Beth. Tellement jeune !

— Et désormais elle sera seule. » Paula se tourna vers le gouverneur. « Je ne joue pas les nobles matrones, Bent. Je suis en colère. Pourquoi en sommes-nous là ? Qui en est responsable ? J'ai interrogé Grover Frazee et...

— Grover est ivre et terrifié, dit le maire d'un ton méprisant. Oh, bien sûr, il se conduit encore à peu près comme un gentleman, membre d'un club chic. Voilà ce qu'il a répondu. « Allons, allons, ma chère Paula, tout va s'arranger, j'espère.

— Je veux que quelqu'un paie cette catastrophe, dit Paula. J'en ai par-dessus la tête des malveillants irresponsables qui font n'importe quoi sous prétexte d'activisme et s'en tirent à trop bon compte. Que les responsables soient noirs ou blancs, hommes ou femmes, pédiatres réputés ou aumôniers d'université, prêtres ou quoi que ce soit, je veux les voir punis. » Elle se tut brusquement puis reprit : « Non, je n'assisterais pas à leur châtiment, n'est-ce pas ? Mais je voudrais au moins savoir qu'ils paieront leur méfait. Dites que je suis vindicative si vous voulez, traitez-moi de...

— Je vous traiterais de femme honnête, dit le gouverneur. J'avoue que cet événement modifie mes idées sur le crime et le châtiment, à moi aussi.

— Mais ce n'est pas encore terminé, dit le maire. Vous l'avez dit vous-même. L'ascenseur...

— Non, dit le gouverneur. Rien n'est terminé. » Il pensa au va-et-vient entre le sommet des deux gratte-ciel et préféra ne pas en parler par crainte d'éveiller des espoirs qui pourraient être déçus. « Je n'aime pas user d'analogies avec le football, dit-il. Elles me donnent l'impression d'être... d'être quelqu'un d'autre que moi-même. Pourtant, je dois dire que rien n'est fini tant qu'on n'a pas sifflé la fin du match. En attendant...

— Restons dignes, dit Paula dont les yeux brillaient de

colère. Eh bien, moi j'ai envie de crier des mots orduriers, Bent. » Puis elle reprit sur un ton plus raisonnable : « Allez, Bent, poursuivez votre tournée pour rassurer tout ce monde. » Elle se tourna vers son mari. « Nous en ferons autant, Bob. Il faut bien se maîtriser, nous avons des devoirs », conclut-elle exaspérée.

Le gouverneur regarda Bob et Paula Ramsey s'éloigner. Le secrétaire général des Nations unies venait vers eux. « Entre nous, dit Bent à Beth, je partage sans réserve le ressentiment de Paula. Mais si on le savait, ça ternirait mon image de marque. » Il sourit au secrétaire général qui tenait sa coupe de champagne avec l'aisance que donne l'habitude. « Walter, dit-il, je crains de ne pas vous avoir encore présenté mes excuses pour ce... mélodrame. Acceptez-les, mon cher.

— En êtes-vous responsable ?

— Indirectement et très peu. » Le gouverneur n'en dit pas plus.

« Avez-vous remarqué comme notre perspective change vite et facilement ? Il n'y a guère plus d'une heure je ne me souciais que de questions budgétaires, de la tension au Moyen-Orient, des problèmes du Sud-Est asiatique, de l'irritation d'une douzaine d'ambassadeurs vexés pour les raisons les plus diverses, des problèmes mondiaux de l'environnement... » Il eut un sourire penaud. « Maintenant, me voilà revenu en d'autres temps où nous n'avions que les soucis les plus personnels et les plus terre à terre.

— Quand cela ? demanda Beth.

— Pendant la guerre ? demanda le gouverneur. Est-ce cela, Walter ?

— Pendant des mois nous avons vécu dans une meule de foin, à proximité de Munich, dit le secrétaire général. Notre maison était... réquisitionnée. Je venais d'être libéré d'un camp de concentration, grâce aux démarches de ma femme. Nous étions six : deux enfants, ma belle-mère, une de mes tantes, ma femme et moi. Un jour, nous avons possédé un poulet, un poulet tout entier. » Il secoua doucement la tête. « Oui, en ce temps-là on ne se souciait que de l'immédiat. Ah ! ce poulet ! Nous le destinions aux enfants, mais ils n'y goûtèrent même pas. Ma femme et moi avons commis l'erreur de nous absenter assez longtemps pour que nos deux dames âgées le dévorent. Elles n'en ont rien laissé, rien que les os bien récurés. » Il secoua la tête avec un air de compassion et de compréhension sans limite. « Ça se passe comme ça quand chacun ne pense qu'à survivre.

— Si nous pouvions amener ici tous ceux dont les différends vous donnent tant de soucis, dit le gouverneur, croyez-vous que dans cette situation ils ne se mettraient pas d'accord ? plus vite que vous ne l'avez jamais espéré ? Que pensez-vous de cette solution ?

— Merveille de l'ingéniosité yankee, répondit le secrétaire général en souriant. Je suppose que notre situation est sans changement ? demanda-t-il et il hocha la tête, renseigné par l'expression du gouverneur. Je m'en doutais. Permettez-moi de vous dire que monsieur J. Paul Norris est à un demi-doigt de faire explosion, si vous me permettez cette expression. Il est outré très au delà des apaisements que peut lui offrir la diplomatie.

— Je vais lui parler », dit le gouverneur.

J. Paul Norris accueillit le gouverneur d'un air furibond. « Si quelqu'un ne fait pas quelque chose avant peu, dit-il, avec toute la certitude du PDG de combat, je vais prendre l'affaire en main. »

Le gouverneur hocha la tête en souriant : « Et que ferez-vous, Paul ?

— Je ne sais pas.

— Admirable réponse, tout à fait digne de vous.

— Ecoutez-moi bien, Bent, dit lentement Norris, j'en ai assez de vous, en privé comme en public. Vous avez la langue trop acérée et, depuis toujours, vous ridiculisez tous ceux qui ont fait la grandeur de ce pays. Vous...

— Notamment la fortune et la situation acquises par héritage et ce que nous appelions les privilèges ? dit le gouverneur. J'ai remarqué votre nom sur une liste de contribuables, il n'y a pas longtemps, Paul. Vos revenus de l'an dernier s'élevaient à bien près d'un million de dollars et vous n'avez pas payé d'impôts.

— C'est parfaitement légal. » Une veine gonflait sur le front de Norris. « Absolument conforme aux règlements.

— J'en suis certain. Mais ceux qui gagnent dix mille dollars le comprendront difficilement lorsqu'ils paieront vingt-cinq pour cent d'impôts sur le revenu. »

Beth qui observait et écoutait se demanda où voulait en venir le gouverneur en provoquant cet homme, même s'il avait raison.

« Je me fous éperdument de ceux qui gagnent dix mille dollars par an, dit Norris. Ils sont indignes de ma considération. »

Beth sourit. Je vois, se dit-elle. C'est une diversion. Il agite le chiffon rouge pour distraire cet homme du souci essentiel.

« Mais sachez, Paul, que ce contribuable se fout éperdument de vous, et vous considère seulement comme une source d'exaspération. Il pense que des gens comme vous devraient être enterrés depuis des années.

— Vous parlez comme un communiste.

— On l'a déjà dit.

— Alors, vous avouez ? »

Le gouverneur sourit. « Je sais qui m'accuse. Ceux qui inclinent vers l'extrême gauche considèrent que je fais partie de l'establishment lequel me soupçonne de communisme puisque telle est votre opinion et celle de vos semblables. En fin de compte, cela me place où je voudrais me situer : bien près du milieu. Méditez sur ces quelques abstractions pendant un moment. » Le gouverneur enchaîna d'une voix glaciale : « Si vous essayez de susciter le moindre désordre dans cette salle, je vous fais ligoter comme une dinde de Noël, avec un bâillon sur la bouche. Est-ce compris ? »

Norris prit une profonde inspiration. La veine saillait sur son front. « Vous n'oseriez pas.

— Ne me défiez pas, Paul, dit le gouverneur avec son sourire de loup. Je ne bluffe qu'au poker. » Il s'éloigna avec Beth.

Un serveur s'arrêta devant eux, avec son plateau. « Merci, mon fils », dit Armitage qui tendit un verre à Beth et en prit un pour lui-même.

« Qu'est-ce qui se passe, gouverneur ? demanda le garçon à voix basse. On dit que nous sommes coincés pour de bon ici. On dit que les pompiers sont loin d'avoir maîtrisé le feu. On dit...

— On dit toujours tant de choses et il y a toujours des gens pour crier à la catastrophe.

— Oui, je le sais, mais voyez-vous, gouverneur, j'ai une femme et trois gosses. Qu'est-ce qu'ils vont devenir ? Je vous le demande.

— Des garçons ou des filles ?

— Quelle importance ?... Deux gars et une fille.

— Quel âge ? »

Le garçon fronça les sourcils. « Mon aîné a onze ans. Celui-là c'est Stevie. Bert en a neuf et Becky, à peine six. Vous vous payez ma tête, gouverneur, non ?

— Becky est sans doute trop jeune, mais emmenez donc Stevie et Bert au match de base-ball samedi.

— Samedi, c'est demain.

— Bien sûr, dit le gouverneur en souriant. J'y serai. Si je vous vois, je vous offrirai une bière et un coca à chacun de vos fils. Qu'est-ce que vous en dites ? »

Le serveur hésita, perplexe et dit enfin : « Vous vous foutez de ma gueule, gouverneur. Excusez ma grossièreté, madame... Soyez sûr que je vous rappellerai votre promesse si je vous aperçois, gouverneur. » Il pivota sur lui-même en souriant et s'en alla.

« Cet homme a compris, Bent », dit Beth.

Le gouverneur acquiesça d'un signe de tête. « J'étais en poste à Londres pendant la blitzkrieg. » Il sourit. « Vous n'étiez pas très vieille alors.

— Ne vous occupez pas de mon âge, répondit Beth en lui rendant son sourire.

— Les Londoniens n'aimaient pas ça, mais ils encaissaient sans se plaindre. Les paniques furent rares. Cet homme réagit de la même façon. Mais des types comme Paul Norris ne sont pas dignes de... de vivre dans la même pièce que nous.

— Ou d'y mourir, dit Beth. Oui. Je comprends. » Elle ressentit un picotement aux paupières. « A la fin je céderai peut-être à la panique.

— La fin n'est pas encore là, répondit énergiquement le gouverneur et, même si elle vient, vous garderez votre sang-froid.

— Ne m'abandonnez pas, Bent, je vous en prie. »

Il était dix-sept heures et vingt-trois minutes. Une heure s'était écoulée depuis l'explosion.

21

17 heures et 21 minutes — 17 heures et 32 minutes

La sonnerie d'un téléphone retentit dans la remorque. Brown décrocha et dit son nom. Il parut hésiter un instant. « Oui, dit-il enfin, elle est ici. »

« Je pensais bien que tu serais allée là-bas, mon enfant, dit Mary McGraw à sa fille. Tu as bien fait. Ton père aurait été heureux. » Silence.

Patty ferma les yeux. « Aurait été... répéta-t-elle lentement. Qu'est-ce que ça signifie ? »

Le silence s'amplifia et s'étendit dans l'appareil. Enfin Mary McGraw le rompit en disant avec la plus grande simplicité : « Il est parti. »

Patty regarda au-delà des fenêtres la scène de désordre organisé et prit une profonde inspiration. « Et moi, j'étais ici, dit-elle.

— Tu n'aurais rien pu faire, lui répondit sa mère doucement. Je l'ai vu un instant avant la fin, mais il ne m'a pas reconnue. Il ne savait même pas que j'étais là. »

Patty retint ses larmes. « Je vais te rejoindre.

— Non, je rentre à la maison.

— Je te rejoins.

— Non. » Dans l'appareil la voix parut étrange, sèche, sûre d'elle. « Je vais prendre une bonne tasse de thé et je vais pleurer tout mon soûl. Puis j'irai à l'église. Tu ne pourrais m'aider en rien. » Mary marqua un temps d'arrêt. « Ça ne veut pas dire que je ne veux pas te voir, mais à cet instant, j'ai besoin d'être seule. Il aurait compris.

— Je comprends aussi, mère », bredouilla Patty. Chacun fait face à ses épreuves à sa façon, pensa-t-elle. Pour elle, c'était une constatation nouvelle. Il se passait bien des choses imprévues ce jour-là.

« Et toi, que fais-tu ? » demanda la mère.

Patty regarda autour d'elle d'un air presque ahuri. Mais la réponse lui vint spontanément. « Je reste ici. » Avec le building de papa.

Après un long silence la mère demanda : « Paul n'est pas avec toi ?

— Non. C'est fini... Papa était au courant. » A cet instant un renouveau de colère l'emporta sur le chagrin. Patty se maîtrisa.

« Fais ce que tu crois le mieux, mon enfant, et que Dieu te bénisse. »

Patty raccrocha d'un geste lent. Elle remarqua que Brown et les deux chefs de bataillon détournaient délibérément la tête en attendant qu'elle leur parle. Elle comprenait étonnamment bien des hommes comme ceux-là : pareils à ceux qu'avait toujours fréquentés son père et très différents de Paul. Mais je n'ai rien à faire ici, pensa-t-elle. « Mon père est mort, énonça-t-elle clairement en se levant. Je m'en vais.

— Restez là, dit Brown d'une voix dure. Il tira son paquet de cigarettes de sa poche sans rien dire, en choisit une, la cassa en deux et jeta les morceaux dans la corbeille à papiers. « Votre père.... dit-il. Je suis vraiment navré, madame Simmons. » Son visage las grimaça un sourire bienveillant. « Nous nous sommes chamaillés parfois. C'était forcé. Votre père était un constructeur et, à son point de vue, j'étais un poison. Nous n'étions patients ni l'un ni l'autre. » Son sourire s'élargit. « Mais je n'ai jamais connu un homme meilleur. Heureusement qu'il n'est pas ici pour voir... ça.

— Merci. Je... je ne voudrais pas être importune. » Mais où irais-je ? pensa-t-elle. L'énormité de sa solitude l'accabla. « Merci, reprit-elle d'une voix tremblante. Je m'efforcerai de ne pas vous déranger. » Elle se rassit et se tourna vers la fenêtre.

Le walkie-talkie crachota : « Nous sommes à l'étage de la Salle d'honneur, chef, dit la voix de Denis Howard, haletante et assourdie par la fatigue. Jusqu'à présent il n'y a pas trop de fumée ici. Nous allons essayer de dégager les portes.

— Qu'est-ce qui les bloque ?

— Ah mon Dieu, chef, comment peut-on faire des conneries pareilles ! s'exclama Howard d'une voix lamentable. Il y a de grosses caisses, très lourdes, sur le palier. Certaines sont marquées : fragile matériel électronique. On les a collées juste contre la porte, impossible d'ouvrir de l'intérieur. Comment se fait-il que nos gars aient laissé bloquer comme ça une porte de secours ? »

Le chef de bataillon ferma les yeux. « Je ne sais pas, Denis, je ne sais vraiment pas. Mais c'est infaillible : s'il existe une possibilité d'erreur, quelqu'un la commettra. Et quand on fait tout de travers... » Il reprit d'une voix féroce : « Brisez ces saloperies de caisses, quittez la cage d'escalier et entrez. C'est votre meilleure chance de survivre. »

Brown fit un geste las. Le chef de bataillon lui passa le walkie-talkie. « Le gouverneur m'a promis de vous servir à boire et à manger, dit-il. Ce sera un grand jour pour vous. »

Pas de réponse. La chaleur avait fini par mettre hors d'usage le walkie-talkie de Howard.

Nat avançait dans les entrailles ténébreuses du gratte-ciel. Il marchait à tâtons et parfois en se guidant sur les lampes frontales des pompiers : boules fuligineuses dans la fumée. Le port du masque lui donnait des bouffées de claustrophobie et il lui semblait que chacune de ses aspirations serait la dernière.

Les jets des lances l'avaient trempé jusqu'aux os. La fumée était tellement épaisse qu'il avait l'impression de se mouvoir dans une substance pâteuse. Giddings, Joe Lewis et deux hommes d'une équipe de dépannage se trouvaient quelque part à proximité, mais depuis un moment Nat avait perdu contact avec eux.

Il jugea ridicule de se trouver là. L'ingénieur électricien, c'était Joe Lewis et Giddings s'y connaisait en fait de câblages aussi bien que n'importe qui, y compris Nat qui n'avait pourtant pas été capable de rester dehors, ni de prendre l'attitude de l'architecte devant sa planche à dessin, tire-lignes à la main, la tête bourrée d'équations filandreuses.

Je ne suis pas à ma place ici, pensa-t-il. *Ici* ne signifiait rien pour lui : sous cet immense gratte-ciel, mais partout dans cette mégalopolis d'une complication insensée et tellement compartimentée que la main droite ignore ce qu'y fait la main gauche, où l'homme est si éloigné de la réalité qu'un interrupteur manœuvré à des kilomètres de distance peut le priver d'éclairage, de chauffage, de moyens de cuisiner et même des moyens de rester sain d'esprit malgré le tintamarre constant en écoutant la musique dans laquelle il peut se perdre et se détendre. La manœuvre d'un levier pouvait aussi bien le tuer par quelque erreur commise dans une centrale nucléaire.

Bah, tout ça était exagéré, bien sûr, mais pas tellement. Ici...

Deux pompiers qui titubaient en tirant une lance le bousculèrent. Apparemment ils ne s'en rendirent pas compte.

Voilà encore une autre malédiction de cette métropole : même dans les meilleures circonstances la cohue est si dense que tout le monde se bouscule. Les gens des grandes villes vivent comme dindons en cage : poussés, jetés de-ci de-là, entassés les uns sur les autres dans des espaces d'une exiguïté incroyable. Ça semble leur plaire. Le métro aux heures de pointe. Les autobus. Les gradins du Yankee Stadium. Les plages de Coney Island. Times Square à minuit le 31 décembre. Une manifestation à Madison Square... Seigneur Dieu ! ils aiment ça !

Ces idées fulguraient dans son esprit.

Près de lui, une voix étouffée par un masque à oxygène s'exclama soudain : « Si ce salopard voulait bien... Et toi, Duconneau ! Oui. Eclaire-moi, nom de Dieu ! » C'était un des électriciens qui parlait ainsi.

La silhouette massive de Giddings se découpa dans la fumée. « Si vous ne pouvez pas y arriver, laissez-moi faire », dit-il. Sa voix sonnait creux et semblait venir de très loin. « Hé là ! mec ! Fourre pas tes grosses paluches de boucher sur ce panneau. Tu n'es pas syndiqué. »

Ah non, tout de même ! pensa Nat. Pas maintenant ! Pourtant, c'était ainsi : incrusté, inévitable. Chacun se ménageait son petit territoire et le défendait contre tout autre, ami ou ennemi. Pourquoi ? Parce que chacun s'intégrait à ce territoire qui devenait une manifestation de sa propre essence ; y pénétrer c'était violer l'âme même de son propriétaire. Merde ! Ça ne devrait pas être comme ça. En grandissant la colère de Nat englobait le monde entier.

Joe Lewis qui se trouvait tout près dit d'une voix caverneuse : « Pressons ! » Il se mit à tousser. « Je ne pourrais pas supporter ça longtemps.

— Alors, taillez-vous, dit Giddings, nous terminerons. »

Nat vit Lewis lever un bras dans l'ombre et le laisser retomber, vaincu. Une toux profonde le déchira. Il fit demi-tour, tituba, tomba, essaya de se lever, n'y parvint pas.

« Nom de Dieu... dit Giddings.

— Finissez le boulot, dit Nat sèchement. Je vais le sortir d'ici. »

Il s'agenouilla auprès de Lewis, l'allongea sur le dos puis le plia pour l'asseoir. Lentement, à grand-peine, il le prit sur une épaule, à la manière d'un pompier, aspira profondément et parvint à se mettre debout.

Ses jambes flageolèrent. Malgré le masque, la fumée envahissait ses poumons, pénétrant dans des alvéoles qui auraient dû être pleins d'oxygène. Il fut pris de vertige.

Il se pencha en avant pour équilibrer son fardeau et s'éloigna à tâtons dans les ténèbres.

Flasque, le corps de Lewis n'était qu'un poids mort. Nat se demanda s'il respirait encore. Il buta contre la première marche et gravit l'escalier lentement, péniblement. Une, deux, trois... Il y avait quatorze marches entre chaque étage ; comment se faisait-il qu'il se rappelait de tels détails ?

Treize, quatorze... palier. Et encore l'escalier, d'autres marches. La fumée n'était pas moins dense.

Encore un pas et ce sera le dernier, se dit-il. Et pourtant il savait déjà qu'il en ferait bien d'autres. Comme en montagne sur une pente abrupte, la seule chose à faire consiste à baisser la tête, concentrer son attention sur ses pieds qui montent à tour de rôle à un rythme lent. Il faut surtout ne pas penser à sa respiration, ni à la toux qui suffoque. Treize, quatorze... encore un palier et d'autres marches à gravir.

Il buta contre un tuyau, tomba à genoux, éprouva une vive douleur, fut tenté d'abandonner Joe Lewis et parvint à repousser cette tentation. Debout, bon Dieu, debout !

Il crut entendre des voix mais devina aussitôt qu'il s'agissait de bourdonnements d'oreille.

Il s'arrêta à mi-étage pour tousser, crut étouffer et repartit.

Il ne voyait devant lui que la fumée et les ténèbres. Tiens, voilà une porte. Elle est fermée. Serait-elle verrouillée, seigneur ? Si c'est ça, je me suis trompé d'escalier et nous sommes foutus tous les deux. Il gravit les deux dernières marches et tâtonna de sa main libre en quête de la poignée. Il n'y en avait pas.

Au vertige s'ajouta la nausée. Penser lui était presque impossible. Pourquoi pas de poignée ? Sacrebleu ! Tu sais pourquoi. C'est toi l'architecte, non ? Il se pencha en avant et appuya le corps inerte de Lewis contre la porte qui s'ouvrit aussitôt et Nat faillit tomber dans le vestibule plein de fumée.

Dehors enfin, sur la place, il échappa à la claustrophobie du masque. Deux hommes en blanc prirent le corps sur son épaule. « Respire ça », dit un autre en lui appliquant un masque de caoutchouc sur le visage.

Il aspira profondément l'oxygène. Petit à petit sa vue s'éclaircit et le vertige diminua. Il se libéra du masque et s'en alla à pas lents vers la remorque. En gravissant les marches il constata combien ses jambes étaient faibles.

Un des chefs de bataillon lui dit en souriant : « On recrute chez nous si ça vous intéresse. Vous ferez tous les jours des excursions dans la fumée.

— Merci bien, dit Nat en souriant piteusement. Désormais, je ne combattrai plus le feu qu'en forêt.

— Ça va quand même ? » lui demanda Patty qu'il n'avait pas remarquée en entrant.

Il la vit alors petite, ravissante et, à cet instant, sincèrement inquiète. Pourquoi ? « Très bien, dit-il. Un peu essoufflé, c'est tout.

— Vous avez l'air d'une épave arrachée au fond de l'East River comme le disait volontiers papa. » Elle sourit à demi.

Brown demanda : « Et l'ascenseur ? Où en êtes-vous ?

— Ça va peut-être marcher, dit Nat en haussant les épaules d'un geste épuisé. On va faire un essai. » C'était la seule solution à moins que... « Les garde-côtes ne se pressent pas. »

Giddings arriva. En le voyant Nat réalisa quelle allure il devait avoir lui-même. Une ligne blanche, malsaine marquait sur le visage de Giddings l'endroit où le masque avait serré la peau. Son front et ses cheveux étaient couverts de suie. Son veston de velours côtelé n'était plus qu'une loque tigrée de noir. « Qu'est-ce qu'il y a de drôle ? demanda-t-il.

— Nous avons l'air de deux ramoneurs, dit Nat en souriant.

— Les ramoneurs sont les hommes les plus heureux de la terre, si ça peut vous consoler », dit Patty. Et qu'ils soient toujours heureux, pensa-t-elle. Où que tu sois, papa, bon voyage.

« Alors ? demanda Brown.

— Si ça marche, la cabine ne s'arrêtera pas avant d'avoir atteint la Salle d'honneur, sauf... » Il haussa les épaules. « Sauf à peu près n'importe quoi. Mais voilà : nous ne saurons même pas si l'ascenseur est arrivé à destination, sauf si les gens de là-haut nous le disent. Il est temps de leur téléphoner. »

Brown, Giddings et les deux chefs de bataillon convergèrent vers le téléphone.

« Nat », dit Patty à voix basse. Qu'est-ce qui la poussait à se confier ainsi ? La solitude, peut-être. Elle n'en savait rien mais n'avait pas non plus le courage de se taire. « Il est parti, Papa. Grand et fort comme il l'était, il est...

— Je suis désolé », dit Nat en lui prenant les deux mains. Quand il les vit noircies par les siennes, il ajouta : « Je suis désolé pour ça aussi.

— Ça ne fait rien, dit Patty en lui abandonnant ses mains. Ma mère m'a téléphoné. Elle l'a vu mais... il ne l'a... pas reconnue. »

Nat serra les deux petites mains. « Doucement, doucement. » Qu'aurait-il pu dire d'autre ? Je ne vaux rien pour des trucs comme ça, pensa-t-il. Je ne connais que les choses, pas les gens. « Je suis désolé », répéta-t-il. Ce n'étaient que vains mots.

Patty se mordit la lèvre inférieure, les yeux fermés. Quand elle releva les paupières ils brillaient, mais sans larmes. « Paul, dit-elle d'une voix âpre.

— Qu'est-ce qu'il devient ? »

Patty aspira avec peine. « A déjeuner j'ai dit à papa ce qui se passait entre Paul et Zib. Excusez-moi, mais je lui révélais que je quittais Paul et il fallait bien que j'explique pourquoi.

— Evidemment », répondit Nat en serrant de nouveau les petites mains. Comment se faisait-il que l'idée d'être cocu le laissait presque indifférent ? Tenait-il vraiment à Zib jusqu'alors ? Ou bien se leurrait-il plus ou moins consciemment lorsqu'il se croyait *uni* par les liens du mariage alors qu'il s'agissait simplement d'un concubinage légal sans obligations ni d'une part ni de l'autre ?

« Paul a vu papa peu après moi, reprit Patty. Paul était auprès de lui quand il eut cette attaque. » Elle se tut et scruta le visage de Nat.

Les quatre hommes étaient groupés autour du téléphone, à l'autre extrémité de la remorque. Nat entendit un bruit confus de conversation. Dans le coin où ils étaient isolés régnait le silence. « Où voulez-vous en venir ? demanda Nat.

— Papa étant ce qu'il était n'a pas manqué de le secouer d'importance au sujet de ses relations avec Zib. Ça me paraît évident. Et alors, qu'a répondu Paul à votre avis ? » Elle se tut un instant, l'air interrogateur puis répondit elle-même à sa propre question. « Paul étant ce qu'il est a dû répliquer que nous en faisions autant de notre côté. Rien que pour se venger de moi. »

Le temps sembla arrêter sa marche. Ils méditèrent face à face. « Peut-être, dit Nat. Je ne sais pas. » Mais en réalité il savait fort bien. Paul étant ce qu'il était... Une de ses idées habituelles lui vint à l'esprit. « Je ne connais pas beaucoup les gens. Accordons-lui le bénéfice du doute. »

Le menton haut, Patty secoua la tête. « S'il a fait ça, il a tué papa. » Ses mains se crispèrent dans celles de Nat. « Et si j'en ai l'occasion, je le tuerai. Que Dieu me garde !

— Allons, Patty, allons... », rétorqua Nat qui se tut aussitôt.

Brown criait dans le téléphone. « Vous en êtes sûr ? Mais sacré nom de Dieu ! assurez-vous-en ! » Il ajouta à l'intention de Giddings et des chefs de bataillon : « Il *croit* que l'ascenseur est arrivé là-haut. Il croit ! » Puis il retira sa main du microphone et reprit : « C'est certain ?... Oui, gouverneur. Jésus, Marie, Joseph ! » Un instant de silence. « Oui, monsieur. Nous restons en ligne. » Il reposa la main sur le micro. « L'ascenseur est arrivé. Ils s'efforcent d'ouvrir la porte. Qu'est-ce que vous en dites ? » Brown se tourna vers Nat qui était à l'autre extrémité de la remorque. « Maintenant nous pouvons oublier l'idée insensée d'un va-et-vient. »

Nat hésita. Dans ce domaine au moins, pensa-t-il, je suis capable de juger avec compétence. « Non, dit-il, laissons venir les garde-côtes. Si l'ascenseur fonctionne, bravo ! mais conservons une solution de rechange. »

22

Les fenêtres de la face nord-est du soixante-deuxième étage furent les premières qui éclatèrent sous l'effet de la chaleur. De lourds morceaux de verre laminé jaillirent du gratte-ciel, comme des éclats de bombes. Aussi brillants que des stalactites de glace pendant leur longue chute, ils se pulvérisèrent au contact du sol. La foule glapit, surexcitée.

« Ecartez ces barrières ! clama le chef du service d'ordre dans son porte-voix. Plus loin, bon Dieu, plus loin ! »

L'agent Shannon porta la main à sa joue, puis considéra, incrédule, le sang qui avait instantanément couvert sa paume et coulait entre ses doigts.

L'agent Barnes tira son mouchoir de sa poche et l'appliqua sur la plaie longue et nette. « Tiens-le serré, Mike, et va à l'ambulance. Il te faudra des points de suture.

— Crois-tu que j'aurai une décoration, Frank ? ne put s'empêcher de demander Shannon. Le rôle de héros blessé m'a toujours tenté.

— Eh bien, ton vœu est exaucé, mon vieux », dit Barnes qui quitta son camarade pour aider à repousser la foule hors de portée des éclats de verre.

Il n'y avait plus de pancartes sur la place, mais le révérend Joe Willie Thomas vit dans le tourment du gratte-ciel l'occasion de clamer un message :

« C'est la volonté du Seigneur ! vociféra-t-il avec la certitude du fanatique. C'est le juste châtiment. Malice et prodigalité allaient bras dessus bras dessous ! Sodome et Gomorrhe ressuscitaient ! Ces villes maudites ressuscitaient, vous dis-je ! »

Il y en eut qui jugèrent pertinente cette comparaison.

L'air avait une odeur de cendre sur la place. Les flaques d'eau s'étaient étendues en mares couvertes de suie.

Très haut, à une hauteur vertigineuse, au pied de la Tour, la fumée montait en volutes vers le ciel. Au-dessous, de l'autre côté du gratte-ciel, il en jaillissait encore plus et, poussée par le vent, elle enveloppait le building comme une armure en fusion.

La fumée sortait aussi par les portes du vestibule, mais moins dense. Bien des gens dans la foule pensèrent qu'on avait maîtrisé l'incendie. Il n'en était rien.

« Ça devait arriver tôt ou tard ! s'écria un agent d'assurances dans la cohue. Dieu merci ma société n'est pas dans le coup.

— Mais les primes vont monter, répliqua un quidam.

— Aucun doute, reprit l'assureur. Il faut pouvoir couvrir les risques.

— Et les gens qui sont là-haut ?

— Voilà une question judicieuse, dit l'assureur. Je ne connais pas la réponse. Nous assurons les choses, pas les gens. »

23

17 heures et 32 minutes — 17 heures et 43 minutes

Le bureau contigu à la Salle était redevenu le poste de commandement où régnait le gouverneur. « Quelle est la capacité de cet ascenseur ? Maximum ? Même en surchargeant ?

— Cinquante-cinq personnes, répondit Ben Caldwell. C'est la charge normale. On pourrait peut-être en tasser dix de plus.

— Ce sera fait », dit le gouverneur. Il sourit amèrement et reprit : « En vertu de la tradition, les femmes et les enfants passent d'abord. Quelqu'un a-t-il une raison de rompre avec cet usage ?

— Moi, dit Beth et tous les autres se turent. C'est vous les gens importants. C'est donc vous qu'il faut sauver. Soyons pratiques et oublions les temps de la chevalerie.

— D'accord, d'accord, dit Grover Frazee.

— Taisez-vous, Grover », répliqua le gouverneur, outré. Le sénateur Peters intervint. « Très bien, ma chère, soyons pratiques. Notre temps est révolu. Nous avons fait autant de vagues que nous en étions capables et exercé sur les événements l'influence que nous pouvions exercer. » Réalisant qu'il se laissait emporter par son éloquence il décida d'abréger. « Il se trouve que la tradition n'est pas un vestige ridicule de la chevalerie mais qu'elle est fondée sur l'esprit pratique dont vous vous réclamez. L'avenir de l'espèce humaine est en vous, pas en nous. Nous gérons ses affaires tant que nous vivons, mais vous, vous veillez à ce que d'autres nous remplacent et vous prenez soin d'eux jusqu'à ce qu'ils y soient prêts.

— Votre motion est écartée, Beth, dit le gouverneur qui sourit avec tendresse. Les femmes d'abord ! Vous, Pete, ajouta-t-il à l'intention du commissaire, veillez-y. Tous les autres, aidez-le. Et faites vite ! »

Beth ne reprit la parole que lorsqu'ils se retrouvèrent seuls dans le bureau. « Je n'y vais pas, Bent. Pas sans vous.

— Ah si ! vous descendrez », dit le gouverneur. Il alla au mur contigu à la cage de l'escalier. « Venez. » Il la vit s'approcher lentement, l'air intrigué. Il lui prit la main et la posa à plat sur la surface de ce mur. Elle la retira vivement. « C'est chaud, pas vrai, dit-il. Nous n'en avons plus pour longtemps et je tiens à ce que vous soyez sauvée.

— Je vous dis...

— Et moi je vous dis ! » Il lui souleva le menton du bout des doigts et lui baisa légèrement les lèvres. « Je ne vais pas faire de discours. Pour une fois dans ma vie je ne trouve pas les mots pour exprimer ce que je pense et ce que j'éprouve. Si cela paraît invraisemblable, eh bien, toute cette situation est invraisemblable. Elle n'est pourtant que trop réelle. » Il sourit et la prit par la taille. « Venez. Je veux vous voir partir. »

Elle résista. « Y aura-t-il un second voyage ? Pour vous ? Pour les autres ?

— Nous y comptons bien mais nous tenons à vous mettre d'abord en sécurité. »

Ils allèrent ensemble à la porte et s'arrêtèrent avant de l'ouvrir.

De l'autre côté quelqu'un braillait : « Hé là, qu'est-ce que vous fabriquez ? » D'autres voix s'élevèrent et on entendit le bruit d'une course précipitée.

« Attendez-moi », dit le gouverneur qui plongea dans la grande salle.

La scène avait changé du tout au tout. La foule grouillait frénétiquement comme des fourmis dans un nid éventré.

« Assez ! hurla le gouverneur. Assez ! »

Le désordre s'atténua. De nombreux visages se tournèrent vers lui. Le bruit s'apaisa presque tout à fait.

« Qu'est-ce qui se passe ? demanda le gouverneur. Apparemment nous sommes des adultes responsables de leurs actes. N'en est-il plus ainsi ? » Il criait, d'un ton cinglant. « Les gens d'en bas ont réalisé un miracle en nous envoyant un ascenseur. C'est...

— C'est que l'ascenseur est reparti, dit le sénateur Peters avec un accent faubourien plus marqué que jamais. Il descend et nous ne pouvons pas l'arrêter. » Un bref silence. « Il n'emporte qu'un passager. Un seul. Vous devinez qui ? »

Dans la grande salle silencieuse, tous les regards étaient tournés vers Bent Armitage qui pensa : Je n'ai pas besoin de deviner, je le sais. Puis il dit à haute voix : « Dites-le-moi, Jake.

— Paul Norris, dit le sénateur. Qui voulez-vous que ce soit ? J. Paul Norris. »

Le gouverneur hocha lentement la tête, pivota lentement sur lui-même et retourna lentement au bureau en passant auprès de Beth comme s'il ne la voyait pas. Il s'assit devant la table et appuya sur le bouton de l'amplificateur. « Armitage à l'appareil. L'ascenseur descend. Un seul passager. Qu'on ne le laisse pas filer, j'y tiens.

— Oui, monsieur, répondit Brown qui ajouta, incrédule : Un seul passager ?

— C'est bien ce que j'ai dit. Je veux que le district attorney soit mis immédiatement au courant de cette affaire. Cet individu a dérobé l'ascenseur. Si le procureur en trouve le moyen, j'exige qu'il soit accusé de tentative de meurtre. » Le gouverneur réfléchit un instant. « Dites aussi au procureur qu'il lui sera peut-être difficile de trouver des témoins.

— Nous vous renverrons l'ascenseur sur-le-champ, si c'est possible.

— Si c'est possible, répéta le gouverneur. Je comprends...

Vous tous, la-bas, vous avez fait un boulot magnifique contre une adversité apparemment insurmontable. Nous nous en rendons compte tous ici, sachez-le. » Il considéra l'appareil téléphonique d'un air pensif. « Combien de temps resterons-nous en communication ? demanda-t-il. Impossible de le deviner sans doute ? Mais je suis certain qu'il y a un poste de radio à transistors ici. Il y en a toujours partout. Quand la ligne sera coupée, vous pourrez donc nous parler par l'antenne de l'émetteur municipal. Nous resterons branchés sur sa longueur d'ondes. » Il releva la tête.

Le maire était sur le seuil de la porte. « Je trouverai un transistor, dit-il. Est-ce qu'ils vont renvoyer l'ascenseur ?

— Gouverneur ? demanda la voix de Brown dans l'ampli.

— Je suis là.

— L'ascenseur est arrivé, gouverneur. Le passager... » Brown marqua un temps d'arrêt. « Il est mort, gouverneur. Brûlé vif, c'est assez affreux. » Sa voix tremblait.

Celle de Nat Wilson retentit, lasse mais vigoureuse. « Une colonne creuse aussi haute au centre de l'immeuble doit faire un effet de haut fourneau », dit-il.

Ben Caldwell passa auprès du maire. « Des masques, Nat, dit-il à pleine voix. Des vêtements d'amiante. Asperger l'intérieur de la cabine pour la rafraîchir.

— Non, dit Nat. Nous avions une chance et elle a raté. Cette cabine ne remontera plus. Gravement endommagée, elle a échappé à ses rails qui doivent être tordus. Nous essaierons encore, mais... » Nat ne termina pas sa phrase.

Caldwell souffla lentement. « Compris », dit-il.

Brown revint en ligne. « Nous travaillons toujours à l'intérieur, étage par étage. Excusez-moi, gouverneur mais en fin de compte... » Le commissaire adjoint se tut un instant. « Si seulement on ne construisait pas des baraques aussi gigantesques ! Maintenant il ne nous reste plus que l'idée insensée de Wilson. »

Le gouverneur resta impassible. « Tenez-nous au courant, dit-il en repoussant sa chaise pour se lever. Il est temps de présenter un nouveau compte rendu. » Il se dirigea vers la porte.

« Est-ce bien nécessaire, Bent ? lui demanda Beth.

— Au cours de ma longue carrière, ma chère, j'ai appris que le public se conduit toujours au plus mal quand on le laisse dans l'ignorance. Il réagit parfois de manière désagréable devant des vérités désagréables. Mais quand on ne lui dit rien, des rumeurs circulent et la panique n'est pas loin. »

Comme la première fois, le gouverneur monta sur une chaise au milieu de la salle. Il n'eut pas longtemps à attendre pour que toutes les conversations cessent. « L'ascenseur est descendu jusqu'au vestibule », dit-il et il attendit.

Un sourd murmure de colère accueillit cette nouvelle.

« L'homme qu'il contenait est mort, rôti vivant, au centre de l'immeuble. » De nouveau le gouverneur se tut.

Cette fois la salle resta absolument muette. Il tenait son public en main.

« On essaie de nous renvoyer la cabine. En cas de réussite, elle contiendra des vêtements isolants et des appareils respiratoires. » Il leva une main. « En cas de réussite ! Mais cette réussite n'a rien de certain. »

On frappa à la porte de secours, au fond de la Salle. Le gouverneur attendit cependant que le commissaire se précipitait pour manœuvrer le loquet et ouvrir la porte. Les pompiers Denis Howard et Lou Storr entrèrent.

Chacun portait un pied-de-biche : longue et lourde barre d'acier crochue à une extrémité, aplatie à l'autre. Leurs masques pendaient en sautoir. On voyait au premier coup d'œil qu'ils étaient épuisés. Le gouverneur leur fit signe d'approcher. Ils avancèrent, les jambes flageolantes.

« Fermez cette porte », dit le gouverneur. Il ajouta à l'adresse des deux pompiers : « Merci d'être venus. »

Lou Storr ouvrit la bouche et la referma aussitôt.

« Il n'y a pas de quoi nous remercier, gouverneur, dit Denis Howard. Nous avons monté quelques marches d'escalier. » Il agita la main d'un geste grandiloquent.

« Pouvons-nous descendre par l'escalier ? demanda une voix d'homme. Dans l'affirmative, allons-y. »

S'ensuivit un silence. Howard ne jouait plus la désinvolture mais regardait le gouverneur d'un air perplexe.

« Expliquez-leur la situation », dit le gouverneur.

Howard prit son temps. « Vous pouvez essayer de descendre, dit-il enfin. Mais vous n'arriverez pas au rez-de-chaussée. » Il leva sa main qui tremblait. « Regardez. J'avais des poils sur les doigts. » Il passa la main sur son visage. « J'avais aussi des sourcils, croyez-moi. Prenez l'escalier. Si vous courez assez vite, vous arriverez peut-être vivants au centième étage, mais pas plus bas. »

Silence de mort.

« J'ai promis de vous offrir un verre, dit le gouverneur qui fit signe à un garçon. Servez-les, s'il vous plaît, puis amenez-les au bureau. » Son regard parcourut l'assistance. « Ça va mal, dit-il. Mais ce n'est pas désespéré. Nous étudions toutes les solutions imaginables. Je ne peux rien vous dire de plus. »

Cary Wycoff s'écria : « Ce que je voudrais savoir... non ! ce que j'exige de savoir, c'est comment tout cela est arrivé. Qui en est responsable ? »

Le gouverneur attendit immobile, debout sur sa chaise que s'atténue le sourd murmure d'approbation, puis il reprit : « Cary, je vous conseille de constituer une commission parlementaire d'enquête pour étudier cette question. Je lui révélerai avec plaisir tout ce que je sais. » Il descendit de la chaise, offrit le bras à Beth et retourna au bureau d'un pas mesuré.

Arrivé dans cette petite pièce, il se laissa tomber dans le fauteuil devant la table. « Je me considère comme un homme normalement patient et raisonnable et je me crois même accessible à la pitié. » Il releva la tête et sourit à Beth, sans gaieté. « Pourtant à cet instant j'étranglerais joyeusement Cary Wycoff. J'espère aussi vivre assez longtemps pour aller cracher sur la tombe de Paul Norris. Si ces sentiments sont ignobles, eh bien, je suis ignoble.

— Si monsieur Norris n'avait pas accaparé la cabine... dit Beth, qui laissa la suite en suspens.

— C'est vrai, dit le gouverneur. Aucune de vous n'aurait atteint le rez-de-chaussée vivante. Tant mieux qu'il ait agi ainsi, mais ça ne change rien à ses intentions.

— Je comprends, Bent. »

Il lui saisit la main, la baisa et la garda contre sa joue. « Ces petits bonshommes qui s'échinent sur leurs tables à dessin avec des visières translucides et ensuite tirent des ficelles pour voir si tout fonctionne comme ils l'ont prévu... Parfois je me demande si leurs mobiles ne sont pas foncièrement malicieux. Croyez-vous à une vie dans l'au-delà, ma chère ?

— Oui, j'y crois.

— Je ne l'ai jamais trouvé nécessaire, dit le gouverneur. Je n'ai jamais jugé utile non plus de croire à une déité quelconque. Pourtant j'ai exécuté les rites de la religion, de même que je me suis soumis à maintes autres obligations conventionnelles. Et tout cela, pourquoi ? Parce qu'on s'attendait à ce que je le fasse. Je me demande combien d'hommes agissent de la même manière et refusent de l'avouer. » Il marqua un temps d'arrêt. « Si j'avais foi en ma prière, je prierais pour que nous nous retrouvions plus tard, ailleurs.

— Nous nous retrouverons, Bent.

— Auprès d'un ruisseau à truites céleste. C'est ça qui me plairait. Nous y serions ensemble, au crépuscule. » Il lâcha la main de Beth et se redressa dans son fauteuil lorsque les deux pompiers et le commissaire apparurent sur le seuil de la porte. « Entrez, dit-il, asseyez-vous. Etudions la situation, pour sinistre qu'elle puisse être. »

24

17 heures et 40 minutes — 17 heures et 56 minutes

Patty avait l'impression de subir un dédoublement de personnalité : une partie de sa conscience s'était retirée dans le secret de son deuil et l'autre partie s'acharnait à concentrer son attention sur l'immédiat, c'est-à-dire la tension qui régnait dans la remorque.

Après s'être entretenu par téléphone avec Ben Caldwell, Nat était revenu auprès d'elle et son regard errait vaguement de la place au gratte-ciel en tourment. « Autrefois on concevait les grands immeubles d'une manière tout à fait différente. Ils résistaient si bien à l'incendie que la municipalité réduisit les frais de défense contre le feu dans les quartiers neufs, dit-il lentement puis il se tourna vers Patty. Est-ce que vous le saviez ? » demanda-t-il.

Patty s'obligea à sourire et secoua la tête.

« Des murs épais, des sols épais, des fenêtres qui s'ouvraient. On pouvait entrer et sortir à tous les étages. On maîtrisait facilement le feu, mais maintenant... » Il haussa les épaules et soupira : « Maintenant on construit selon un système plus économique, en concentrant ascenseurs, escaliers fixes et roulants, conduits d'air et d'eau, câbles électriques et tous les éléments collectifs dans une colonne creuse au centre du bâtiment. Ça laisse plus de place à louer. Mais

quand le feu éclate, un incendie grave comme celui-ci... »
De nouveau il haussa les épaules et soupira.

« Vous avez dit au téléphone que ça fait un effet de haut fourneau, dit Patty. Comme une cheminée ? »

Un des chefs de bataillon intervint. « Parfois, dans le cas d'un incendie comme celui-ci, la température monte tellement au cœur de l'immeuble que les pompiers ne peuvent y travailler que cinq minutes à tour de rôle et souvent moins. » Il s'adressa à Nat : « Vous parlez d'un effet de fournaise, c'est vrai, et je pense aussi à la température des chalumeaux. » Il montra du doigt le sommet du gratte-ciel. « Si nous tirons quelqu'un vivant de là-haut, ce sera un fameux miracle. »

Outré, Brown cria dans le téléphone : « Mais oui, sacrebleu, nous avons besoin d'eux. Envoyez-les en vitesse. Vous croyez qu'on s'amuse ? » Il reposa brusquement le combiné et leva un poing rageur. « Les flics ne comprenaient pas ce que les garde-côtes pouvaient faire dans un incendie à terre. Ça leur paraissait tellement saugrenu qu'ils ont pris leur temps et m'ont interrogé avant de les laisser franchir la barrière. » Il considéra Nat d'un air féroce. « Vous croyez vraiment que ça va marcher, votre truc de va-et-vient ? » demanda-t-il.

Nat leva les mains et les laissa tomber, s'abandonnant à la fatalité. « Avez-vous une meilleure idée ? demanda-t-il.

— Ces hélicoptères qui continuent à tournoyer là-haut ne servent absolument à rien, dit Brown. C'était aussi une de vos idées.

— Tout comme l'ascenseur, dit Nat. Et cinquante personnes auraient pu y périr au lieu d'une seule. » Il lui faudrait longtemps pour oublier cela, s'il y parvenait jamais.

Autrefois, lorsqu'il était pompier parachutiste dans les forêts de l'Ouest, on l'avait largué sur un point où le vent avait brusquement changé de direction et encerclé dix-neuf hommes. Leurs corps raidis, dans une position fœtale, recroquevillés comme des escargots, étaient tellement carbonisés qu'on reconnaissait à peine des êtres humains. Ce sont des choses qu'on n'oublie jamais. « Que pourrions-nous faire, sinon essayer tout ce qui nous passe par la tête ? demanda-t-il. Autrement, qu'arrivera-t-il ? »

Personne ne pipa mot.

« Considérons la situation, reprit Nat. Nous n'avons aucun moyen de les atteindre là-haut. Ils ne peuvent pas descendre par leurs propres moyens. Même s'ils avaient des cordes, elles ne serviraient à rien. Imaginez-vous des hommes et des femmes de cet âge en train de faire de la varappe à cinq cents mètres de haut ? » Sa voix était devenue suraiguë, presque furieuse.

« Les hélicoptères sont-ils utiles ? demanda-t-il. La réponse est claire : non. A eux seuls, ils ne servent à rien. Bien sûr en brisant une fenêtre là-haut, un acrobate pourrait attraper l'extrémité d'une échelle pendue à un de ces engins. Mais il n'y a pas d'acrobates parmi tous ces gens qui sont montés là-haut pour y boire du champagne. Alors, que nous reste-t-il ? Voilà la réponse à vos questions. « Schadrac, Méschac et Abed-Nego sortirent de la fournaise (Daniel III 26) ». Mais ce miracle ne se reproduira pas ici.

— D'accord, dit Brown apaisé. Ne vous énervez pas. Nous verrons ce que disent les garde-côtes.

— Si ça ne marche pas, il faudra trouver autre chose », dit Nat. Il se retourna vers la fenêtre.

Patty lui toucha le bras. « Est-ce vraiment la faute de Paul ? demanda-t-elle. Papa m'a dit qu'il n'en était pas sûr et qu'il refusait de calomnier sans preuves. »

L'enveloppe contenant les photocopies était toujours dans la poche de Nat. Il l'en tira et la secoua au-dessus de la planche à dessin. Patty prit les ordres de dérogation un à un, y jeta un coup d'œil et les laissa retomber comme des choses malpropres. « Je ne suis pas ingénieur, dit-elle, mais je m'y connais quand même un peu. » Elle scruta le visage de Nat. « Il y a votre nom là-dessus mais ce n'est pas vous qui avez signé ça, n'est-ce pas ?

— Comment se fait-il que vous le sachiez ?

— Ce n'est pas votre genre, dit Patty. Ne me demandez

pas comment je le sais, mais j'en suis certaine. » Elle considéra les photocopies. « Paul imite admirablement les écritures. Autrefois je trouvais ça amusant. Maintenant, ça me paraît abominable. » Elle médita un moment. « Dites-moi, Nat, que dit-on d'une femme qui se retourne contre son mari ?

— Qu'elle est admirable.

— Je voudrais bien le croire. »

Petite, mais indomptable, pensa Nat. Prête à regarder les choses en face, même si elles la blessent. Comment réagirait Zib dans cette situation ? Sans doute prétendrait-elle qu'il s'agit d'une erreur ou que rien de tel n'est arrivé, et elle ne s'en soucierait plus. Mais pas celle-ci. « Je vous en donne ma parole », dit-il.

Grand, large d'épaules, d'un calme massif, le second maître chef Oliver, de la garde-côte des Etats-Unis, apparut sur le seuil de la porte. « Alors, qu'est-ce qui se passe ? Et que pouvons-nous faire pour vous ? » demanda-t-il.

Il écouta tranquillement les explications de Nat et tous deux sortirent sur la place pour considérer la terrasse carrée au sommet de la tour nord du Trade Center et la World Tower dont la pointe brillante atteignait presque le ciel.

Oliver jeta un coup d'œil circulaire sur la place. Les mares couvertes de suie, les tuyaux entremêlés en tous sens et les pompiers qui braillaient. « Quel cirque ! » dit-il. Puis il releva la tête et évalua les distances d'un air impassible. Enfin, il se tourna vers Nat et secoua lentement la tête. « C'est impossible, dit-il.

— Vous avez des fusils spéciaux dans le genre des lance-harpons pour envoyer ce que vous appelez des lignes-messagères, non ?

— Oui, nous possédons tout ça, dit le second maître chef.

— La distance n'est pas tellement grande, reprit Nat avec tant d'insistance qu'il semblait en colère. Même si vous ratez onze fois, la douzième ligne atteindrait la Salle d'honneur. Il n'en faut pas plus. Nous ferons briser toutes les vitres de ce côté et vous aurez une cible aussi large qu'une grange. Vous...

— Le vent n'est pas violent ici à terre. Mais là-haut... Quelle hauteur ?

— Quatre cent cinquante mètres. » La colère s'était évanouie. « Je comprends.

— Là-haut, c'est la tempête. En altitude le vent est toujours beaucoup plus violent. Voyez la fumée. Elle file presque à l'horizontale avant d'atteindre le sommet du gratte-ciel. Il faudrait tirer notre ligne contre ces rafales... Non, elle n'atteindrait pas le but. Pas à cette distance. »

Encore une idée qui ne vaut rien, pensa Nat ; il se reprocha de ne pas avoir encore trouvé la bonne. Peut-être n'y en avait-il pas, d'ailleurs, mais cette constatation ne diminuait pas l'amertume de son échec.

« Nous essaierons quand même, dit Oliver. Nous ferons de notre mieux, même si ce n'est pas assez bien. »

Pour la première fois en ce jour de désastre, Nat eut l'impression de voir luire un espoir ténu. Il lui fut difficile de ne pas parler d'un ton trop triomphant. « Nous vous donnerons des pompiers, des flics, tout ce qu'il vous faudra pour vous aider sur la terrasse du Trade Center. Je ferai briser les fenêtres de la Salle et tous les hommes valides seront prêts à saisir la ligne dès qu'elle arrivera. » Infime d'abord, l'espoir grandissait. « Mon patron, l'architecte qui est là-haut, trouvera un moyen d'assujettir solidement le soutien du va-et-vient. Alors...

— Nous allons essayer, dit le garde-côte. Je ne peux rien promettre de plus. » Tout à coup il sourit. « On n'aura jamais rien tenté de tel. » Son sourire s'élargit. « Et qui sait ? » Il montra la remorque du doigt. « Allez préparer vos gens. »

Le gouverneur répondit au téléphone et envoya aussitôt chercher Ben Caldwell ainsi que le commissaire à la défense contre l'incendie pour qu'ils entendent le compte rendu.

« Une équipe de garde-côtes monte à la terrasse sur la tour

nord du Trade Center, dit la voix de Nat dans l'ampli. Ils vont essayer de tirer une ligne jusqu'à vous... »

Caldwell l'interrompit. « Ça signifie que nous devons briser toutes les fenêtres de ce côté.

— Toutes, absolument toutes, répondit Nat. Offrez une cible aussi grande que possible. » Il marqua un temps d'arrêt. « Nous faisons évacuer ce côté de la place. Les gros morceaux de verre trempé peuvent tuer.

— Nous nous attaquerons donc aux fenêtres quand vous nous le direz », dit Caldwell. Il hésita un moment. « Elle est bien loin cette terrasse, Nat.

— On va essayer. C'est tout ce que nous pouvons faire. » Plutôt que de s'étendre sur les possibilités d'un échec, Nat enchaîna : « Pour autant que je comprenne, le fusil des garde-côtes tire un projectile traînant derrière lui une cordelette qu'on appelle ligne-messagère. Lorsque vous aurez cette ligne, vous la halerez dès qu'on vous fera signe pour amener jusqu'à vous le câble plus solide qui sera attaché à son extrémité. En réalité il y aura deux câbles : le plus robuste soutiendra le va-et-vient et l'autre, moins lourd, permettra d'amener vers vous cet engin de sauvetage. Il s'agit d'une espèce de sac au fond percé de deux trous. Le sujet se met dedans et ses jambes passent par les trous. Vous voyez. C'est un machin à peu près comme les balançoires de nourrisson. Il est suspendu à une poulie glissant sur le câble le plus solide. Grâce à l'autre filin, vous le remontez vers vous. Quand quelqu'un s'installe dedans vous larguez lentement la corde pour assurer la descente à une vitesse raisonnable.

— Compris, dit Caldwell qui souriait.

— Vous connaissez tout cela probablement mieux que moi, dit Nat. Mais j'irai quand même jusqu'au bout. Assujettissez le gros câble à quelque chose de solide, capable de supporter un poids du diable. Ne vous contentez pas d'une table ou d'une chaise. » Encore un temps d'arrêt. « Je vous recommande aussi de veiller à ce qu'il ne reste pas le moindre éclat de verre à la fenêtre par laquelle passera ce câble, que rien ne l'entame surtout. » On entendit une autre voix inintelligible en bruit de fond. « Attendez un instant », reprit Nat.

Dans le silence qui s'ensuivit le gouverneur demanda à Caldwell : « C'est votre homme qui parle, Ben ?

— Un type comme ça ! répondit l'architecte en levant le pouce. Si c'est possible, il trouvera le moyen de nous sauver. »

La voix de Nat retentit de nouveau dans l'ampli. « On a dégagé la place. Vous pouvez casser les vitres. »

— A vous de jouer », dit Caldwell au commissaire qui acquiesça d'un signe de tête et fonça hors du bureau.

Nat reprit d'une voix inquiète. « Je ne sais pas qui m'entend là-haut... »

Le gouverneur répondit aussitôt : « Ici Armitage. Dites tout ce que vous avez à dire.

— D'accord, dit Nat qui poursuivit d'une voix solennelle : Je tiens à être précis. N'ayez pas trop d'espoir, parce que ça ne marchera peut-être pas.

— Compris, dit le gouverneur.

— Mais si ça ne marche pas nous tâcherons de trouver autre chose. C'est promis. » Un instant de silence. « C'est tout pour l'instant. »

Le gouverneur coupa le courant de l'ampli. Silence dans le bureau. Ben Caldwell souriait. Il considéra Beth et le gouverneur d'un air un peu penaud. « J'ai constaté qu'on peut se fier aux promessess de Nat Wilson. » Son sourire s'élargit. « Je vous avoue que ça me donne de l'espoir.

— Il nous en donne à tous. dit le gouverneur. Nous sommes capables de construire des buildings comme celui-ci, d'inventer des systèmes de gouvernement et des machines, de mettre au point toutes sortes de procédés infaillibles... mais quand on en arrive à des situations aussi désespérées, rien ne vaut un homme dont on est sûr... ni une femme, d'ailleurs. Ça paraît saugrenu, pas vrai ? Mais toutes les vérités élémentaires donnent la même impression. »

On entendit briser du verre dans la salle voisine et le brouhaha s'accrut.

Le gouverneur se leva de son fauteuil. « La représentation recommence, dit-il. Allons mettre tout le monde au courant. »

Nat s'éloigna du téléphone et traversa la remorque pour rejoindre Patty. « Un beau discours, dit-il avec un sourire qui le raillait lui-même. Mais je ne pouvais pas les laisser... trop craindre ou trop espérer.

— Vous trouverez quelque chose d'autre s'il le faut. »

Que répondre à l'expression d'une telle confiance ? Il rassembla les photocopies et les remit dans l'enveloppe. « Il nous faudrait les originaux, dit-il. Mais où les trouver ?

— Dans un classeur du bureau de Paul », répondit spontanément Patty.

Nat réfléchit puis hocha la tête. « Vous avez probablement raison. Nous allons envoyer les chercher. J'en parle à Brown. » Il s'éloigna et au bout d'un moment il revint auprès de cette jeune femme menue mais vive et qui ne capitulait pas.

« Comment vous expliquez-vous l'attitude de Paul ? » demanda Patty. Son impression de dédoublement de la personnalité demeurait : une partie d'elle-même pleurait silencieusement la mort de son père et une autre partie restait concentrée sur les réalités immédiates. « Je sais qu'il arrive des choses comme ça. Je sais que bien des gens sont capables de bien des choses. Mais Paul ? »

Nat ne s'était jamais piqué d'être psychologue, mais il comprit qu'à cet instant Patty avait besoin de quelqu'un qui l'écoute, qui lui réponde de temps en temps, et qu'elle aspirait surtout à comprendre. « Vous le connaissez mieux que moi, dit-il.

— Vous croyez ? » Elle se tut pendant quelques secondes. « Je suis sa femme. Nous nous sommes aimés, nous avons ri ensemble, nous nous sommes disputés, nous avons partagé espoirs; réussites, chagrins... Mais est-ce que je le connais ? Je ne crois pas. A vrai dire, je suis perplexe.

— Il n'y a peut-être pas grand-chose chez lui qui mérite d'être connu », dit Nat lentement.

Une lueur d'astuce brilla dans le regard de Patty. « C'est ce que vous avez toujours pensé de lui, n'est-ce pas ?

— Nous sommes entièrement différents l'un de l'autre. Je ne suis qu'un plouc.

— Allons donc ! c'est seulement une attitude de votre part.

— En partie sans doute, dit Nat avec un léger sourire. Mais c'est quand même foncièrement vrai. Je ne peux pas expliquer...

— Faites un effort. »

Nat haussa les épaules et soupira. « Je n'envisage pas les choses de la même manière que les gens de la ville. Bien sûr je ne cherche pas à me faire passer pour un innocent de village bouche bée devant un gratte-ciel...

— Vêtu d'une salopette de cul-terreux ? dit Patty en souriant. Même si tout de suite vous avez l'air d'un clochard.

— Mais voilà : un appartement duplex, climatisé, surplombant l'East River, une villa à Westchester ou à Fairfield, un yacht sur le Sound, une carte de membre du Raquette club, tout ça ne signifie rien pour moi. Ce ne sont que simulacres ridicules destinés à rendre tolérable une existence artificielle. » Il eut un sourire confus. « J'ai peut-être l'air d'un disciple de Thoreau, non ?

— A quoi aspirez-vous au juste, Nat ? demanda Patty gentiment.

— Je suis architecte. C'est peut-être l'essentiel de ma personnalité. Ce que je veux surtout, c'est de l'espace pour remuer, dans un décor assez vaste pour qu'on voie au loin des montagnes qui nous donnent le sentiment de notre petitesse.

— De l'espace pour respirer ? »

Nat considéra la jeune femme avec un intérêt renouvelé. « Vous comprenez donc ?

— Est-ce tellement étonnant ?

— Il me semble que oui.

— Je ne suis jamais allée dans votre pays et je n'y serais sans doute pas à ma place. »

Nat secoua la tête. « Non, pas vous. » Il lui était arrivé de dire exactement la même chose à Zib mais pour de tout autres raisons. « Vous, vous êtes vraie. C'est peut-être bizarre de dire ça.

— C'est surtout flatteur.

— Votre père... dit Nat. Vous lui ressemblez à bien des points de vue. Quand il disait quelque chose, personne n'avait besoin d'analyser ses propos pour voir s'ils cachaient un piège. Il disait ce qu'il pensait et il pensait ce qu'il disait.

— Vous me flattez encore plus », dit Patty.

Brown clama à l'autre extrémité de la remorque : « Ils sont sur la terrasse. » Un walkie-talkie parla d'une voix creuse : « Oliver attend le signal indiquant qu'on est prêt dans la Salle d'honneur. » Brown tendit un appareil téléphonique à Nat. « Occupez-vous-en. »

Nat hocha la tête. « Allons-y », dit-il.

25

17 heures et 31 minutes — 17 heures et 43 minutes

Paul Simmons retourna à Manhattan et gara sa voiture dans le sous-sol de l'immeuble où se trouvait son bureau. Il se dirigea vers l'ascenseur puis changea d'idée, prit l'escalier conduisant à la rue et alla à un bar du plus proche carrefour. Peu éclairé, ce bar était désert hormis la présence du barman. Sur l'écran de télévision en couleur posé derrière le comptoir, la World Tower souffrait dans un nuage de fumée. Paul s'interdit de regarder, commanda, paya sa consommation et l'emporta dans un box au fond de la salle. Dieu merci, le barman n'était pas bavard.

Ainsi donc, les flics avaient rendu visite à Pat Harris. Les conséquences possibles étaient nettement déplaisantes. Si la police en était là, Pat Harris penserait d'abord et toujours à lui et à nul autre ; c'était certain. Sa version des événements ne serait pas du tout celle dont ils étaient convenus un moment plus tôt, mais au contraire celle qu'il avait menacé de raconter : il s'était étonné des ordres de modification, avait douté de leur bien-fondé et consulté Paul Simmons, mais ce dernier était ingénieur et en outre son employeur ; lorsque Paul lui avait dit de s'occuper de ses affaires il avait exécuté les ordres, purement et simplement. Grâce à ce système de défense Harris ne paraîtrait pas très malin, mais pas coupable non plus apparemment. Merde pour Harris !

Et Harry Whitaker, l'inspecteur municipal à la main tendue subrepticement, où en était-il, celui-là ? En pleine panique ? C'était probable étant donné son caractère mais il serait bon de s'en assurer.

Paul sortit du box et alla à la cabine téléphonique. C'est la femme de Harry qui lui répondit. Elle ne demanda même pas qui était à l'appareil et le cri qu'elle poussa pour appeler son mari vrilla le tympan de Paul.

Harry arriva au téléphone, essoufflé. « Boucle la lourde ! » dit-il d'une voix malveillante. Puis il ajouta dans l'appareil : « Allô, qui est là ?

— Simmons.

— Dieu soit loué ! J'ai essayé de vous joindre mais on m'a dit...

— Maintenant vous m'avez joint, dit froidement Paul. Qu'est-ce que vous voulez ? »

Après un silence lourd de signification, Harry demanda sur un tout autre ton, comme s'il s'étonnait : « Qu'est-ce que je veux ?... Que croyez-vous que je veuille, monsieur Simmons ? Je veux savoir ce qu'il faut faire, c'est tout.

— A quel sujet ? »

Le silence dura plus longtemps cette fois. « Je ne comprends pas, monsieur Simmons.

— Moi non plus », dit Paul. Il devina que l'abruti, là-bas, au bout du fil, réfléchirait à n'en plus finir avant de parler.

Il ne se trompa d'ailleurs pas. « Ecoutez, monsieur Simmons, vous n'avez pas vu la télé ? demanda enfin Harry. Il y a le feu à la World Tower. Des tas de gens sont coincés dans la Salle d'honneur. Plus de courant électrique ! Plus de courant du tout dans cette grande saloperie de gratte-ciel ! Pas d'électricité.

— Et alors ? »

Harry s'efforça d'adopter un ton guilleret. « Mais vous rigolez monsieur Simmons ! Vous savez comme moi ce qui a dû se passer. Il n'y a qu'une seule explication : un court-circuit au primaire du transfo qui n'était pas relié à la terre... Qu'est-ce que ça pourrait être d'autre ?

— Je ne sais même pas de quoi vous parlez ». dit Paul.

La respiration de Harry, perceptible dans l'écouteur, devint haletante et dure. « Ecoutez-moi bien, monsieur Simmons, dit-il à voix basse et en s'efforçant de garder son calme, vous m'avez payé. Vous vous le rappelez sûrement. Vous m'avez dit que tout irait bien et que lorsque l'installation disparaîtrait derrière les cloisons, personne n'y verrait plus rien. Vous ne m'avez pas dit qu'il pourrait se produire une catastrophe comme celle-là. C'est grave. Il y a déjà deux morts, certains des pompiers qu'on a emportés sur des civières avaient l'air sérieusement atteints et que se passera-t-il si on ne peut pas sauver les gens qui sont prisonniers là-haut ? » Il se tut un instant et reprit avec plus d'insistance : « Si on ne peut pas faire descendre ces gens-là, monsieur Simmons, c'est une affaire d'homicide ! Que faisons-nous ? Dites-moi ce que nous faisons. Je n'en demande pas plus.

— Je n'en sais rien.

— Vous m'avez payé, monsieur Simmons !

— Je ne vous ai rien payé du tout. Je me demande où vous allez chercher des idées pareilles. En tout cas, ne me mêlez pas à vos cauchemars.

— Vous m'avez payé ! brailla Harry. Avec quoi pensez-vous que j'ai passé des vacances en Floride ?

— Je me le suis demandé, en effet. Ça me paraissait bizarre étant donné les revenus des inspecteurs municipaux. »

Le silence dura encore plus longtemps. Paul n'entendit que la respiration rauque de Harry qui dit enfin, presque résigné : « Bon, alors c'est comme ça. Ça va, monsieur Simmons. J'ai signé la décharge de tous les travaux. C'est moi qui vais porter le chapeau. Mais savez-vous ce que je vais dire ?

— Dites tout ce que vous voudrez.

— C'est bien ce que je vais faire, bordel de Dieu ! vocifèra l'inspecteur. Vous avez foutument raison. Je révélerai que vous m'avez payé. Je dirai combien, sans omettre un sou. Je répéterai ce que vous m'avez dit : que tout irait bien. Je dirai que je vous ai cru.

— Mais personne ne vous croira. Avez-vous des témoins, des photocopies de chèques, des preuves quelconques ? C'est ce qu'on vous demandera. On vous posera aussi une autre question : est-ce que vous n'inventez pas tout ça pour sauver votre misérable peau ? Qu'est-ce que vous répondrez, Harry ? »
Paul raccrocha, retourna à son box et se laissa tomber lourdement sur la banquette.

Nat Wilson, Giddings, Zib, Pat Harris, d'abord et maintenant Harry Whitaker ; oui, et Patty aussi. Ils sont tous passés dans l'autre camp. Alors, où en suis-je ? Suis-je tellement vulnérable ? Réfléchir, sacrebleu ! Réfléchir !

Il avait dit à Bert McGraw qu'il avait obéi aux ordres de dérogation sans poser de questions parce qu'ils portaient la signature de Nat Wilson et qu'ils avaient donc la sanction de Ben Caldwell. Alors ?

C'était une version plausible, à laquelle il fallait s'en tenir. Libre à Harris et à Whitaker de raconter ce qui leur plaira ; ni l'un ni l'autre ne pourra rien prouver. Mais était-ce tellement certain ?

Il y avait les dossiers là-haut, dans son bureau. Si un scandale éclatait, et il éclaterait probablement, les enquêteurs mettraient à coup sûr sous scellés les dossiers de Paul Simmons & Company. Et alors ?

Pas de faux fuyants mon ami, se dit Paul à lui-même. Ces dossiers sont beaucoup trop révélateurs. N'importe quel expert comptable compétent constaterait sans grandes difficultés que, jusqu'à un certain stade de la construction de la World Tower, Paul Simmons & Company s'enfonçaient financièrement dans du sable mouvant, mais qu'en un laps de temps remarquablement bref le rapport entre les dépenses et les recettes s'était renversé du tout au tout. Non seulement Simmons et Company avaient émergé du sable mouvant, mais encore atteint un sol rocheux où la marche devenait facile.

Nat Wilson n'aurait aucune difficulté à faire remarquer que ce retour de fortune coïncidait avec l'apparition des premiers ordres de modification. Pas plus difficile que ça. Encore ce Nat Wilson !

Paul resta immobile sur la banquette en regardant distraitement l'écran de télévision. La caméra était braquée sur la face nord de la Salle d'honneur qu'elle montrait en gros plan grâce au téléobjectif. On brisait les fenêtres. Des éclats de verre pleuvaient, étincelants comme des grêlons. Dans la Salle des silhouettes imprécises allaient et venaient, sans raison apparente.

Paul eut l'impression d'observer une de ces scènes de foule au Bangladesh, au Biafra ou dans quelque village au nom imprononçable du Sud-Viêt-nam : quelque chose de lointain, vaguement intéressant, mais foncièrement dénué de conséquences. Il ne s'agit pas alors de véritables êtres humains, mais seulement d'images sur un écran. Un philosophe n'a-t-il pas suggéré qu'il n'existe aucune réalité autre que celle de chaque individu ? Eh bien, il en est ainsi, pensa Paul qui se pencha sur son verre.

Les dossiers étaient gênants, mais ils ne prouvaient rien. Paul avait obéi aux ordres de dérogation et aussitôt ses affaires avaient mieux marché. On pourrait évidemment soupçonner un rapport de cause à effet suggérant une idée de malversation. Mais comment le prouver ? N'oublions pas ce qui s'était passé à l'I.T.T. On y avait précipitamment passé les archives au pilon avant qu'elles soient mises sous séquestre. Cela n'avait pas apaisé les soupçons, évidemment, mais on n'avait rien pu prouver non plus. Et qui se rappelait cette affaire ? Il vaudrait quand même mieux y regarder de plus près. D'ailleurs une question capitale restait à régler : d'où venaient les photocopies que son beau-père lui avait montrées le matin même ?

De nouveau il sortit du box et alla à la cabine du téléphone. Cette fois il appela son bureau au numéro qui ne figurait pas à l'annuaire. Bien qu'il fût tard, sa secrétaire lui répondit. Sa voix sembla bizarre.

« Ruth chérie, qu'est-ce qui t'arrive ? Tu n'as pas l'air dans ton assiette. » Un coup de tocsin sonna dans l'esprit de Paul. « Qu'est-ce qui se passe ? » Ruth lui dirait la vérité. sûrement. Elle ne l'abandonnerait pas. Ils étaient unis par des liens assez étroits. Un peu relâchés depuis que Zib était entrée dans la vie de Paul. Mais quelle importance ? Une belle môme, cette Ruth, vraiment distinguée, très agréable au lit et surtout, intelligente. « Il y a quelque chose qui ne va pas ? » insista-t-il.

Elle répondit d'une voix un peu plus calme : « C'est seulement que... Tu as vu ce qui arrive à la World Tower ?

— Oui, bien sûr.

— Tu sais que monsieur McGraw a eu une crise cardiaque ?

— Oui, je le sais aussi.

— Il est mort.

— Vraiment ? » demanda Paul en souriant. Je ne lui en voulais pas tellement à ce vieux, se dit-il, mais tant mieux qu'il ne soit plus là. « Je suis désolé.

— Où es-tu Paul ? Tu viens au bureau ? »

De nouveau un coup de tocsin retentit dans son esprit. « Pourquoi me demandes-tu ça ? » Elle ne répondit pas et il enchaîna : « Il y a eu des visites ? on m'a appelé au téléphone ? » Du coin de l'œil, il vit la scène changer sur l'écran de télévision et tourna la tête pour suivre le spectacle. La caméra était braquée sur le bord de la terrasse au sommet de la tour nord du Trade Center. Quelques hommes y étaient rassemblés, certains en uniforme. Aussitôt Paul comprit ce qui se passait. Quelle idée saugrenue ! pensa-t-il. Ils vont lancer un va-et-vient ? Une invention de Nat sans doute ? « Alors, chérie ? demanda-t-il.

— Pas de visites, personne ne t'a demandé, dit Ruth. J'ai seulement envie de te voir, c'est tout. »

La cloche d'alarme sonna encore un coup. « Il y a quelqu'un avec toi dans le bureau ?

— Qui ? demanda Ruth qui parut étonnée.

— Je ne sais pas, je te le demande.

— Il n'y a personne d'autre que moi. »

Paul soupira longuement. Je me fais des idées parce que j'ai la frousse, pensa-t-il. « Bon, j'y vais. Prépare les dossiers de la World Tower. Je veux y jeter un coup d'œil. » Il marqua un temps d'arrêt et demanda : « D'accord ?

— Evidemment. Ils seront sur ta table.

— Voilà une bonne secrétaire », dit Paul. Belle fille, distinguée ét intelligente !

Il sortit de la cabine du téléphone et se dirigea vers la porte.

« Vous ne voulez pas prendre un autre verre ? demanda le barman. Merde ! » Il montra l'écran de télévision. « Vous êtes le premier client qui entre ici depuis que cette histoire a commencé. Regardez. Le feu. Comment ça se fait ? On nous avait parlé de trente-six mille systèmes de sécurité. »

La voix de ma conscience, pensa Paul qui trouva cette idée amusante. « Comment voulez-vous que je sache ce qui est arrivé ?

— Il y a tant de dingues en liberté de nos jours et pas des drôles, des dangereux, dit le barman. Vous ne voulez vraiment pas un autre verre ?

— Une autre fois, dit Paul. Merci quand même. » Il sortit. La rue était presque déserte. Bizarre.

Il ne se rappelait pas cet événement mais il en avait souvent entendu parler. L'attention de tous les habitants de la ville convergeait sur un seul point : la finale entre les Dodgers et les Giants, une certaine année, il avait oublié laquelle. Ce jour-là aussi les rues étaient presque désertes. Puis, lorsque Bobby Thompson avait marqué le dernier point qui assurait la victoire, tous les bâtiments avaient dégorgé leurs habitants sur les rues. La cohue braillait et dansait : la ville était devenue folle.

Ce jour-là l'attention de la ville n'était pas concentrée sur un match de base-ball mais sur un gratte-ciel en feu.

La réceptionniste avait quitté depuis longtemps son comptoir dans le vestibule. Paul entra directement dans son bureau personnel. Ruth l'y attendait : belle gosse, distinguée et intelligente. Les dossiers de la World Tower se trouvaient sur la table comme il l'avait demandé.

« Bonjour chérie », dit Paul. Il referma la porte et

s'immobilisa, médusé, devant les deux hommes qui s'étaient dissimulés derrière le battant.

« Voici monsieur Simmons, dit Ruth tranquillement. Ces messieurs vous attendaient, Paul.

— John Wright, substitut du procureur de district. » C'est en ces termes que se présenta un des deux inconnus. « Nous avons placé sous séquestre vos dossiers de la World Tower. Nous aimerions que vous veniez avec nous pour répondre à quelques questions. » Sa voix durcit lorsqu'il ajouta : « Peut-être plus que quelques questions.

— Et si je refuse ? demanda Paul.

— Vous ne refuserez pas », répondit Wright impassible.

Paul considéra Ruth. Elle était tout aussi impassible. Il se retourna vers les deux hommes. « En vertu de quelle autorité...

— Une commission rogatoire, monsieur Simmons », dit Wright.

Paul jeta un coup d'œil à la pile de chemises en papier fort. « Vous ne trouverez rien...

— Erreur, monsieur Simmons. Nous avons déjà trouvé bien des choses, notamment les originaux de certains ordres de dérogation extrêmement suspects. »

Paul ouvrit la bouche mais s'imposa aussitôt le silence. Il se tourna vers Ruth.

« Ces documents n'ont pas été détruits, Paul, dit-elle. J'ai jugé bon de les conserver. Ainsi ai-je pu en tirer des photocopies que j'ai envoyées à monsieur Giddings. » Sa voix, parfaitement modulée, était d'un calme terrifiant. « Je savais que ça l'intéresserait.

— Salope ! » dit Paul.

Ruth sourit alors, sincèrement enchantée. « Peut-être, dit-elle, mais voyez-vous, je ne supporte pas d'être bafouée. Je crois qu'aucune femme ne le tolère.

— Alors, monsieur Simmons, on s'en va ? Nous ne nous ennuierons pas en route. »

26

17 heures et 56 minutes — 18 heures et 9 minutes

Kronski, matelot de la garde-côte, marcha d'un pas hésitant jusqu'au parapet au bord de la terrasse. Il y appuya les deux mains et se pencha prudemment pour se redresser aussitôt et reculer. « Doux Jésus ! souffla-t-il terrifié. On ne voit même pas le sol, chef ! Je ne suis jamais monté aussi haut de ma vie.

— Et en avion ? demanda le chef Oliver.

— C'est pas la même chose. D'ailleurs je n'aime pas l'avion. Je ne suis pas parachutiste, moi. »

Se tenant à bonne distance de la rambarde, Kronski considéra la rangée de fenêtres brisées sur la façade de la World Tower.

Le fusil servant à projeter la ligne se trouvait à ses pieds et la ligne elle-même était soigneusement lovée dans des baquets.

« Vous plaisantez, chef, dit Kronski. Aussi loin avec ce vent ? » Il secoua la tête. « Impossible. »

C'était bien l'avis d'Oliver. La distance dépassait celle qu'il avait évaluée du sol : cent cinquante, peut-être même cent quatre-vingts mètres et le vent soufflait en rafales. D'autre part, il avait promis à Wilson d'essayer et il refusait de se dédire.

Il voyait d'ailleurs des gens dans la salle, presque au sommet de ce foutu building du diable et il sentait la fumée que lui apportait le vent. Ce n'était pas tout à fait le *feu en mer* — les trois mots qui caillent le sang de tous les marins — mais ça y ressemblait assez pour qu'il se répète mentalement la formule chère aux sauveteurs : Allons-y et à la grâce de Dieu !...

« Kronski, je ne t'ai pas demandé ton opinion. Exécution ! »

Le matelot haussa les épaules, ramassa le fusil, le chargea avec soin. « Admettons que ce bout arrive là-bas, chef, et qu'on puisse y accrocher un va-et-vient... » Il interrogea Oliver du regard. « Ça vous plairait de faire ce trajet si haut, dans ce vent ?

— Exécution, Kronski. »

Le matelot acquiesça d'un signe de tête, épaula son arme et visa haut, pour obtenir la trajectoire maximum.

« Nous tentons un premier essai, dit Oliver dans le walkie-talkie.

— Très bien, répondit la voix de Nat. Là-haut, ils sont prêts.

— Pauvres abrutis de ploucs ! dit Kronski. Comment arrivent-ils à se fourrer dans des pétrins aussi calamiteux ? » Il pressa sur la détente.

La ligne jaillit du canon en frémissant.

Elle s'allongea, brillante au soleil couchant.

Continuant à s'élever en une courbe gracieuse, elle dépassa la hauteur des fenêtres brisées, s'éleva encore, arriva au niveau du mât de télécommunications.

Ayant atteint son apogée, elle céda à la force inexorable de la gravité. Sa trajectoire resta incurvée encore un moment. Cependant la ligne filait en sifflant hors du baquet.

Les garde-côtes suivaient le projectile des yeux. Bien avant qu'il tombât au-dessous du niveau des fenêtres, ils surent qu'ils avaient échoué.

« Merde ! » dit Kronski.

Grand, large d'épaules, solide, d'un calme toujours aussi massif, le chef lui dit : « Essaie encore. Nous n'abandonnons pas la partie. »

A bonne distance des fenêtres dans la Salle d'honneur, le gouverneur tenait Beth par la taille. Ils virent ensemble la ligne s'élever, brillante, nette et pendant un instant ils espérèrent.

Grâce à ses yeux d'artiste, Ben Caldwell constata l'échec avant les autres. « Cherchez un autre moyen, Nat, chuchota-t-il.

— Aucun espoir ? demanda le sénateur qui l'avait entendu.

— Avec ce fusil, ça ne marchera pas, dit Ben. Je sais qu'il y a des canons à certaines stations côtières. Mais quelle est leur précision de tir ? » Il haussa les épaules. « Envoyer un bout sur un bateau n'est pas tellement difficile ; il suffit que la ligne atterrisse n'importe où sur le pont. Mais faire entrer le projectile par ces fenêtres, à cette distance... » Il haussa de nouveau les épaules.

Verre en main, Grover Frazee avait d'abord regardé l'œil fixe, comme hypnotisé, le projectile qui décrivait sa parabole. Quand la ligne plongea et disparut au-dessous du bord de la fenêtre, il remua les lèvres sans rien dire et son regard devint inquiétant.

Dans la Salle d'honneur quelqu'un poussa à fond le volume d'un transistor qui tonitrua un air de rock.

« Ah, pour l'amour du ciel ! Il n'est pas temps de s'amuser », dit le maire Ramsey. Lui aussi il avait regardé la ligne monter puis retomber. « Je vais arrêter ça.

— Laissez-les faire, Bob, à moins que vous ne jugiez psaumes et prières préférables, dit le gouverneur.

— Je ne vois pas de rapport entre la prière et le rock.

— C'est pourtant clair, dit le gouverneur d'un air las. L'orchestre joua sur le pont du *Titanic* pendant qu'il sombrait et bien des passagers prièrent. » Sa voix durcit mais n'enfla pas. « Comprenez donc mon vieux, certains de ces gens crèvent de frousse et je ne le leur reproche pas. Laissez-les faire ce qui leur plaît. » Il serra la taille de Beth. « Je retourne au téléphone. » Il hésita. « Et vous ?

— J'irai partout où vous irez, dit Beth. Je... je ne veux pas rester seule. »

La voix de Nat retentit dans le haut-parleur de l'ampli. « Désolé, gouverneur. Un tir trop court. Le chef va essayer encore une fois, mais... » Il laissa la suite en suspens.

« Compris, dit le gouverneur. Faites de votre mieux... » Cette formule le fit sourire. « Nous ne pouvons plus rien espérer des ascenseurs ?

— La chaleur est trop intense au centre de l'immeuble. Elle a tordu les rails. Désolé. »

Beth eut une bouffée de claustrophobie dans le bureau trop petit et bondé. Howard et Storr, les deux pompiers, y étaient venus avec Ben Caldwell, Grover Frazee et le commissaire à la lutte contre l'incendie. Elle eut l'impression insensée de sentir la terreur et regarda autour d'elle pour trouver de qui elle émanait.

Le gouverneur s'était détourné du téléphone. « Etes-vous vraiment certain que les escaliers sont inutilisables ? demanda-t-il à Howard.

— C'est positivement indiscutable, dit Howard en interrogeant du regard Lou Storr qui hocha la tête. Mieux vaut rester ici, bien que ce ne soit pas rassurant du tout. Ecoutez... » Il ouvrit les deux mains et les éleva au-dessus de sa tête. « Vous avez peut-être assisté à un incendie de forêt, et peut-être pas. En général, ça paraît insignifiant au début. Quelqu'un n'a pas éteint un feu de camp ou a jeté une cigarette allumée dans des aiguilles de pin. L'herbe sèche s'enflamme, puis les broussailles et enfin les plus basses branches des grands arbres. » Il fit un geste vif pour essayer de montrer avec ses mains comment cela se passait, mais lui seul le comprit. « Bon, maintenant admettons qu'il y ait des petits oiseaux dans un nid, au sommet d'un grand arbre. Au ras du sol et même jusqu'à une certaine hauteur, les flammes dévorent le bois, il y a de la fumée, la chaleur augmente. Les flammes gagnent de la hauteur, branche par branche. » Encore un temps d'arrêt. « Mais pendant assez longtemps le nid est encore hors de danger. Ça ne dure pas. Mais pendant un certain temps les petits oiseaux restent indemnes dans leur nid... C'est particulièrement vrai s'ils sont encore incapables de voler.

— Nous sommes ici au sommet d'un arbre diablement haut, dit le commissaire. Ça nous donne encore un peu plus de temps.

— Pour quoi faire ? demanda Grover Frazee. Seulement pour attendre en sachant ce qui va nous arriver ? » Il se leva brusquement. « Eh bien, moi je n'attends pas ! » Il cria presque ces derniers mots.

Du seuil de la porte le maire Ramsey lui dit : « Asseyez-vous, mon vieux, conduisez-vous comme un adulte responsable de ses actes.

— Vous devriez être chef scout, lui dit Frazee et vous l'avez probablement été. Pour Dieu, pour ma mère et pour Yale. Pas vrai ? Et la chère cravate de l'école ! et noblesse oblige ! » Il se dirigea vers la porte en criant au gouverneur : « N'essayez pas de m'en empêcher !

— Nous n'en avons pas l'intention », dit le gouverneur et Frazee plongea dans la foule de la grande salle.

Silence dans le bureau. Beth fut sur le point de parler mais s'en abstint. Le commissaire s'agita sur sa chaise, l'air gêné.

« Nous aurions dû l'arrêter, Bent, dit le maire.

— J'en prends la responsabilité, dit le gouverneur.

— Il n'ira pas loin sur cet escalier, dit le pompier Howard.

— Je le sais. » Des rides d'épuisement apparaissaient sur le visage du gouverneur.

Le sénateur Peters apparut sur le seuil et s'appuya au montant de la porte.

« J'en ai pris la responsabilité, répéta le gouverneur. J'ai peut-être bien fait, j'ai peut-être eu tort, je n'en sais rien. Nous ne le saurons jamais. On ne peut pas pérorer à l'infini sur des décisions comme celle-là.

— Il s'agit de la vie d'un homme, Bent, dit le maire.

— Ça aussi, je le sais, répondit le gouverneur. Mais ai-je le droit de décider de la vie d'un autre homme ?

— Est-ce que vous abdiquez ?

— Voilà une des choses qui nous séparent, Bob, dit le gouverneur. Je ne crois pas à la théorie de papa-a-raison-en-toute-chose. Lorsqu'il s'agit d'une question d'intérêt public, je prends position. Mais quand un adulte engage son sort, ça ne me regarde pas, à moins qu'il nuise à autrui. »

Le rock battait son plein dans la Salle d'honneur. Un rire de femme retentit soudain, aigu, qui fleurait l'alcool et la crise de nerf. « Hé ! regardez, il sort ! » vociféra quelqu'un.

Le maire fit remarquer au gouverneur : « En ce moment vous n'avez pas d'autre public. Ce que vient de faire Frazee peut lui nuire. Ne le niez pas.

— Je n'ai pas pris cette décision à la légère. Tout bien considéré je crois que notre public y gagne. Ça élimine un élément de désordre. »

Le sénateur Peters s'adressa à tout le monde à voix basse en disant : « Salopard à sang-froid, pas vrai ? »

Personne ne répondit.

Le sénateur sourit. « Oui, pourtant je vous approuve sans réserve, Bent. »

Le gouverneur se leva de son fauteuil. « Il ne nous reste donc plus qu'un espoir, dit-il. Que vos gars, Pete, maîtrisent le feu avant qu'il atteigne... » Un sourire éclaira son visage. ... Le nid.

— Comme je l'ai dit, nous sommes au sommet d'un arbre très haut, répondit le commissaire.

— Est-ce que l'un de vous a entendu le bulletin de la météo ? demanda Ben Caldwell. Une bonne averse, même un orage, viendraient à point. »

Beth qui écoutait et observait eut presque l'impression de sentir l'orage dans l'air. Plongeant dans ses souvenirs, elle se rappela l'obscurité croissante lorsque les nuages s'accumulent. Puis, la première rafale de bise et le premier grondement lointain du tonnerre. Combien de fois s'en était-elle indignée, surtout dans sa petite enfance parce que la tempête allait lui gâcher un bel après-midi d'été !

Les premières gouttes seraient grosses, lourdes, très espacées cependant que la foudre sillonnerait le ciel de plus en plus rapidement et que l'intervalle entre l'éclair et le tonnerre diminuerait.

Un hippopotame, deux hippopotames, trois hippopotames... on compte l'intervalle en secondes pour évaluer la distance de la foudre, jusqu'à ce que l'on se trouve exactement au centre de l'orage, qu'il n'y ait plus d'intervalle du tout, que le ciel s'illumine et tonitrue en même temps.

Alors, les nuages s'ouvrent et la pluie tombe comme une masse solide. Parfois des grêlons rebondissent sur les toits et les vitres. Les dieux semblent s'acharner à secouer l'univers.

Beth avait détesté l'orage. A cet instant pourtant, rien qu'à cause des deux phrases de Ben Caldwell, ce cataclysme devenait un espoir de salut. Incroyable.

« Une bonne pluie d'été ferait notre affaire, dit le gouverneur en souriant. Connaîtriez-vous un faiseur de pluie, Ben ? »

Le téléphone grésilla. Le gouverneur appuya sur le bouton de l'ampli pour que tout le monde entende. « Ici Armitage.

— Le deuxième essai n'a pas donné un meilleur résultat que le premier, dit Nat Wilson d'une voix lasse. Dès le début nous n'espérions pas grand-chose mais nous avons tenté l'impossible.

— Compris, dit le gouverneur. Nous apprécions vos efforts.

— Brown voudrait savoir si ses deux hommes vous ont atteints sains et saufs, reprit Nat.

— Mais oui, ils sont assis auprès de moi à l'instant. Et les deux autres sont-ils arrivés en bas ?

Un instant de silence, puis la voix de Brown succéda à celle de Nat dans le haut-parleur. « Non, gouverneur, je le regrette. Ils sont à peu près au cinquantième étage. Le feu a envahi l'escalier au-dessous d'eux.

— Alors, renvoyez-les vers nous, mon ami. S'ils sont encore capables de marcher, évidemment.

— Il y a le feu au-dessus d'eux aussi, gouverneur. »

Armitage avait fermé les yeux. Il les rouvrit et dit : « Brown ?

— Oui, monsieur.

— Ramenez Wilson en ligne. »

Quand Nat eut annoncé sa présence, le gouverneur reprit : « J'entends qu'on prépare un rapport complet sur cette comédie d'erreurs. Sans rien négliger : refrain et couplets. Il faut s'y mettre immédiatement, alors que les témoins sont encore disponibles. Ne ménagez rien ni personne, ne vous souciez pas de la sensibilité de qui que ce soit. Indiquez qui a fait ou n'a pas fait ceci ou cela et, quand ce sera possible, pourquoi cela s'est passé ainsi. Tant que nous serons en contact, nous vous tiendrons au courant de ce qui se passe ici, de toutes les décisions que nous prenons et de tous les faits qui viennent à notre connaissance. »

On entendit une voix murmurer à l'autre bout de la ligne. C'était Giddings qui protestait.

Le gouverneur reprit : « Si quelqu'un n'est pas d'accord, dites que nous siégeons en comité d'enquête, avant le désastre final. Si ce rapport est fait correctement, peut-être empêchera-t-il que se reproduisent des péripéties aussi ridicules que celle-ci. J'espère au moins qu'il en sera ainsi.

— Compris, gouverneur, dit Nat.

— Rassemblez les faits, ils raconteront l'histoire d'eux-mêmes. Ne brandissez pas la hache. Ce serait inutile. Je crois que dans ces circonstances les responsabilités sont assez largement réparties. » Il marqua un temps d'arrêt. « Parmi nous, ici, en haut, il y en a sûrement quelques-uns qui peuvent se reprocher de s'être laissé entraîner par l'ambition. » Encore un instant de silence, puis : « Suis-je assez clair ?

— Oui, monsieur.

— Très bien. Nous allons rassembler... » Le silence se fit si brusquement dans la salle voisine que le gouverneur se tut.

Quelqu'un hurla, hurla encore. Ce fut contagieux.

« Restez en ligne », dit le gouverneur en se levant d'un bond. Il fonça vers la porte. « Dieu du ciel ! » soupira-t-il.

Quelqu'un avait ouvert la porte de secours contre laquelle on frappait. Grover Frazee était apparu. Ses vêtements étaient presque entièrement brûlés. Chauve, le visage noirci, ses yeux n'étaient plus que des trous noirs. Un rictus dévoilait ses dents. Des lambeaux de chair et de tissu fumaient ainsi que le peu de cuir qui restait à ses chaussures. Il fit un pas en chancelant, les bras tendus en avant. Un son rauque sortit de sa gorge. Soudain il tomba à plat ventre et se recroquevilla aussitôt en une masse noircie et fumante. Un ou deux mouvements convulsifs, puis l'immobilité.

Le silence de la consternation pesait dans la grande salle.

« Couvrez-le », dit tranquillement le gouverneur dont le visage resta impassible. Il retourna au bureau. J'en avais pris la responsabilité, pensa-t-il en fermant les yeux.

27

18 heures et 9 minutes — 18 heures et 19 minutes

Ça ne pouvait pas arriver, et pourtant... L'un après l'autre les systèmes défensifs du gratte-ciel firent face, succombèrent à l'assaut et s'effondrèrent.

Tant qu'il y eut du courant électrique, des voyants clignotèrent sur le pupitre de l'ordinateur, puis tout s'éteignit.

A chaque étage successivement les bouches de plafond entrèrent en action dès que le métal fusible qui les obturait eut fondu sous l'effet de la chaleur. Mais le feu ravageait la colonne centrale du gratte-ciel à l'abri de l'eau. Dès que l'incendie faisait éclater la cloison, il se répandait et en même temps aspirait de l'air frais pour alimenter sa fureur, la température s'élevait si rapidement que l'eau bouillait dans les tuyauteries qui éclataient. L'ennemi remportait une victoire de plus.

Ce n'est pas cent mais mille crevasses qui s'étaient ainsi ouvertes entre la colonne creuse et la partie utilisable du bâtiment. Par ces orifices l'air entrait en trombe, comme dans une cheminée ; la chaleur s'élevait créant un vide au-dessous d'elle, ce qui aspirait encore plus d'air et accélérait la combustion.

L'air chaud monte, tout le monde le sait, et l'air surchauffé s'élève plus vite que l'air tiède. Mais il n'y a pas que l'air qui transporte la chaleur. Elle se propage aussi dans les corps solides : très vite dans la charpente d'acier, plus lentement mais pourtant inexorablement dans le béton, le carrelage, les briques et aussi dans les gaines creuses, les tuyauteries, les câbles électriques, sans parler évidemment des boiseries et des rideaux. Bien lancé, le feu s'entretient lui-même en portant tout ce qui l'entoure à une température telle que certaines matières paraissent s'enflammer spontanément. Prométhée aura beaucoup de peine à se disculper.

La nouvelle s'était répandue. Le prodigieux gratte-ciel destiné à devenir un centre mondial de télécommunications devenait le point de mire du monde entier et le sujet de communications d'un tout autre ordre. Partout au monde on apprit — et de-ci, de-là, on s'en réjouit — que, dans le pays le plus riche de la terre, une catastrophe se produisait dans le building le plus moderne et le plus élevé conçu par l'esprit humain, et que tous les chevaux du roi et tous les hommes du roi étaient débordés.

Pas tout à fait, cependant.

On avait étendu une nappe blanche sur la dépouille de Grover Frazee qu'on avait laissée à l'endroit où il s'était effondré. La porte de secours était refermée mais désormais tout le monde savait dans la Salle qu'elle assurait une protection des plus précaires et que l'envahisseur la franchirait à son heure. A moins que...

« Les pompiers s'efforcent de maîtriser le feu aux étages inférieurs, dit le gouverneur qui était remonté sur une chaise. C'est notre meilleur espoir. » Il avait failli avouer : notre *seul* espoir.

Il n'avait plus l'oreille de toute l'assistance. Dans un angle de la grande salle, un transistor jouait du rock. Une douzaine de couples dansaient, si l'on peut appeler ça danser. Le gouverneur ne s'en souciait guère car il se disait : c'est ça ou les cantiques.

« Je regrette de vous dire que la tentative d'utiliser les

ascenseurs a échoué. Si nous considérons ce qui est arrive à celui qui a essayé de s'en servir, ça vaut peut-être mieux. » Me voilà réduit à débiter des platitudes, pensa-t-il, mais il s'obligea à sourire. « Je n'irai pas jusqu'à dire que la situation est du rose le plus tendre. Ce serait vous mentir. D'autre part, nous ne sommes pas si mal ici pour le moment. J'affirme être convaincu que nos amis les pompiers nous tireront d'affaire... Maintenant, je vais boire un verre. N'oublions pas que nous sommes rassemblés pour une cocktail party. »

Il descendit de la chaise et prit le bras de Beth. « Un verre et un coin tranquille pour bavarder. J'en ai assez de ricaner comme un imbécile pour manifester ma confiance. »

Beth constata qu'avec elle il n'éprouvait pas le besoin de feindre. N'était-ce pas un miracle ?

Ils allèrent au bar puis emportèrent leurs verres dans un coin isolé où ils s'assirent côte à côte en tournant le dos au public.

C'est Beth qui rompit le silence. « A quoi pensez-vous, Bent ? demanda-t-elle.

— A des choses sinistres qui me mettent en colère. » Tout à coup le gouverneur sourit et sincèrement cette fois. « Je pense à un horrible gâchis. Je le regrette, je le hais. Mentalement je montre le poing au ciel et c'est d'une futilité puérile. »

Elle comprit ses sentiments et elle les partagea, mais elle s'efforça de les chasser de son esprit. « Quand j'étais petite et que pour me punir on me confinait dans ma chambre, je cherchais à concentrer mon attention sur ce que j'aurais aimé faire. Qu'est-ce qui vous plairait le plus, Bent ? »

Le gouverneur se détendit lentement, d'une manière nettement perceptible. « Je voudrais me retirer de la vie politique, dit-il. J'en ai les moyens et j'ai goûté à toutes les joies qu'elle pouvait m'offrir. Mon ranch, là-bas, au Nouveau Mexique...

— Rien d'autre, Bent ? »

Il prit son temps, secoua la tête et répondit : « Non. Vous m'obligez à descendre en moi-même et je constate qu'une retraite dans l'oisiveté me ferait horreur. » De nouveau, il sourit sincèrement. « Je suis avocat, il serait temps de voir quelle est ma valeur professionnelle.

— Vous excellerez, comme en tout ce que vous faites.

— Mais je veillerais à avoir toujours assez de liberté pour consacrer une bonne partie de mon temps à la pêche... Et puis... puisque je brosse le tableau d'une utopie : vous seriez toujours auprès de moi. »

Elle eut chaud au cœur. « Est-ce une proposition ?

— Certainement, rétorqua-t-il sans hésiter.

— Alors, j'accepte avec plaisir », dit Beth lentement.

Nat alla jusqu'à la porte de la remorque et descendit les marches. Il considéra l'énormité du gratte-ciel.

« Tous ces gens, là-haut », lui dit Patty. Il n'avait pas réalisé qu'elle l'avait suivi.

Nat considéra la foule de plus en plus dense derrière les barrières. « On se croirait à minuit, le 31 décembre à Times Square, dit-il furieux. Quels vampires ! On devrait peut-être livrer des gens au bûcher en public. La vente des billets rapporterait des millions. »

Patty ne répondit pas.

« Nous sommes tous blâmables, reprit-il. Ça, c'est la première constatation. Bert ne s'en est pas rendu compte, eh bien, tant mieux !

— Merci de penser à lui, dit Patty. N'oubliez pas ce que vous venez de dire. Il y a donc bien des responsables, n'est-ce pas ? Même papa. Tous ceux qui ont mis la main à cette construction, et pas seulement vous, croyez-le. »

Il s'efforça de sourire. « Vous feriez merveille dans une brigade d'acclamations », dit-il. Contrairement à Zib qui dénigrait volontiers tout et elle-même, parce qu'elle trouvait cela élégant. Voilà encore une des caractéristiques des grandes villes qui ne me plaît pas, se dit-il : la conviction invétérée que rien n'est conforme aux apparences, qu'il ne faut être pour rien mais contre tout, l'éternel pas-moi-je-ne-suis-pas-un-cave dont les citadins s'entourent comme de fils de fer barbelés pour protéger leur personnalité incertaine. Et tout cela au nom d'une sophistication mondaine. Sophisme, peut-être autant que sophistication.

« Qu'est-ce qu'il va arriver à tous ceux qui sont là-haut, Nat ? demanda Patty, passionnément quoique avec calme. Vont-ils... » Elle ne précisa pas son angoisse.

« Les pompiers hissent des tuyaux de plus en plus haut, d'étage en étage. Chaque pas est un combat. Ils ont cent vingt-cinq étages à gravir.

— Mais qu'est-ce qui brûle ? Voilà ce que je ne comprends pas.

— Tout. Certains bureaux sont déjà loués. Ce qui flambe d'abord ce sont les meubles, les tapis, la menuiserie, les papiers. La température s'élève suffisamment pour que la peinture s'enflamme sur les murs. Certains revêtements de sol brûlent aussi et le plâtre fond. Ce qui augmente la chaleur au delà de ce que nous pouvons imaginer. Alors, des matériaux qu'on croit incombustibles brûlent à leur tour... Je ne suis pas très compétent en fait d'incendie mais je sais qu'en gros c'est ainsi que ça se passe.

— Supposons que l'immeuble ait été occupé au moment où éclata l'incendie... dit Patty. Il s'agirait de milliers de gens et pas d'une centaine. » Elle réfléchit un instant et reprit vivement. « Mais le nombre ne compte guère, n'est-ce pas ? S'il n'y avait qu'une seule personne en danger, ce serait déjà tragique. »

Nat constata mentalement qu'elle se souciait encore des autres alors qu'elle venait de perdre son père. Peut-être était-ce précisément la mort de McGraw qui la rendait aussi sensible : la perte d'un être cher noue un lien de parenté entre tous les êtres humains.

« Qu'allez-vous faire, Nat ? demanda-t-elle.

— C'est justement à ça que je réfléchis, répondit-il, pris de court.

— Non, dit-elle d'une voix douce. Que ferez-vous quand toute cette affaire sera terminée ? »

Nat ne répondit pas.

« Reconstruira-t-on ce gratte-ciel ? » demanda-t-elle.

Il n'y avait pas encore pensé, mais la réponse jaillit, définitive, claire et nette : « J'espère que non... Pas plus tard que ce matin, Ben Caldwell m'a parlé du phare d'Alexandrie qui pendant un millier d'années flamba sur l'île de Pharos pour indiquer aux navires l'entrée du Nil. Voilà le souvenir que lui rappelait ce gratte-ciel... Quel est donc le mot à la mode ? Outrecuidance : l'orgueil humain qui offense les dieux. Dans certaines régions de l'Orient on n'achève jamais aucun bâtiment. Il y manque toujours quelques pierres ou quelques dalles. C'est par crainte d'offenser les divinités car l'homme doit aspirer à la perfection sans jamais l'atteindre.

— Cette idée me plaît, dit Patty.

— Peut-être ne me plaît-elle pas tellement mais en tout cas je la comprends. On m'a dit jadis qu'un échec de temps en temps n'est pas nuisible car il ramène chacun à ses dimensions réelles... Rentrons.

— Avez-vous trouvé une solution ?

— Non. Mais je suis incapable de m'en aller, tout comme vous », dit-il d'un ton hésitant. Puis il lui vint une autre idée. « Si vous n'étiez pas la fille de Bert mais seulement mariée à quelqu'un qui serait mêlé à cette affaire...

— A vous, par exemple ? demanda-t-elle courageusement, prête à envisager toutes les hypothèses imaginables. Serais-je ici, au pied de ce gratte-ciel ? » Elle hocha vigoureusement la tête. « Certainement. Je m'efforcerais de ne pas être importune, mais je resterais jusqu'au bout.

— Je m'en doutais », dit Nat. Il s'étonna d'en éprouver tant de plaisir.

Dans la remorque, un chef de bataillon parlait dans le walkie-talkie. On n'entendait que sa voix. « Vous ne pouvez pas me dire jusqu'à quelle hauteur s'élève le feu au-dessus de vous ? »

Rauque d'épuisement, une voix répondit : « Je vous ai dit que non.

— Et au-dessous de vous ? » interrogea le chef d'une voix irritée. Silence.

« Ted, reprit le chef, répondez, que diable ! Au-dessous de vous ? »

Une voix retentit enfin, presque affolée cette fois. « Mais qu'est-ce qui se passe, nom de Dieu ? Vous vous payez ma tête. Nous descendons. Si nous arrivons jusqu'en bas nous répondrons à vos devinettes. Actuellement nous sommes au cinquante-deuxième étage...

— Et de l'autre côté des portes pare-feu ? Croyez-vous que vous pourriez vous en tirer de l'autre côté ?

— Ces portes nous brûlent les mains. Voilà où nous en sommes. Nous descendons. Il n'y a rien d'autre à faire. »

Le commissaire adjoint Brown prit le walkie-talkie. « Ici Tim Brown, dit-il. Bonne chance.

— Oui, merci. Nous restons en ligne.

— Bien sûr. » Puis Ted s'adressa à son compagnon. « Allez, magne-toi le train, on y va. » Le walkie-talkie se tut. Les deux chefs de bataillon restèrent immobiles sans rien regarder de précis. Patty remarqua que les lèvres de Tim Brown remuaient. Peut-être priait-il. Les sourcils froncés, Giddings avait des lueurs de colère dans ses yeux bleus. Il se tourna vers Nat et secoua lentement la tête. Nat acquiesça, aussi discrètement. Patty ferma les yeux.

C'est impossible, pensa-t-elle, et pourtant elle savait qu'il en était ainsi. Ce n'était pas un rêve, ni un cauchemar. Il n'y aurait pas de réveil soudain, de soulagement en constatant que l'horreur s'est dissipée à la lumière du matin. Elle eut envie de s'enfuir. Pour aller où ? Auprès de papa ? Comme elle y était allée à midi, en quête de compréhension, de réconfort ? Mais il n'y avait plus de...

Un bourdonnement caverneux retentit dans le walkie-talkie que Brown tenait à la main. Il en jaillit un hurlement... puis un autre.

S'ensuivit un silence miséricordieux. Tous restèrent immobiles dans la remorque. Enfin Brown alla à pas lents jusqu'à la planche à dessin. Il y posa délicatement le walkie-talkie dont il coupa le courant. Sans regarder personne il se mit à débiter un chapelet de jurons, d'une voix monotone.

28

18 heures et 19 minutes — 18 heures et 38 minutes

Paula Ramsey s'approcha des deux fauteuils isolés à l'écart dans un coin de la salle. « Excusez-moi de vous déranger, mais il se passe quelque chose derrière votre dos... Je crains d'être vieux jeu. »

Le gouverneur répondit, impassible. « Hormis Paul Norris et Grover, tout le monde se conduit admirablement jusqu'ici. Que pouvons-nous espérer de mieux ?

— Cary Wycoff prononce un discours. »

Le gouverneur tendit l'oreille. Il entendit la voix mais pas les paroles. Néanmoins, le ton suraigu, violent, affolé, en disait long. « Il explique probablement que quelqu'un est responsable et il promet une enquête, dit le gouverneur.

— C'est exactement ça, Bent, vous avez deviné, dit Paula Ramsey avec un léger sourire.

— Dans un moment Cary prendra la tête d'une délégation pour exiger que quelque chose soit fait. Mon Dieu, combien en ai-je reçu de ces délégations !

— Il y a beaucoup de monde autour du buffet. Assis dans un coin, tout seul, un des garçons boit au goulot d'une bouteille... »

Armitage se demanda s'il s'agissait du père de trois enfants. Il soupira et se leva. « Que croyez-vous que je puisse faire, Paula ?

— Comme Cary Wycoff, je crois qu'il faut faire quelque chose, Bent, dit-elle avec un sourire éclatant. Mais je ne sais pas quoi, c'est pour ça je m'adresse à vous.

— Vous me flattez. » Le gouverneur eut un sourire railleur pour lui-même et pour toute la situation. « Un personnage de Mark Twain fut roulé dans du goudron puis dans de la plume pour être chassé de la ville sur une voie de chemin de fer. Si on ne lui avait pas fait tant d'honneur, dit-il, il serait plutôt parti à pied. Moi j'aimerais mieux rester ici. » Il jeta un coup d'œil à Beth. « Je vais faire de mon mieux. »

Il passa entre la porte pare-feu et le corps de Grover Frazee, couvert d'une nappe blanche, auprès duquel se trouvait le secrétaire général de l'ONU, immobile. Lentement, solennellement, il fit le signe de la croix puis, apercevant le gouverneur, il sourit comme pour s'excuser.

« Depuis mes études à l'université, dit le secrétaire général, je me suis vanté d'être libre penseur. Mais je viens de constater que les premières croyances ne disparaissent pas tout à fait. C'est drôle, n'est-ce pas ?

— Pas du tout, Walther. Je serais presque jaloux de ceux qui croient. »

Le secrétaire général hésita un moment puis dit : « Je commence à entrevoir que vous êtes un homme foncièrement bon, Bent, et je regrette de ne pas m'en être aperçu plus tôt.

— Et moi, j'ai toujours cru que les gens qui exercent une fonction comme la vôtre ne peuvent être que des plastrons empaillés. »

Tous deux sourirent.

« Dans mon pays, où l'alpinisme est un sport populaire, les grimpeurs s'attachent les uns aux autres et nous avons un dicton : pas d'étrangers dans la cordée. Quel dommage qu'il faille une crise comme celle-ci pour que nous commencions à nous connaître et nous comprendre... Pourrais-je faire quelque chose d'utile ?

— Oui, priez, dit le gouverneur sincèrement.

— Je l'ai déjà fait, je vais continuer. Mais je suis à votre disposition, Bent, pour tout ce que vous voudrez.

— J'en prends note », dit le gouverneur tout aussi sincèrement. Il alla au milieu de la Salle et la parcourut du regard.

Paula n'avait pas exagéré. On buvait beaucoup, beaucoup trop, devant le buffet ; Cary Wycoff pérorait ; c'était bien le père de trois enfants qui buvait tout seul au goulot d'une bouteille de bourbon ; tout au fond de la Salle, les plus jeunes dansaient autour du transistor qui jouait du rock.

De la fumée entrait par les gaines de climatisation, mais elle n'avait encore rien d'étouffant. C'est tout juste si elle apportait une odeur âcre. Le gouverneur éternua.

« Hé là ! regardez ça ! » s'exclama le maire Ramsey qui se trouvait près du gouverneur.

Perdant la tête, une des jeunes danseuses releva sa jupe, fit passer sa robe par-dessus sa tête et la jeta contre le mur. Il ne lui resta plus qu'un slip infime, sans soutien-gorge. Ses seins généreux ballottèrent à chaque mouvement plongeant de son bassin.

« Elle aurait eu du succès quand j'étais étudiant, dit le gouverneur. Kitty aurait trouvé ça drôle. » Il sourit. « Moi aussi, d'ailleurs. »

Le sénateur Peters s'approcha. « Il fait de plus en plus chaud et de bien des manières. »

Ben Caldwell les rejoignit, le visage dénué d'expression. « La fumée augmente, dit-il. Tant que les fenêtres étaient fermées il n'y avait pas de tirage, mais maintenant... » Il sourit pour indiquer qu'il approuvait quand même le bris des vitres. « J'attends toujours que Nat Wilson ait une nouvelle idée. »

Cary Wycoff poussa un rugissement inintelligible et leva le bras. « Mais nom de Dieu, êtes-vous tous tombés fous ? demanda-t-il en regardant vers le gouverneur d'un air indigné. Voyez ces vieux messieurs qui bavardent tranquillement, comme des commères à l'heure du thé ! Vous ne comprenez pas ce qui est en train de se passer ? »

Le gouverneur fut tenté de répondre sur le même ton, de brailler, de gesticuler, d'échanger accusations et contre-accusations. Mais il s'en abstint. « Je comprends très bien ce qui se passe : vous avez une crise de nerfs, Cary. Allez-vous retenir votre respiration jusqu'à ce que votre figure devienne bleue ? D'après certains, il paraît que c'est efficace. »

Cary s'efforça de retrouver son calme. Un groupe s'était formé derrière lui. Le gouverneur reconnut quelques visages. Tous l'observaient prudemment.

« Nous vous avons écouté, reprit Cary d'un ton plus calme. Nous nous sommes conduits comme des gens distingués.

— Oui. Tous, sauf Paul Norris et Grover Frazee. Ils voulaient agir. Vous avez vu les résultats. Est-ce ce que vous souhaitez, Cary ? » Sa voix avait durci. « Si c'est ça, il y a la porte de secours. Elle n'est pas fermée à clé. »

Cary ne répondit pas. Il respirait bruyamment.

« Il y a une alternative, reprit le gouverneur. Nous parlions justement des fenêtres brisées. Vous pourriez sauter. »

Un de ceux qui se tenaient derrière Cary s'exclama : « Il y a pourtant sûrement quelque chose à faire, sacrebleu ! Nous n'allons pas tous crever ici comme des rats pris au piège !

— Cette tentative d'établir un va-et-vient avec la tour du Trade Center n'était qu'une sottise, un attrape-nigauds. Tout le monde savait que ça ne marcherait pas ! »

Murmure général d'approbation. Le gouverneur attendit qu'il s'apaise. Il constata que les visages avaient changé. Ils n'exprimaient plus ni politesse ni déférence ; c'étaient ceux de manifestants prêts à lapider la police. L'épouvante et l'angoisse n'ont guère besoin de prétextes.

« Je suis prêt à accueillir toutes les suggestions, dit le gouverneur. Nous le sommes tous. Croyez-vous que cette situation m'amuse ? »

La musique tonitruante du rock se tut soudain. Seule la fille presque nue continua à pivoter sur elle-même, perdue dans son extase. Tous les autres danseurs se tournèrent pour assister à la confrontation.

Le gouverneur éleva la voix. « Je ne ferai pas de discours, dit-il. Il n'y a pas de quoi pérorer. Nous sommes tous ensemble dans cette galère...

— Qui en est responsable ? brailla Cary. Voilà ce que je veux savoir.

— Je ne sais pas. Peut-être le sait-on en bas. Mais moi, non. A moins... à moins que nous en soyons venus là parce que nous nous sommes tous trop écartés de ce que nous étions à nos débuts et que nous ayons perdu le contact avec la réalité.

— Bla bla bla ! » s'écria Cary.

Le gouverneur se contenta de hocher la tête. Il avait dépassé le stade de la colère et n'éprouvait plus que le calme du mépris. « Pensez ce que vous voudrez, Cary, je ne vais pas discuter à ce sujet.

— Quel est votre sentiment, gouverneur ? demanda une voix raisonnable.

— La situation est grave. Je ne chercherai pas à vous tromper, ce serait inutile. Nous restons en contact avec l'extérieur par téléphone. Les gens d'en bas savent où nous en sommes. Regardez la place au-dessous de nous. Vous verrez des autopompes, des tuyaux qui sinuent comme des macaroni et qui pénètrent dans l'immeuble. Les pompiers font tout ce qui peut être fait... Oui, la situation est grave, mais pas désespérée... jusqu'à présent. » Il parcourut l'assistance du regard et attendit.

Personne ne souffla mot.

« S'il se produit quelque chose de nouveau, reprit le gouverneur, je vous tiendrai au courant. Cette promesse n'est qu'une bien piètre consolation, je m'en rends compte, mais je ne peux rien vous offrir d'autre. » Il pivota sur lui-même et retourna vers le coin isolé sans jeter un coup d'œil au corps recouvert d'une nappe.

Beth l'attendait avec Paula Ramsey. « Nous avons entendu, dit-elle en souriant. Vous avez été superbe, Bent.

— La prochaine fois ce ne sera pas aussi facile. » Il se sentait vieux et las ; il se demanda même si son subconscient ne se préparait pas pour la fin. « Et ça recommencera, reprit-il en ranimant son énergie. La panique déferle comme des vagues et chacune est plus puissante que la précédente. »

Mais que faire d'autre, sinon continuer à attendre ?

Le second maître chef Oliver comptait vingt ans de service dans les garde-côtes : dans les ports, sur des vedettes, sous les Tropiques, dans l'océan Arctique. Avec ses camarades il avait secouru des naufragés sur des eaux couvertes de pétrole, il en avait cueilli sur les ponts de navire en détresse et parfois ceux qu'il pêchait ainsi étaient déjà morts.

Il avait appris à longue et dure école que certaines opérations sont impossibles, mais quelque chose en lui refusait de l'admettre et tout échec l'outrait.

Debout, énorme, impuissant sur la terrasse du Trade Center, le regard fixé sur la rangée de fenêtres brisées en haut de la World Tower, si proche en réalité et pourtant si lointaine, il était presque — mais pas tout à fait — sur le point de hurler de rage.

« Alors, on tire une autre ligne ? demanda Kronski sans conviction. Vous vous rappelez ce poème : « Je tirai une flèche en l'air. Elle tomba à terre, je ne sus où. » Il a dû en perdre des flèches, ce type. Vous voulez que j'essaie encore ?

— Non », répondit enfin le chef. Ce ne serait que gaspillage, pensa-t-il. Et ça non plus il ne pouvait le tolérer. Il resta immobile au bord du gouffre. Il voyait la fumée jaillir de l'immeuble. Il la sentait. Il voyait aussi des gens circuler derrière les fenêtres aux vitres brisées.

La tempête et l'incendie : tels avaient été ses deux ennemis durant toute sa vie d'adulte. Il leur avait fait face, les avait combattus ; parfois il avait gagné, parfois perdu, mais jusqu'alors il était toujours entré en contact. Cette fois...

Il éleva le walkie-talkie jusqu'à sa bouche. « Ici Oliver, dit-il. Oliver appelle la remorque.

— Ici la remorque, répondit aussitôt la voix de Nat.

— Ça ne marche pas, dit le chef d'une voix grosse de déception. Trop loin, vent trop violent.

— Je vois. » Nat s'efforça de prononcer ces mots d'une voix neutre. Encore une trouvaille qui n'aboutissait à rien. Pense, sacrebleu, pense, réfléchis !

« Nous n'avons plus rien à faire ici », dit Oliver.

Le walkie-talkie d'une main, Nat frappa de l'autre poing sur la planche à dessin. « Attendez encore un instant, chef. Laissez-moi réfléchir. » Un prétexte ou un espoir ?

Dans la remorque silencieuse Brown, les chefs de bataillon, Giddings et Patty l'observaient. Tu joues un rôle, Nat, se dit-il. Et il se méprisa.

Pourtant quelque chose rampait lentement au fond de son esprit. Et s'il pouvait y voir clair... Foutre du diable ! qu'est-ce qui lui donnait cette impression ? Qu'est-ce qui...

Encore une autre idée qui a mal tourné, pensa-t-il. Telle était la clé. *Une autre* idée... Mais en associant ces deux idées ? « Nous avions un hélicoptère là-haut tout à l'heure, chef, dit-il lentement en détachant les syllabes pour se donner le temps de réfléchir tout en parlant. Il n'a servi à rien parce qu'il n'a pu se poser nulle part... Mais si on rappelait cet hélicoptère et que celui qui tire la ligne y embarque. Il arriverait assez près du but pour tirer en plein dans la Salle d'honneur. Ensuite, il ramènerait l'extrémité de la ligne jusqu'à votre terrasse... » Un temps d'arrêt. « Ça pourrait marcher ? Y a-t-il la moindre chance ? »

Après avoir réfléchi un bon moment, le chef bredouilla, émerveillé : « Mais ? Mais, mais, alors ? » Là-haut, sur la terrasse, il souriait. Son sentiment de frustration avait disparu comme un manteau dont il se serait débarrassé. « Je ne vois pas pourquoi ça ne marcherait pas. Appelez votre oiseau ronfleur. » Il se tourna vers Kronski. « Tu pars en promenade, mon gars. J'espère que tu n'auras pas le mal de l'air. »

On alla chercher le gouverneur dans le coin où il s'était retiré, pour répondre au téléphone. Il brancha la communication sur l'amplificateur, écouta la voix de Nat et demanda : « Ça marchera ?

— Nous croyons que c'est possible, dit Nat en prenant soin de réprimer son enthousiasme. L'hélicoptère peut rester presque immobile et permettre au garde-côte de tirer presque à bout portant dans la salle. Attention ! il faudra dégager un bon espace devant les fenêtres pour que personne ne soit blessé par le projectile... On ne réussira peut-être pas du premier coup, mais ça ne devrait pas être trop difficile. » Tout au moins je l'espère, pensa-t-il.

« D'accord, dit le gouverneur. Nous ferons évacuer tout ce côté de la salle et des hommes se tiendront prêts à saisir la ligne. Ensuite ?

— Assujettissez solidement le filin à l'immeuble, dit Nat. Il y aura du tirage quand l'hélicoptère emportera le reste de la ligne à la tour du Trade Center. Je serai en contact par walkie-talkie avec Oliver, le chef des garde-côtes et je resterai aussi en ligne avec vous. J'espère éviter ainsi toute fausse manœuvre. » Nat marqua un temps d'arrêt. « Lorsque la ligne messagère sera arrivée au toit du Trade Center, on y attachera un câble plus solide et plus lourd. Vos hommes devront le haler... Mais surtout qu'ils ne tirent pas avant que les garde-côtes aient passé le mot.

— Compris, dit le gouverneur avec un léger sourire. C'est vous qui avez eu cette idée, jeune homme ?

— Nous avons promis d'imaginer quelque chose... Mais pourquoi n'y avons-nous pas pensé plus tôt ? »

Le sourire du gouverneur s'élargit. « Depuis des années je cherche un enfant de trois ans parfaitement imbécile ; je l'embaucherais volontiers pour que devant chaque problème il me montre ce qui est évident. » Il tourna la tête pour offrir son sourire à Beth. « Mais il m'arrive aussi de discerner à première vue qu'une idée est bonne. Dieu merci. » Il ajouta sur un autre ton : « Où en est l'incendie ?

— Ça va mal, répondit Nat catégoriquement.

— Et les deux pompiers qui montaient par l'autre escalier ? » demanda encore le gouverneur.

Nat crut entendre de nouveau les hurlements qui avaient jailli du walkie-talkie. C'est moi qui ai eu l'idée de les envoyer là-haut, pensa-t-il, tout en sachant d'ailleurs que dans une circonstance identique il ferait la même suggestion parce que c'était une solution possible en apparence. « Ils n'ont pas réussi », dit-il.

Le gouverneur vit les yeux de Beth se fermer. « Grover Frazee n'a pas réussi non plus, dit-il d'un ton apaisant. Il a essayé de descendre par l'escalier. » Soudain sa voix devint grave et même presque brutale. « A combien s'élèvera la note du boucher à la fin de cette affaire ? » demanda-t-il. Puis il ajouta aussitôt : « Ne tenez pas compte de cette question. »

Il s'enfonça dans son fauteuil d'un air las et se tut.

« Nous allons essayer, dit le pilote de l'hélicoptère. Mais jusqu'à quel point pourrons-nous nous approcher de la Tour ? Autour de ces gratte-ciel le vent souffle dans toutes les directions à la fois. Vous comprenez ce que ça signifie ? »

Oliver resta muet, impassible.

« Je ne veux pas exagérer la difficulté de la tâche. Mais si nous cognons la Tour ça ne servira à rien ni à personne, n'est-ce pas ? »

Le chef hocha à peine la tête en signe d'acquiescement et resta tout aussi impassible.

« Vous connaissez la Porte de l'enfer ? reprit le pilote. L'eau du Sound se heurte à celle de la Harlem River. Ça crée des tourbillons, des courants qui se contrarient.

— Je connais la Porte de l'enfer », dit Oliver. Il avait vu des petites embarcations désemparées dans les tourbillons de ce confluent, incapables de manœuvrer contre les courants qui les écrasaient contre des piles de pont et des quais.

« Eh bien, les vents sont aussi violents et désordonnés autour de ces saloperies de gratte-ciel. Voilà où je veux en venir : nous allons essayer, mais je ne peux rien promettre.

— D'accord, dit Oliver. Grimpe là-dedans, Kronski.

— Merci beaucoup, chef », répondit le matelot.

Debout sur le seuil de la remorque, Nat regardait en l'air. Toujours rien. Attendre, voilà le plus pénible... Qui avait dit ça ? Peu importe, mais c'était vrai et il ne s'en était pas encore aussi bien rendu compte jusqu'alors. On a une idée, on la met en œuvre et puis on attend, on espère parce qu'il n'y a rien d'autre à faire.

« Ça réussira, dit Patty en souriant. Il le faut. »

29

18 heures et 24 minutes — 18 heures et 41 minutes

Depuis que les vitres étaient brisées, il faisait nettement plus froid dans la Salle d'honneur. Quelques-uns remarquèrent avec une vive inquiétude que l'afflux de fumée par les gaines de climatisation augmentait sensiblement.

« Il y a probablement là un rapport de cause à effet, expliqua Ben Caldwell. Tant que nous avons vécu ici plus ou moins en vase clos, il n'entrait qu'une quantité d'air et de fumée limitée, mais maintenant, les fenêtres ouvertes créent un tirage. » Il écarta les bras, les laissa retomber et haussa les épaules.

« Alors nous n'aurions pas dû permettre qu'on brise ces fenêtres, dit Henry Timms, le PDG d'un réseau de radio-télévision, d'un ton plein d'assurance. Selon toute évidence, il y avait bien peu de chances pour que la ligne pénètre ici.

— Ce n'est pas tellement évident. Rien n'est tout à fait ni noir ni blanc », dit Caldwell en s'éloignant.

Architecte, artiste, apte à concevoir des idées nouvelles, il voyait rarement la vie tout à fait noire ou blanche. Tout en détestant le mot compromis, il comprenait fort bien que sans composer on n'arrive presque jamais à rien. Dans ce cas précis il avait fallu choisir entre l'espoir de recevoir un filin tiré depuis le Trade Center et la certitude d'aspirer de la fumée dans la salle. Il avait laissé allégrement les autres prendre la décision car elle lui était tout à fait indifférente.

Il soupçonnait que la majorité de l'assistance conservait quelque espoir. Il n'en avait plus du tout. Habitué à considérer les choses telles qu'elles sont, il jugeait futile de chercher à esquiver l'évidence. Il ne parvenait pas à se faire la moindre idée des dégâts que subirait le gratte-ciel, mais il soupçonnait que tous ceux qui se trouvaient dans cette salle auraient péri avant que l'incendie s'éteigne. Il s'y était résigné depuis longtemps. Ça ne l'inquiétait d'ailleurs guère parce qu'il était déjà mort en grande partie.

Ce gratte-ciel était son œuvre, la réalisation d'un rêve ambitieux. Or, il était en ruine.

Qui faudrait-il en fin de compte désigner comme coupable ? Caldwell n'en savait rien et ça ne l'intéressait pas beaucoup. Qu'importe la main qui a défiguré la Pietà à coups de marteau ? Bien sûr la société voudrait peut-être punir le crime, se venger, mais cela ne restaurerait pas l'œuvre d'art.

A New York, à Los Angeles, à Chicago, à Pittsburgh et dans une douzaine d'agglomérations de moindre importance Caldwell avait bâti des monuments qui lui survivraient longtemps. Mais ce gratte-ciel était — *avait été* — son chef-d'œuvre et désormais on ne pouvait plus rien en récupérer. Visions, calculs, accommodements, labeur, amour, sang, sueur et larmes, tout ce qui avait été investi dans cette construction ne servait plus à rien.

Ce matin-là, dans son bureau, considérant la liasse d'ordres de dérogation sur sa table après avoir convoqué Nat Wilson, avait-il ressenti la première prémonition du désastre ? Il lui aurait été difficile de le dire. D'ailleurs il se méfiait toujours de telles impressions irraisonnées. Qu'importe ! La catastrophe avait eu lieu.

Le sénateur Peters l'aborda avec son sourire ironique. « Profondément enfoncé dans vos rêves, dit-il. Vous avez des idées ?

— Non, rien que des regrets, dit Caldwell. Mais aucun

de ceux qui sont ici ne regrettera sans doute plus jamais rien.

— Je le crains, moi aussi, dit le sénateur. Mais vous paraissez ne pas vous en soucier.

— Et vous ?

— Il se trouve que je me pose cette question depuis un bon moment, et que je ne suis pas certain d'avoir trouvé la réponse. Certes, je ne prétends pas que je ne redoute pas la mort. Ce serait mentir. Mais je pense à quelque chose de tout à fait différent.

— Quoi donc ? demanda Caldwell intéressé malgré lui. Auriez-vous une foi quelconque ?

— Pas dans le sens habituel de ce mot, dit le sénateur en souriant. Je suis païen et l'ai toujours été. Non, je crois que cela résulte de toute mon existence au cours de laquelle j'ai appris que certains événements sont inévitables, qu'on ne peut pas gagner certaines batailles et qu'on est obligé d'accepter certaines décisions...

— C'est la vie politique que vous décrivez là, dit Caldwell. L'art de choisir les possibilités.

— Ce que nous faisons nous façonne, dit le sénateur en hochant la tête. Même s'il le souhaitait, Bent ne pourrait pas se départir de son autorité parce que commander est chez lui une habitude. Comme un pilote chevronné, il est mal à l'aise si quelqu'un d'autre prend les leviers en mains. »

De plus en plus intéressé, Caldwell répondit : « Comment expliquez-vous la conduite de Paul Norris et de Grover Frazee ?

— Je vais vous raconter une histoire au sujet de Paul Norris, dit le sénateur en souriant. Quand il était étudiant il avait un bel appartement dont la fenêtre donnait juste en face du clocher de l'église catholique. Quelques-uns d'entre nous eurent l'idée d'une farce et Paul accepta de s'y prêter. Nous installâmes une carabine à air comprimé sur le rebord de sa fenêtre, braquée sur la cloche. A minuit, quand le douzième coup sonna l'un de nous appuya sur la détente et un treizième coup retentit. »

Caldwell souriait à son tour, ramené quarante ans en arrière, au temps de sa jeunesse. « Continuez, dit-il.

— On recommença le lendemain. Quelques catholiques qui habitaient la même maison et allaient à la messe, racontèrent que les prêtres étaient fort intrigués et même assez inquiets. Ils parlaient d'un miracle. » Le sénateur marqua un temps d'arrêt. « La troisième nuit l'évêque de Boston vint se rendre compte sur place. Nous nous gardâmes bien de le décevoir. La cloche sonna treize coups. Alors on démonta l'installation de visée fixe et le propriétaire de la carabine emporta son arme.

— Et Paul Norris, qu'est-ce qu'il fait là-dedans ? demanda Caldwell en souriant encore.

— Il voulait continuer indéfiniment. Impossible de lui faire comprendre qu'il valait mieux en rester là : laisser planer le mystère. Entre autre trait de caractère désagréable, Paul était un imbécile et je répugne à discuter avec les imbéciles. C'est temps perdu. Pourtant Dieu sait que les politiciens ne peuvent pas toujours l'éviter.

— Vous avez dit que vous acceptez votre sort en partie parce que certaines choses sont inévitables. En partie. Mais quelles sont vos autres raisons ?

— Une idée qui ne manque pas de cocasserie s'est glissée en tapinois dans mon esprit : ce qui se produit est peut-être le mieux qui puisse nous arriver. Ne me demandez pas pourquoi car je ne pourrais pas vous fournir une explication raisonnable. Cependant, rappelez-vous qu'au début de l'histoire d'Athènes, quand la situation tournait mal, le roi devait mourir. Le père de Thésée s'est jeté du haut d'une falaise parce que les voiles noires du navire de son fils indiquaient qu'il avait échoué dans sa mission. » Le sénateur eut un sourire d'excuse. « Nous sommes peut-être les victimes d'un sacrifice expiatoire collectif. Idée grotesque, n'est-ce pas ?

— Pour expier quoi ? »

Le sénateur cessa de sourire. « Vous vous tenez au courant de ce qui se passe dans le monde, n'est-ce pas ? dit-il sèchement.

— Oui, dit Caldwell sur le même ton, je m'intéresse au désordre international et à celui qui règne dans notre pays, je me soucie de la misère, du fanatisme, de toutes ces choses-là. Mais quel rapport ont-ils avec nous ? Je n'en suis pas responsable.

— Se disculper ainsi rend la vie confortable, sans doute », dit le sénateur.

D'un grand geste, Caldwell montra toute la salle. « Je ne suis même pas responsable du désastre qui frappe tous ces gens. Il se trouve même que je suis dans le bain avec eux. »

Le sénateur ne répondit pas.

« Vous croyez peut-être que je suis coupable des défauts de ce gratte-ciel parce que je l'ai conçu. Eh bien, je le nie. La conception était saine, elle l'est encore. J'ignore ce qui s'est passé pendant la construction, mais je suis certain que mes plans ne sont pas en cause.

— A mon avis, votre réputation n'est pas atteinte, et c'est sans doute ce qui compte le plus pour vous. »

Caldwell considéra attentivement le visage du sénateur. Il craignait quelque ironie. N'en constatant pas, il se détendit un peu.

« Vous m'avez demandé d'expliquer le comportement de Grover Frazee, reprit le sénateur. Un seul mot suffit, je crois : panique. » A son tour, il parcourut la Salle du regard.

Le transistor avait recommencé à tonitruer ses rythmes de rock dans un coin. La jeune femme presque nue continuait à tourner sur elle-même, les yeux clos, agitée de mouvements clairement érotiques ; le reste du monde n'existait plus pour elle.

Dans un autre coin, un groupe disparate chantait en chœur. Le sénateur tendit l'oreille. « Avec ma portugaise en zinc je n'arrive pas à distinguer s'ils chantent l'*Hymne de guerre de la république* ou bien *En avant, soldats du Christ.*

Les trois prêtres qui avaient participé à la cérémonie d'inauguration sur la place — le rabbin, le curé et le pasteur — conféraient auprès du buffet.

« Je pourrais leur suggérer un bon sujet de sermon, dit

le sénateur : la manière dont les trois compagnons de Daniel sortirent indemnes d'une fournaise. L'incendie de notre gratte-ciel n'aurait pas déplu à Nabuchodonosor. Qu'en dites-vous ? »

Caldwell, qui ne l'avait probablement pas écouté, déclara soudain : « Eh bien, d'accord. J'avoue que j'ai une part de responsabilité. Elle n'incombe pas qu'à moi seul, mais j'en ai ma part. »

Le sénateur retint un sourire. « Ça n'a vraiment plus d'importance maintenant, dit-il de bonne grâce.

— Pour moi, oui.

— C'est une autre histoire.

— Il n'y a rien de défectueux dans la conception.

— J'en suis certain.

— Mais l'exécution ?... voilà où commencent les ennuis. Dès qu'on livre son œuvre aux autres, on en perd le contrôle.

— Et ce doit être une impression épouvantable que de confier à autrui l'œuvre sur laquelle on a peiné », dit le sénateur.

Caldwell resta longtemps silencieux puis il déclara à voix lente : « A votre façon, vous êtes un sage et un homme bon. Grâce à vous, je me sens mieux et j'ai la conscience plus nette. Merci. » Il fit un pas pour s'éloigner.

« Qui allez-vous rejoindre ? demanda le sénateur sans prendre la peine de retenir son sourire. Ceux qui dansent, ceux qui chantent ou ceux qui prient ? »

La crispation de Caldwell, nettement perceptible jusqu'alors, s'évanouit et il sourit franchement à son tour. « Je goûterai aux trois à tour de rôle.

— Vous ferez bien », dit le sénateur.

Il s'en alla à pas lents vers le bureau, tout seul. « Et maintenant, docteur, se dit-il presque à haute voix, guéris-toi toi-même. »

Le gouverneur sortait du bureau, le visage impassible. « Venez Jake, dit-il. J'ai une bonne nouvelle à annoncer. Mais, si cette tentative échoue aussi, alors ce sera vraiment la panique. D'ailleurs elle éclatera peut-être de toute façon. »

Il médita un instant, les yeux clos. « La ruée habituelle vers les portes de secours, les canots de sauvetage... »

Le gouverneur saisit une chaise au milieu de la salle et y grimpa. « J'ai promis de vous tenir au courant ! clama-t-il. Accordez-moi votre attention. »

Ceux qui chantaient se turent. Quelqu'un abaissa le volume du transistor. Les conversations cessèrent.

« Nos sauveteurs vont encore essayer de nous envoyer une ligne. Cette fois-ci...

— Encore des conneries ! glapit Cary Wycoff d'une voix suraiguë où la terreur se mêlait à la colère. Encore une pilule sucrée pour nous faire tenir tranquilles.

— Cette fois, poursuivit le gouverneur d'une voix qui dominait celle de Cary, ils vont tirer leur ligne d'un hélicoptère... Dégagez tout ce côté de la salle pour éviter que quelqu'un soit blessé si la tentative réussit. » Il fit signe au commissaire à la défense contre l'incendie. « Que deux ou trois hommes soient prêts à sauter sur la corde quand elle passera par la fenêtre. Alors...

— *Quand ?* s'exclama Cary. Dites plutôt *si !* Et vous savez fort bien que ça n'arrivera pas. » Il poursuivit précipitamment : « Depuis le début vous nous avez tout caché, vous avez tout décidé sans nous consulter, vous avez ourdi vos petites manigances... » Il prit une profonde inspiration en frémissant. « Nous sommes coincés ici ! Dès le début tout était foutu. On distingue clairement la responsabilité de l'administration municipale ! »

Un murmure de rage s'éleva de ceux qui entouraient Cary Wycoff.

« Doucement, Cary, dit Bob Ramsey en jouant du coude pour rejoindre le protestataire. Doucement. Tout ce qui pouvait être fait a été fait et maintenant...

— Merde ! Racontez ça aux électeurs mais pas à nous. Nous sommes ici pour... pour mourir, nom de Dieu ! Par la faute de qui ? Voilà ce que je veux savoir. Qui ?

— Je crains que nous ayons tous tué grand-maman », dit le sénateur Peters d'une voix assez forte pour attirer l'attention. Il fit face à Wycoff et prit son temps. « Depuis que je vous connais, Cary, je vous ai entendu poser plus de questions qu'il n'y a de rats dans les taudis. Mais vous n'avez guère donné de réponses, rien que des réactions, des criailleries. Avez-vous déjà mouillé votre pantalon ? A part ça, vous avez fait tout ce qu'un gamin peut faire. »

Cary aspira de nouveau profondément. « Ne me parlez pas comme ça, dit-il.

— Et pourquoi donc ? Donnez-moi une seule bonne raison. » Le sénateur souriait sans bienveillance. « D'après vous, je suis un vieillard mais ne vous en souciez pas. Dans le quartier où je suis né un gosse de dix ans vous croquerait pour son petit déjeuner. »

Cary se tut, indécis.

« Calmez-vous tous, reprit le sénateur. Le gouverneur Armitage s'efforce de vous dire ce que vous devez faire ; alors, écoutez-le, sacrebleu !

— Je n'ai rien à ajouter », dit le gouverneur en souriant Il tendit l'index vers les fenêtres. « Regardez ! »

Toutes les têtes se tournèrent. Un hélicoptère arrivait en se balançant vers la Tour. Le bruit saccadé de son moteur enflait.

Dans l'hélicoptère Kronski se disait : « Même si je passais toute ma vie dans un de ces engins, je ne saurais jamais m'y tenir en équilibre comme sur mer. Toute embarcation, même la plus petite, se balance à un certain rythme, même quand la mer est grosse. Or l'hélicoptère tressautait d'une manière désordonnée. Comment diable le chef s'était-il imaginé qu'il pourrait atteindre le gratte-ciel avec son projectile ? Quant aux fenêtres...

L'estomac de Kronski tressautait aussi. Il s'appliquait à avaler fermement sa salive et respirer le plus longuement possible dans le vent glacial.

Il distingua des visages dans la Salle d'honneur. Tous regardaient l'hélicoptère comme une vision céleste !

Le pilote interrogea Kronski du regard.

« Plus près ! rugit le matelot. Plus près, nom de Dieu ! » Il tenait à ne tirer qu'une seule fois et à retourner au plus vite vers la terre ferme, au moins vers la terrasse stable du Trade Center.

Le pilote hocha légèrement la tête et appuya sur son manche à balai comme sur un objet fragile qui aurait pu se briser dans sa main.

Le gratte-ciel s'approcha d'eux. Kronski vit plus nettement les visages. L'engin tressauta encore plus.

« Je n'irai pas plus près, dit le pilote. Tire d'ici ! »

Les gens qui étaient dans la salle se mirent en mouvement. Tous se précipitèrent du même côté. Un homme de haute taille — c'était le commissaire — agita les bras pour presser le mouvement.

Kronski épaula et chercha à viser. Tantôt le mât étincelant au sommet du building brillait dans sa ligne de mire, tantôt c'était une rangée de fenêtres intactes à l'étage au-dessous de la Salle d'honneur. « Merde ! comment peut-on essayer de faire des trucs comme ça, se dit-il et il brailla : Pour l'amour du ciel, faites tenir cet engin tranquille ! »

De la Salle on vit le visage crispé de Kronski, le fusil qu'il tenait. Il tira.

Le bruit de l'hélicoptère étouffa celui du coup de feu mais tout le monde aperçut la ligne qui pénétra en se tortillant dans la pièce, heurta le mur du fond, rebondit sur le sol et y serpenta comme un reptile.

Le commissaire et trois serveurs sautèrent sur la corde et s'en emparèrent. L'hélicoptère s'éloigna en lâchant du filin.

Un premier cri de joie fut contagieux.

30

18 heures et 41 minutes — 19 heures et 2 minutes

Quatre agrafes sur la joue dissimulées par un pansement d'un blanc immaculé, l'agent Shannon rejoignit son collègue Barnes à la barrière qui contenait les curieux. « On lit tous des histoires dans ce genre-là, dit Shannon, mais as-tu jamais imaginé que tu en verrais une de tes propres yeux ? »

En posant cette question il montra tout à la fois, la place sillonnée de tuyaux, les pompiers qui s'affairaient, la fumée sortant des fenêtres éclatées sur la façade du gratte-ciel, le panache, tout en haut et, depuis un instant, l'hélicoptère infime, presque immobile en face du sommet.

« Vampire irlandais ! dit Barnes sans malveillance.

— Rien ne vaut un bel incendie. Rien. Oui, Frank, je le sais, je parle comme un sans cœur, mais c'est vraiment un spectacle. Pourquoi y a-t-il tant de badauds devant nous ? Parce que l'idée de la fournaise qui ravage le cœur de ce building leur suggère un avant-goût de l'enfer.

— Et l'horreur d'un bel accident de la circulation, avec des corps épars qui baignent dans leur sang ? Qu'est-ce que tu en dis ?

— Ah, non, Frank, ce n'est pas la même chose. Ces désastres résultent de la folie humaine, mais celui-ci, l'incendie... ça c'est superbe ! Regarde. On voit des flammes à peu près à mi-hauteur du monstre. Tu vois ?

— Je vois, dit Barnes, et ça me fait penser au Götterdämmerung.

— Parle anglais, voyou noir.

— L'incendie du Walhalla : le séjour des dieux. »

Shannon resta silencieux un moment sans cesser de regarder en l'air. « C'est un blasphème, dit-il enfin. Mais ça ne me déplaît pas. »

« Jusqu'à présent, ça va », déclara Nat à la cantonade. Le combiné du téléphone était coincé entre sa joue et son épaule. Le walkie-talkie se trouvait sur le bureau, juste devant lui. « On a assujetti solidement l'extrémité du filin dans la Salle. Le pilote retourne vers la terrasse du Trade Center en larguant de la ligne.

— Dieu soit loué ! » s'exclama Tim Brown. Il tira de sa poche son paquet de cigarettes à moitié vide, le regarda fixement et le jeta dans la corbeille à papiers. « Je n'aurai jamais une meilleure raison d'en finir ! » dit-il.

Perchée sur un tabouret, Patty observait et écoutait sans rien dire. Elle souriait fièrement.

« La première moitié de la bataille est gagnée, dit Giddings, quant à l'autre moitié...

— D'accord, dit Nat sèchement. Mais si nous n'avions pas gagné la première manche, il ne serait même pas question de la seconde. » Puis il dit dans le récepteur : « Oui, gouverneur.

— Supposons que tout marche bien, qu'allons-nous faire ? Par bonheur je n'ai jamais eu besoin de circuler sur un va-et-vient comme celui-là. Je n'y connais donc rien. Il y a du vent. Il est même très fort. Une femme peut-elle faire le trajet toute seule sans danger ?

— Il n'y a pas grand-chose à faire, répondit Nat. On se met dans une espèce de sac percé de deux trous par lesquels on passe les jambes. » Il marqua un temps d'arrêt et reprit d'une voix solennelle : « Mais vous devez prévoir d'autres détails, gouverneur. Qui part, et dans quel ordre...

— Les femmes d'abord. Nous en avons déjà décidé.

— L'aller-retour du sac, entre la terrasse du Trade Center et la salle où vous êtes, prendra un certain temps. Disons une minute. Vous êtes une centaine là-haut, dont une moitié de femmes sans doute. Il faudra bien près d'une heure pour évacuer toutes les femmes et à peu près aussi longtemps pour les hommes. C'est long. Vous feriez sans doute bien, gouverneur, de préciser à l'avance l'ordre des départs, l'ordre des... » Une autre voix que celle du gouverneur se fit entendre en bruit de fond dans l'appareil et Nat se tut.

Il entendit le gouverneur qui disait : « Bravo, Jake ! » Puis : « Le sénateur Peters a sans doute prévu ce que vous vouliez me dire. Quand je l'ai vu découper des feuilles de papier, j'ai cru qu'il allait en faire des cocottes. Mais il préparait des billets numérotés pour un tirage au sort.

— Très bien, dit Nat qui sourit. Mais ce n'est pas tout. Comment ferez-vous respecter l'ordre de départ ?

— Nous y avons déjà pensé, dit le gouverneur. Deux heures ? C'est ce que vous prévoyez ?

— Peut-être moins, dit Nat. Faute d'agir avec une prudente lenteur... »

Le walkie-talkie grésilla. « Oliver à la remorque : Nous avons noué le câble de soutien et le bout du va-et-vient à la ligne légère. Nous les larguerons progressivement dès que les naufragés haleront l'autre bout. Dites-leur d'agir en douceur et lentement. Quand le câble pendra dans le vide, ils auront un poids énorme sur les bras. Et le vent n'arrangera rien.

— Je transmets, dit Nat. Restez en ligne, chef. » Il ajouta dans le micro du téléphone : « Tout est prêt, gouverneur. Dites à vos hommes de tirer sur la ligne et de s'attendre à haler un poids extrêmement lourd. Ils ont un grand effort à faire s'ils veulent réussir... Bonne chance.

— Merci, jeune homme. » La voix du gouverneur dénota une soudaine inquiétude. « Vous resterez en ligne, n'est-ce pas ?

— Oui, monsieur. Et avec la terrasse par walkie-talkie.

— Dieu vous bénisse », dit le gouverneur.

Nat posa le combiné sur le sous-main et se détendit dans le fauteuil du bureau. Son regard croisa celui de Patty. Elle lui sourit.

« Est-ce que le bâtiment tiendra ? demanda Tim Brown. S'il s'effondre ce sera la pire catastrophe qu'on ait jamais connue dans cette ville.

— Je crois qu'il tiendra, dit Nat. Si les pompiers ne parviennent pas à maîtriser l'incendie...

— Malheureux ! s'exclama un des chefs de bataillon. Ils ne l'ont jamais espéré. Ce que nous faisons équivaut à pisser contre la marée... et nous y perdons des hommes.

— Alors, d'autres vitres vont éclater, dit Nat. Le revêtement d'aluminium ne tiendra pas indéfiniment. Mais la structure proprement dite ne s'effondrera pas.

— En êtes-vous certain ? » demanda Brown.

Nat secoua la tête. « C'est mon opinion, je la crois fondée, mais je ne puis rien vous offrir de mieux. » Le fil de ses idées dévia. « Quand il s'agit d'un incendie de forêt, on prie le Seigneur d'envoyer la pluie.

— A quoi servirait-elle ici ? demanda Giddings en s'adressant aux pompiers.

— Elle ne ferait pas de mal, dit un des chefs de bataillon en haussant les épaules. Je crois qu'elle laisserait un plus long délai aux pauvres diables, là-haut. Mais s'ils sont déjà enfumés... Deux heures, c'est bien long. »

Le facteur essentiel, c'est le temps, pensa Patty. Désormais, il faudra tout mesurer en fonction du temps. Etant donné l'énormité du gratte-ciel, la longueur et la largeur de la Salle d'honneur, ceux qui s'y trouvaient survivraient ou mourraient en fonction du temps. Cependant, nous sommes hors de cause, pensa-t-elle. Cette idée lui rappela les instants passés par sa mère devant la porte de la salle de soins intensifs, à l'hôpital.

Elle se demanda comment sa mère supportait son deuil. Sans doute Mary McGraw était-elle à l'église. Elle y priait à genoux, pour l'âme de Bert McGraw en espérant que si ses prières n'étaient pas entièrement exaucées le Seigneur les entendrait au moins. La foi soulève les montagnes ? Peut-être, et peut-être pas. Mais à coup sûr elle apaise et réconforte.

Mais je n'ai pas la foi, pensa Patty qui le regretta, peut-être pour la première fois. Bon nombre d'entre nous se sont détournés des traditions mais qu'ont-ils pour les remplacer ?

Elle remarqua tout à coup que Nat l'observait d'un air inquiet. Et elle répéta la question à haute voix en se demandant s'il comprendrait.

« Je crois que nous avons substitué à la croyance ce que nous considérons comme la connaissance. Mais nous constatons que nous n'en savons pas assez pour que cette substitution soit valable. Et peut-être ne le sera-t-elle jamais. »

Il sembla à Patty que le regard de Nat lui posait une question. Elle descendit du tabouret et alla s'asseoir sur un coin du bureau. « Ne vous inquiétez pas, je vais bien, dit-elle. C'est vrai. Ma mère m'a dit qu'elle rentrait chez elle pour prendre une bonne tasse de thé et pleurer en paix. Mon tour viendra plus tard.

— De prendre le thé ? demanda Nat d'un ton badin.

— Est-ce que je fais tellement démodé ? demanda Patty.

Une voix grinça dans le téléphone. Nat se saisit du combiné. « Oui, gouverneur ?

— Quelqu'un a déjà eu une crise cardiaque. Ça m'a fait penser à quelque chose. Je fais dresser la liste de tous ceux qui sont ici : noms et adresses. Dès qu'elle sera prête, je vous la ferai lire et quelqu'un auprès de vous devra en prendre note... On ne sait jamais.

— Très bien, monsieur. » Nat posa la main sur le micro du combiné. « Faites venir un sténographe », dit-il à Brown.

Patty se redressa sur le coin du bureau où elle était assise. « Mais je suis là », dit-elle. Faire quelque chose, n'importe quoi d'un tant soit peu utile, pensa-t-elle. Nat lui sourit d'un air approbateur. « J'écris lisiblement », dit-elle.

Nat dit dans l'appareil : « Nous sommes prêts à transcrire votre liste, gouverneur. » De nouveau il se mit à l'aise dans son fauteuil et sourit à Patty.

« Vous avez réussi, dit-elle. Vous aviez promis de trouver quelque chose et vous avez trouvé. Je suis fière de vous.
— Ce n'est pas fini. Il s'en faut de beaucoup.
— Je suis quand même fière de vous. Quel que soit le nombre de rescapés...
— Oliver à remorque, couina le walkie-talkie. Le câble et le filin sont arrivés là-bas. Je veux être certain que quelqu'un saura l'assujettir convenablement. Un nœud de bouline, voilà ce que je veux. Si l'autre extrémité du câble se détache pendant que quelqu'un se trouve entre les gratte-ciel... » Il ne termina pas sa phrase.

« Il y a deux pompiers là-haut et sans doute plusieurs anciens boy-scouts, dit Nat qui ne parvint pas à réprimer complètement un sentiment d'euphorie triomphante. J'y veillerai chef. Restez en ligne. »

Il prit le combiné et parla au gouverneur en souriant à l'idée de cet homme habitué à résoudre des problèmes concernant dix-huit millions de citoyens et qui devait se soucier de la manière dont on nouait un bout. Il écouta la réponse du gouverneur. « Merci, monsieur », dit-il. Puis il revint au walkie-talkie. « Vous voulez une bouline, chef, vous aurez votre bouline, dit-il.
— Alors, dites-leur de haler la culotte volante. Nous sommes prêts ici. » Il y avait une note de triomphe dans la voix d'Oliver aussi.

La colonne creuse au centre de l'immeuble n'était plus qu'une cheminée dans laquelle la température dépassait celle d'un chalumeau oxhydrique. L'air frais affluait à sa base, chauffait dès son entrée, s'élevait, s'échauffait de plus en plus ; son ascension accélérait pour atteindre la vitesse d'un ouragan. Comme l'avait dit le chef de bataillon, tout se passait comme dans un haut fourneau.

La charpente d'acier se mit à rougir. Les matériaux moins résistants fondirent ou se sublimèrent. A chaque étage successivement les parois de la colonne creuse éclatèrent. L'air surchauffé jaillit dans des couloirs, enflamma tout ce qu'il y trouva. Les lourdes glaces de verre trempé ne résistèrent qu'un bref instant et bientôt leurs éclats plurent sur la place.

Le revêtement en panneaux d'aluminium cloqua et fondit. Le gratte-ciel pela, révélant ses entrailles et son squelette.

Comme un animal titanique à l'agonie, le World Tower semblait se tordre et frémir de douleur.

Les curieux, au sol, qui jouissaient d'une bonne vue, distinguèrent le câble tendu entre les deux buildings. Il leur sembla d'une finesse épouvantable, aussi fragile qu'un fil de la vierge.

Quand le va-et-vient portant sa charge humaine quitta la fenêtre pour entreprendre sa descente vers la terrasse du Trade Center il sembla à tout le monde que le sac de toile et la femme qu'il contenait n'étaient accrochées à rien, que seul la foi défiait la pesanteur dans l'espoir d'un miracle qui permettrait d'échapper à la fournaise.

Elle s'appelait Hilda Cook et jouait alors en vedette dans une comédie musicale de Broadway : *Sautez de joie.*

Elle avait vingt-neuf ans.

Sa jupe restait serrée dans le sac, elle exhibait ses cuisses, ses bas et ses chaussures. Ses longues jambes bien moulées pendaient hors des trous de la culotte volante. Elle s'accrochait à la toile de toutes ses forces.

Quand elle avait déplié le petit morceau de papier que sa main avait cueilli au hasard dans le bol à punch qui servait à la loterie, elle avait d'abord couiné d'étonnement, puis elle s'était exclamée d'une voix suraiguë : « C'est impossible ! j'ai le numéro un. »

Le secrétaire général de l'ONU qui présidait au tirage au sort remarqua : « Il fallait bien qu'il y eût une première. Mes félicitations, mademoiselle. »

On avait accroché l'extrémité du câble à une poutre du plafond qu'un des pompiers avait défoncé avec son pied-de-biche, afin d'atteindre la charpente métallique.

Ben Caldwell qui dirigeait cette opération avait expliqué pourquoi du même ton que s'il développait la solution d'un problème à l'intention d'une classe de jeunes architectes pas très intelligents. « A moins d'accrocher ce câble au plafond, il reposerait sur le rebord de la fenêtre et le passager ne pourrait donc pas s'introduire dans le sac ici dans cette pièce. En ce qui me concerne, je préférerais m'installer dans le sac ici plutôt que de sortir par la fenêtre afin de m'y glisser. »

Trois hommes vigoureux retenaient le filin du va-et-vient. Hilda Cook qui se balançait déjà dans la pièce, s'écria : « Doucement les gars, doucement pour l'amour du ciel ! je suis déjà morte de peur. »

Quand elle sortit par la fenêtre et s'éloigna du gratte-ciel, le vent secoua la culotte volante, le câble flotta. Hilda Cook eut une impression de chute catastrophique.

Elle hurla, ferma les yeux, hurla encore. « C'est à peu près à ce moment-là, mes chéris, que je me suis mouillée, raconta-t-elle plus tard. Oui, je me suis souillée, mes chéris. Et je n'ai pas honte de l'avouer. »

Le vent lui glaça les jambes et siffla dans la poulie au-dessus de sa tête, comme un gémissement de sorcière en délire.

Le balancement continua et s'accrut même à mi-trajet.

« J'ai cru que j'allais mourir, mes chéris. Je l'ai vraiment cru. Puis j'ai craint de ne pas mourir. J'ai supplié qu'on arrête cette affreuse affaire. Je voulais d'ailleurs que le monde cesse de tourner. Je voulais sortir de ce sac. Mais c'était impossible. Tout à fait impossible ! Et dire que quand j'étais petite j'avais horreur des manèges de sièges volants. »

Peut-être s'évanouit-elle, mais elle ne put se le rappeler avec certitude par la suite. « La seule chose dont je me souvienne ensuite, c'est d'être arrivée au paradis. Le balancement avait cessé, le vent s'était tu et un homme, le plus grand, le plus fort que j'aie jamais vu de ma vie, mes chéris, me cueillit dans ce sac de toile, comme on tire une boîte de sardines d'un sac d'épicier. Il me posa debout sur mes pieds et me retint. Heureusement ! sinon je serais tombée... Est-ce que je pleurais ? Mes chéris, je braillais comme un nourrisson et je riais en même temps... Cet homme merveilleux m'a dit seulement : « Tout va bien, madame, c'est fini. » Il ne savait pas que ça continue. J'en rêve toutes les nuits et je me réveille en hurlant. »

Nat resta sur le seuil de la remorque jusqu'à ce que le va-et-vient fût retourné à la Salle d'honneur et en ressortit pour la deuxième fois. « Ça fait guère plus d'une minute, dit-il. A cette cadence... » Il secoua la tête sans rien ajouter et retourna à l'intérieur où il s'empara du walkie-talkie. « Remorque à Oliver, dit-il.

— Ici Oliver.

— Ça va bien, chef ?

— Oui, merci... Mais quoi ? »

Ce grand type perçoit les nuances, pensa Nat. « Il faudra bien longtemps pour les sauver tous, dit-il. Ne pourrait-on établir un second va-et-vient ? »

Le grand type était aussi un homme décidé. « Pas question. Etant donné l'écart possible entre les deux extrémités de la façade, les câbles seraient trop proches l'un de l'autre. Le vent les emmêlerait ; les va-et-vient s'accrocheraient. Alors, il ne nous resterait plus rien du tout. » Oliver dit cela d'une voix assurée mais où tintait le regret. « J'y avais pensé, mais ça ne marcherait pas. Contentons-nous de ce que nous avons et tirons-en le meilleur parti possible. »

Nat hocha lentement la tête. « Je suis sûr que vous ferez de votre mieux, chef. Merci. » Il reposa le walkie-talkie.

Existe-t-il des problèmes insolubles ? Vrai ou faux ? Hélas, c'est beaucoup trop vrai.

Une heure et quarante minutes, pensa-t-il. Nous n'en demandons pas plus. Mais peut-être est-ce une éternité.

Assise au bureau, crayon en main, le téléphone retenu à son oreille par une épaule relevée, Patty relut : « A-b-e-l, Abel, trente-sept North Fiesta Road, Beverly Hills. Au suivant, gouverneur ? »

Nat écouta les noms qu'elle répétait dans l'appareil :

« Sir Oliver Brooke, avec un e, quatre-vingt-treize, E-a-t-o-n Square, Londres Sud-Ouest 1. »

Ce devait être l'ambassadeur de Grande-Bretagne, arrivé le matin même par avion de Washington.

« Henry Timms, deux m, Club Road Riverside, Connecticut. »

Le PDG d'un des principaux réseaux de radio-télévision.

Howard Jones, U.S. Steel... Manuel Lopez y Garcia, ambassadeur du Mexique... Hubert Van Donck, Shell Oil Company, Amsterdam... Walter Gordon, secrétaire d'Etat américain au commerce... Léopold Knowski, ambassadeur de l'U.R.S.S...

A peu près quinze secondes par nom. A cette cadence, il faudrait une demi-heure pour les noter tous. Nat se saisit du walkie-talkie. « Communiquez-nous le nom de chaque rescapé que vous recevez là-haut s'il vous plaît, chef. Ainsi saurons-nous qui... qui restera en rade peut-être. » Il retourna à la porte de la remorque.

Pompiers, agents de police, curieux. L'entrelacs ordonné des tuyaux, le ronflement des autopompes. De temps en temps une voix tonitruait dans un porte-voix. Couverte d'eau sur toute la surface, la place n'était plus qu'un lac artificiel, sale. Le gratte-ciel en tourment tenait encore debout, évidemment, mais par plus de cent plaies la fumée en jaillissait, striée de flammes. Le revêtement d'aluminium ne brillait plus.

« C'est joli, pas vrai ? » dit Giddings à voix basse, outré. Il était arrivé à côté de Nat. « Le cirque. Quand j'étais môme, je raffolais du Quatre-Juillet. On tirait un feu d'artifice le soir sur le lac. Les gens venaient de partout à la ronde pour y assister. » Il montra la foule. « Comme ça... Peut-on leur en vouloir ? »

Nat se retourna vers lui.

« Ils n'ont jamais rien vu de pareil, poursuivit Giddings. D'ailleurs personne n'a jamais vu ça. » Il brandit un poing. « Salaud de Simmons !

— Il n'y a pas que lui.

— Vous défendez cette ordure ?

— Non. Et j'ai bien plus de raisons que vous ne le supposez de lui en vouloir, répondit Nat. Mais ça ne nous disculpe pas tous.

— Qu'est-ce que vous nous reprochez ? demanda Giddings. De ne pas nous être aperçus de ses manigances ? D'accord. Nous en sommes convenus déjà ce matin. Mais qu'est-ce qui est pire : faire une saloperie ou bien la laisser passer sans s'en apercevoir ? Répondez. »

C'est une devinette ou une énigme, pensa Nat ; inutile d'y répondre. Cependant il comprenait pourquoi Giddings posait cette question. Chacun tient à conserver le respect de soi-même, n'est-ce pas ? Chacun s'y efforce chaque jour, en maintes occasions et de bien des façons. C'est une espèce de jeu.

Dans la remorque la voix de Patty énonça : « Willard Jones, Peter Cooper, Village. » Qui était ce William Jones ? Et qu'importait qui il était. C'était le nom d'un individu vivant à cet instant et qui ne tarderait peut-être pas à mourir... Nat acceptait-il cette fatalité désormais ?

Allons, mon ami, se dit-il, regarde les choses en face. Tu savais presque dès le début que ça finirait par tourner ainsi. Il se rappela aussitôt les dix-neuf cadavres carbonisés dans une forêt sur la montagne.

Mais à leur sujet il n'était absolument pas responsable.

Cela importe-t-il ? Il ne répondit pas à cette question qui se répercuta dans son esprit comme une succession d'échos.

Personne n'aurait prévu une panne d'électricité aussi complète ; tout individu sensé l'aurait jugée impossible. Mais la coupure de courant qui avait paralysé tout le nord-est des Etats-Unis quelques années plus tôt passait pour impossible avant qu'elle eût lieu. De même pour le naufrage du *Titanic*, l'incendie de l'*Hindenburg,* la vague d'assassinats qui avait suivi celui du président Kennedy, les émeutes dans les grandes villes... combien d'années plus tôt ? Tout cela passait pour impossible et tout était arrivé.

La logique n'a rien à voir avec ces choses-là, pensa-t-il. La logique s'applique à la loi, à l'étude raisonnable des faits, aux jugements objectifs prononcés sans hâte. Mais la logique est étrangère aux catastrophes imprévues.

Nat Wilson se considérait comme l'homme subjectif, pas comme l'homme objectif dont le cerveau fonctionnerait à la manière d'un ordinateur. A ce titre il éprouvait un sentiment de culpabilité dont il ne pourrait jamais se débarrasser.

Que des malfaçons eussent échappé à son attention pendant la construction du gratte-ciel, d'autres le comprendraient, l'expliqueraient, le pardonneraient sans doute... mais pas lui. Il était étroitement mêlé à l'énorme imbroglio de cette journée ; il était impliqué dans le tissu des événements même si certains semblaient n'avoir aucun rapport avec lui.

Il n'avait jamais vu, pas même entrevu les deux pompiers morts en hurlant dans la cage de l'escalier, ni les deux autres qui étaient arrivés à la Salle d'honneur et n'y étaient probablement pas plus en sécurité. Mais il avait suggéré de les envoyer à l'ascension du gratte-ciel ; certes Brown en avait donné l'ordre et aurait très bien pu ne pas tenir compte de ses conseils, mais Nat n'en éprouvait pas moins le sentiment de sa responsabilité.

Il n'était pour rien non plus dans la mort de Bert McGraw. Vrai ? Faux ? La logique répondait une chose et la sensibilité, une autre. Parce qu'il n'avait pas joué son rôle d'époux comme il l'aurait fallu à Zib, elle avait eu avec Paul... ce truc-là, cette aventure. Or, d'une certaine manière, cela avait joué un rôle, plus ou moins déterminant dans la crise cardiaque de McGraw, si Patty avait bien compris.

Alors, où cela situait-il Nat personnellement ?

Voilà une question pertinente, monsieur, je vous remercie de l'avoir posée.

Tu parles ! Est-ce que je porte malheur ?

Ridicule, à vrai dire. Impliqué, oui. Responsable, non. Mais ces deux mots ne sont-ils pas synonymes ? Mais si je suis impliqué, ou responsable, Ben Caldwell est aussi dans le coup. Il l'est. Il l'a avoué, pas plus tard que ce matin dans son bureau. Robert Frazee ? Oui. Bert McGraw ? Certainement.

La liste s'allongeait aussi rapidement qu'un ordinateur multiplie, avec des possibilités à peu près infinies. Alors, qui n'était pas impliqué, responsable, à un certain degré ? Question invraisemblable à laquelle nul ne saurait répondre.

Il avait accueilli l'agent noir Barnes dans la loge des plus ou moins coupables. Eh bien, mon ami, ceux qui refusaient de voir en toi un être humain ne manqueront pas de t'attribuer ta large part de responsabilité. Peut-être...

« Nat », dit Patty d'une voix presque suppliante.

Il se pencha vers elle et vit son sourire désolé.

« J'ai terminé la liste, dit-elle. Tous les noms, toutes les adresses. Il me semble que je suis liée à eux, rien que parce que j'ai écrit leurs noms. Vous comprenez ? Je n'en connais sans doute pas un seul et pourtant ils me sont tout proches. Je suis... Je ne sais pas ce que je suis.

— Impliquée ? demanda Nat bienveillant. Responsable ? »

Le visage de Patty changea du tout au tout. Elle parut soulagée. « Vous me comprenez. Merci.

— Je commence peut-être à comprendre », dit Nat.

31

19 heures et 2 minutes — 19 heures et 23 minutes

Le lieutenant de police Jim Potter se trouvait avec son capitaine et avec l'inspecteur en chef dans le grand bureau tranquille. Son calepin sur les genoux, il énonça d'un ton monocorde :

« John Connors. Indo-Européen, mâle, 34 ans... veuf. Sans enfants. Zingueur quand il travaillait, ce qui ne lui arrivait pas très souvent ces temps derniers... Une succession de désordres mentaux qui commença il y a trois ans. » Potter se tut et attendit.

« Qu'est-ce qu'il lui est arrivé il y a trois ans ? demanda le capitaine.

— Sa femme est morte. » Potter s'appliqua à rester aussi impassible qu'un joueur de poker. « Elle est morte en prison... dans le trou aux poivrots. » De nouveau il attendit.

« Une ivrognesse ? demanda l'inspecteur en chef.

— Elle ne buvait pas.

— Elle se droguait ?

— Elle ne prenait qu'une seule drogue : de l'insuline. » Potter prit son temps. « Frappée de coma diabétique, elle s'est effondrée sur le trottoir. Des agents l'ont ramassée. Ils ont cru qu'elle était ivre. » Il referma son calepin. « Alors, ils l'ont fourrée au trou à poivrots et elle est morte faute de soins. »

S'ensuivit un silence que le capitaine rompit au bout d'un moment. « Elle n'avait pas de pièce d'identité sur elle ? Rien n'indiquait qu'elle était diabétique ?

— Peut-être. » Cette fois le ton de Potter dénota amertume et chagrin. « Peut-être. Peut-être aussi que personne ne s'en est soucié. L'enquête qui a suivi sa mort n'a pas été très poussée. Seul Connors s'y intéressait et il avait déjà perdu la boule. »

De nouveau un long silence. L'inspecteur en chef respira bruyamment. « Très bien », dit-il. Ces mots ne signifiaient rien. « Cela expliquerait donc la rancœur de Connors et nous savons en outre, désormais, qu'il n'avait plus toute sa tête. Mais pourquoi s'en est-il pris à la World Tower ?

— Je ne suis pas psychiatre, ni sorcier, dit Potter, mais le dernier chantier sur lequel il travailla fut celui de la World Tower. On l'a licencié. Ces deux faits ont peut-être un rapport, mais peut-être faut-il être dingue pour voir lequel. Moi je n'en sais rien. Je ne connais que les faits. »

Le comportement de ce malade mental n'était peut-être pas tellement inintelligible. Les trois policiers s'en rendaient compte plus ou moins confusément. L'establishment avait tué la femme de Connors, n'est-ce pas ? La World Tower n'était-elle pas le symbole flambant neuf de l'establishment ? Alors ?

Ils y réfléchirent sans rien dire.

Enfin l'inspecteur en chef s'exclama : « Merde, alors ! Par moments je me demande si le monde entier n'a pas perdu la raison.

— Amen », dit le capitaine.

Avec une lenteur presque désespérante, les femmes s'en allaient, l'une après l'autre. On les aidait à grimper dans le sac ou bien on les y déposait et leurs jambes passaient par les deux trous jumeaux. Presque toutes ouvraient de grands yeux épouvantés. Quelques-unes pleuraient. D'autres priaient.

Paula Ramsey avait le numéro vingt-deux. « Je ne veux pas partir, dit-elle à son mari. Je reste avec toi. »

Le maire secoua la tête. Son sourire n'était plus celui des campagnes électorales, si souvent reproduit dans la presse, mais celui de son être authentique. « Je veux que tu partes, par pur égoïsme.

— Toi égoïste ?

— Je veux que tu partes parce que rien au monde ne m'importe plus que de te savoir saine et sauve. » Son sourire s'élargit. Il ajouta en se raillant lui-même : « Rien. Pas même la Maison-Blanche. D'ailleurs Jill a besoin de toi.

— Jill est grande fille. Nous sommes d'accord à ce sujet. » Paula regarda autour d'elle. « Où est Beth ? demanda-t-elle.

— Dans le bureau avec Bent. Elle a enfin rencontré son grand homme. C'est le plus beau jour de sa vie.

— Je croyais qu'elle avait tiré un numéro inférieur au mien.

— Je ne sais pas », dit le maire. Il ne se rappelait plus quand il avait menti à sa femme pour la dernière fois. Il regarda la culotte volante qui quittait la terrasse du Trade Center pour revenir vers eux.

« Le numéro vingt et un, s'il vous plaît, mesdames, mesdemoiselles. Le vingt et un », chantonna le secrétaire général des Nations unies. Personne ne répondit. Il répéta son appel.

« Hé ! s'écria quelqu'un. Hé là ! c'est vous. Voilà votre billet. »

La fille qui dansait en mini-culotte cessa de tourner sur elle-même et secoua vigoureusement la tête, sans doute pour s'éclaircir les idées. « Je croyais avoir le numéro quarante-neuf. » Elle ricana. « C'est drôle. » Elle leva la main et fonça vers la fenêtre. Ses seins nus tressautaient. « Me voilà, prête ou pas.

— Mon Dieu, souffla le maire, dire qu'une fille comme ça passe avant... avant n'importe qui. Pourquoi ?

— Tu es plus indulgent d'habitude, Bob, lui dit sa femme avec un joli sourire. Cette malheureuse est ivre et elle a peur. La seule différence entre nous, c'est que je n'ai pas bu.

— Et que tu n'es pas nue.

— Est-ce que ça compte, maintenant ? »

Le maire réprima un geste de colère. « Je suis assez guindé et assez sot peut-être pour croire que certaines valeurs... » Il se tut soudain et reprit l'air étonné. « Non, ça ne compte plus. Nous sommes ravalés à l'état le plus élémentaire.

— Et mon désir le plus élémentaire est de ne pas partir mais de rester... avec toi.

— Tu partiras », dit le maire qui reprit un ton autoritaire.

Ils regardèrent ensemble deux serveurs se saisir de la fille pour la fourrer dans le sac de toile. Quelqu'un lui jeta sa robe. Elle la considéra d'un air ahuri puis, réalisant enfin sa nudité, elle couvrit ses seins de ses mains et s'écria : « Quest-ce que je fais là ? Je ne peux pas, je... »

— Larguez lentement, ordonna le commissaire. Accroche-toi, la belle et tu seras libre chez toi en un rien de temps. »

Les glapissements furent étouffés par les sifflements du vent.

Le maire prit sa femme par le bras et la conduisit vers la fenêtre. « Comme au départ d'un avion ou d'un paquebot, on n'a rien à se dire, n'est-ce pas. »

Ils restèrent immobiles, la main dans la main, cependant que le va-et-vient descendait vers la terrasse puis remontait pour l'atteindre. Ils virent le second-maître Oliver tirer la fille du sac de toile comme si elle ne pesait rien. Sa robe tomba à ses pieds. D'une main Oliver la soutint et de l'autre il ramassa la robe. Puis il fit un signe dans la direction de la Tour et la culotte volante repartit.

La femme du maire souffla : « Bob.

— Oui ? »

Paula quitta des yeux le va-et-vient pour lever la tête vers le visage de son mari. « Tu as raison. Il n'y a rien à se dire. On ne peut résumer trente-cinq ans de vie commune en quelques mots, n'est-ce pas ? » Elle ferma les yeux à l'instant où le sac entrait par la fenêtre en se balançant.

« Le numéro vingt-deux, s'il vous plaît ! » dit le secrétaire général.

Paula rouvrit les yeux. « Adieu, Bob.

— 'Au revoir, dit le maire. Rappelle-toi ce que tu as dit à Jill. Embrasse-la pour moi. »

Le sénateur frappa à la porte du bureau et entra. Le gouverneur était assis dans le fauteuil devant la table de travail, sur un coin de laquelle Beth s'était perchée ; ses longues jambes sveltes se balançaient lentement.

« Entrez, Jake », dit le gouverneur.

Par la porte ouverte pénétra le tintamarre du rock mêlé à la cacophonie d'un chœur discordant. Un éclat de rire retentit près du buffet. « Asseyez-vous. Moi non plus je n'aime guère cette bacchanale.

— Je ne voudrais pas être importun.

— Vous ne l'êtes pas... Vous aviez une idée en entrant ici, non ? »

Le sénateur pensa : Ce Bent Armitage a toujours vu les gens en profondeur ce qui explique sans doute ses succès dans la vie publique ; nul ne va aussi loin s'il ne connaît bien son prochain.

Il s'assit, étendit les jambes d'un geste las. « Une longue route, ardue et qu'on parcourt en solitaire, dit-il. L'élan de la jeunesse est amorti depuis longtemps. » Il montra l'appareil téléphonique et demanda : « Rien de nouveau ?

— J'ai téléphoné la liste des présents et puis... dit le gouverneur en souriant. Et puis, je me suis offert le luxe de téléphoner à ma fille Chris, à Denver. » Il prit un air malicieux. « J'ai fait mettre la communication au compte de l'Etat. Les inspecteurs des finances se casseront la tête là-dessus. Avez-vous envie d'appeler qui que ce soit, Jake ? Les contribuables paieront aussi votre fiche.

— Personne, dit le sénateur qui se leva soudain. Vous est-il arrivé de douter de vous-même, Bent ? Vous êtes-vous jamais demandé si vous avez été utile à quelqu'un ?

— Je me suis souvent posé cette question.

— Je parle sérieusement, dit le sénateur qui prit son temps avant d'enchaîner : quand on est jeune et qu'on se lance dans la vie — c'est en 1936 que ça m'est arrivé, je venais d'être élu pour mon premier mandat au Congrès — on regarde autour de soi, on observe les grands personnages, les hommes importants, l'homme de la Maison-Blanche, les ministres, tous ces gens dont on a lu les noms depuis l'enfance... » Il se laissa tomber dans son fauteuil et agita la main. « On observe leur manière d'agir parce qu'on veut devenir comme eux. » Il eut un sourire ambigu. « La recherche de l'identité, voilà un sujet de conversation à la mode aujourd'hui. Or le seul fait de chercher à savoir qui on est implique qu'on existe déjà et qu'il devrait normalement suffire d'être ce que l'on est. En réalité, le jeune politicien qui débute n'est pas en quête de sa personnalité, mais il cherche le rôle qu'il jouera jusqu'à la fin de son existence. Ce n'est pas du tout la même chose. »

Beth pensa alors : j'ai toujours douté de moi-même et je croyais que c'était dû à mes lacunes. Elle considéra le sénateur avec émerveillement.

« Ainsi donc, chacun choisit son rôle et apprend à le jouer à la perfection, dit le sénateur. Le plus drôle, c'est que ça marche. Le jeune politicien devient convaincant. D'abord on voit en lui un brillant jeune homme. Vers quarante ans, il est déjà un peu balafré. A cinquante, soixante ans, il a parcouru un long chemin, mais il n'est pas encore arrivé au but. Vous me comprenez, Bent ?

— On ne l'atteint jamais, répondit tristement le gouverneur. Il y a toujours quelque chose de l'autre côté de la colline. Et quand on l'a gravie, on en voit une autre à l'horizon. On se remet en route, arrivé au sommet on constate que le décor a encore changé. » Il écarta les mains en un geste de dépit. « Ce qui semblait si rutilant vu de loin n'est que le reflet du soleil sur une volute de fumée.

— Alors on se demande quand on fera enfin le dernier pas qui nous conduira là où l'on a toujours souhaité aller pour se détendre et se réjouir en sachant qu'on a bien combattu, bien accompli sa tâche, conquis le droit au repos, à une place au soleil, à vivre n'importe quelle calembredaine à laquelle on rêve. » Le sénateur haussa les épaules. « On ne fait jamais ce dernier pas. Jamais. C'est pourquoi ils ne prennent jamais leur retraite les vieux zigues de Washington. Ils continuent, ils espèrent encore qu'un jour viendra où ils auront tout achevé et pourront enfin se reposer en paix. Ça ne leur arrivera jamais. Personne ne s'en rend compte, sauf dans une situation comme... comme la nôtre en ce moment. Alors seulement on se demande pourquoi on a tant trotté toute sa vie, tant peiné, à la recherche de quelque chose qui n'existe pas. Comme Don Quichotte, comme Galaad en quête du Saint Graal... Et tout ça, c'est tellement futile !

— Mais amusant, rétorqua le gouverneur. Avouez-le, Jake. Vous avez pris du bon temps à vous montrer plus habile, plus éloquent que tous les voyous qui vous barraient la route, à durer plus longtemps qu'eux. Auriez-vous désiré mener une autre vie ?

— Sans doute pas. Et voilà le plus stupide : nous n'apprenons jamais rien. »

Le gouverneur s'enfonça dans son fauteuil et éclata de rire.

« Qu'est-ce qu'il y a de si drôle ? demanda le sénateur.

— Vos lamentations. Vous me rappelez ces animaux qui se mordent la queue et se roulent en boule. Bien sûr vous referiez tout ce que vous avez fait, exactement de la même manière parce que vous êtes Jake Peters, *sui generis*. Vous avez combattu, vous avez plongé dans la mêlée, vous avez mordu, vous avez rué dans les brancards quand il le fallait, tout comme moi. Victoires, défaites, parties nulles, tout vous a réjoui, vous ne vous êtes pas ennuyé un seul instant. Vous avez vécu votre vie, bien la vôtre. Combien d'hommes peuvent en dire autant ?

— A l'université il écrivait des romans, dit le sénateur à Beth. De mauvais romans.

— Comment pouvez-vous admettre que la vie vous a comblé et prétendre quand même que vous la jugez futile ? Se dire qu'on s'est bien amusé quand on considère son passé... Peut-on demander mieux ? » Le gouverneur marqua un temps d'arrêt. « Vous avez sans doute laissé quelque tâche inachevée, comme nous tous, reprit-il. Mais quand vous sortez d'un restaurant, la panse pleine après un bon repas, perdez-vous votre temps à regretter de ne pas avoir tout mangé ?

— Il a toujours eu le chic pour trouver des analogies à la portée de tout le monde », dit le sénateur à Beth. Il se leva et considéra le gouverneur. « Comme philosophe, vous n'êtes pas un Santayana, mais vous avez émis une ou deux idées qui ne manquent pas de mérite et sur lesquelles je méditerai plus tard. » Il s'arrêta sur le seuil de la porte et fit un geste vague. « Le numéro vingt et un vient de partir, dit-il à Beth. C'était la poulette nue. Elle croyait avoir...

— J'ai le numéro quarante-neuf », s'empressa de dire Beth en souriant.

Le sénateur hésita, répéta le même geste vague et s'en alla.

« Nous voilà encore seuls, au moins pour un moment, dit le gouverneur... Vous semblez bien pensive.

— Tout ce que vous lui avez dit s'appliquerait aussi bien à vous, n'est-ce pas ?

— Probablement, dit le gouverneur en souriant de nouveau. Mais quand on se le dit à soi-même on n'est pas obligé d'y croire.

— Je crois comprendre, répondit-elle en lui rendant son sourire. Je l'espère au moins.

— Il m'est arrivé de faire certaines choses dont je ne suis pas très fier ou de les laisser faire, ce qui ne vaut pas mieux, afin d'atteindre un but auquel je tenais tellement que j'acceptais ces compromissions. Je me crois capable de me faire des illusions ou de me mentir à moi-même, au moins pendant quelque temps. Tout le monde en est là sans doute. Et chez certains ce n'est pas momentané.

— Je suis convaincue que vous êtes un homme bon, dans le meilleur sens du mot, Bent.

— Merci.

— Je vous crois meilleur et plus fort que vous ne le

croyez vous-même. Dans notre catastrophe, c'est à vous qu'on s'adresse, c'est vous qu'on écoute.

— Doucement, doucement, même si j'aime les compliments, ma chère amie.

— Le sénateur l'a dit : on continue à se tromper, à s'en faire accroire à soi-même, jusqu'à ce qu'on se trouve dans une situation comme celle-ci. Eh bien moi, je ne veux plus m'en faire accroire. Ce qui nous arrive me fait horreur. Je ne veux pas mourir. »

Le gouverneur lui prit la main et la serra tendrement. « Je vous comprends, dit-il. Mais dites-moi, quel numéro avez-vous tiré ? N'était-ce pas le vingt et un ? »

32

19 heures et 23 minutes — 19 heures et 53 minutes

Le ciel s'était obscurci au crépuscule et des nuages d'orage commençaient à s'accumuler à l'ouest. Debout sur le seuil de la remorque, Giddings remarqua : « Ça va être l'averse. » Il se retourna à demi pour regarder Brown et haussa les épaules. « Un miracle ? Est-ce la mer Rouge qui se retire ? » Il secoua la tête et se passa le revers de la main sur le front où elle laissa une trace noire.

Oliver avait annoncé un à un le nom des rescapées. Patty les avait cochés sur la liste.

« En voilà une, dit-il dans le walkie-talkie qui ne sait plus son nom et je la crois sincère.

— Rien dans son sac à main ne permettrait de l'identifier ?

— Son sac à main ! rugit le second maître. Elle n'a rien sur la peau. » Puis il ajouta gentiment sans parler dans le micro : « Ça va, beauté, c'est fini maintenant. Les agents vont prendre soin de vous. » Il ajouta dans le walkie-talkie : « Nous finirons bien par trouver son nom d'une manière ou d'une autre. » Silence.

« Qui qu'elle soit, c'est la vingt et unième, dit Patty en souriant à Nat. Grâce à vous. »

Nat s'écarta brusquement du bureau et s'en alla vers la porte d'où il regarda le sommet des gratte-ciel. En plissant les paupières il distingua le va-et-vient qui descendait vers le Trade Center.

Il s'imagina les trois ou quatre hommes qui larguaient prudemment le cordage pour empêcher la culotte volante de dévaler follement, d'épouvanter encore plus son passager et peut-être de le précipiter quatre ou cinq cents mètres plus bas. Il se demanda vaguement qui faisait le trajet à cet instant.

Il rentra et retourna vers Patty. « Combien nous reste-t-il de temps ? voilà la question. Combien pourrons-nous en sauver ?

— Tous peut-être, dit Patty. Je l'espère... » Elle interrogea Nat du regard. « Vous ne le croyez pas ? »

Il secoua la tête et resta un moment sans rien dire. « Je voudrais savoir ce qui se passe là-haut, dans la Salle d'honneur au sommet de la Tour, dit-il enfin. Et aussi dans la colonne creuse, au centre du bâtiment. Quand tout sera fini, nous étudierons les ruines pour essayer de comprendre ce qui est arrivé. » Il fit un geste de colère. « Mais mieux vaudrait le savoir dès maintenant. C'est pour ça qu'on met des enregistreurs automatiques sur les avions de ligne. En cas de catastrophe, cet engin reste intact et indique quelles étaient les conditions de vol au moment précis de l'écrasement au sol. » Il médita d'un air rêveur. « L'ordinateur de contrôle aurait dû être situé hors du building pour la même raison, peut-être. » Cette idée lui donna matière à réflexion. Il ne dit plus rien en y pensant.

Patty observait et écoutait. La partie terre à terre de son esprit souriait secrètement. Papa non plus ne cessait jamais de penser à son travail ; sans doute tous les hommes de valeur sont-ils ainsi. Elle ne dit rien par crainte de casser le fil des pensées de Nat.

« Cette... calamité va bouleverser bien des idées, dit-il enfin. Nous admettions allégrement bien des tolérances en supposant que les erreurs s'annuleraient automatiquement les unes les autres. Cette fois elles ont toutes joué dans le même sens et se sont aggravées mutuellement. Voilà le résultat... Pensez au *Titanic.* »

Il ne fallait pas pousser trop loin l'analogie entre le *Titanic* et la World Tower. Le décor de l'une des tragédies était exceptionnel, lointain, étrange, et l'autre, au contraire, des plus familiers. Elles n'avaient en commun que l'inévitabilité de l'issue, certaine dès le début.

Le *Titanic* était un paquebot qui traversait l'océan en un temps où les voyages transatlantiques n'avaient rien de banal. Les passagers savaient qu'ils s'exposaient à des dangers imprévisibles ; ils acceptaient le risque.

Mais ce gratte-ciel appartenait à un monde tout à fait connu. Il ne différait des autres, que par sa hauteur. Chaque jour on pénétre dans un building. On prend l'ascenseur... Il n'arrive rien. Cette fois il s'était produit quelque chose. Néanmoins la plupart des captifs de la Salle d'honneur ne parvenaient pas à croire tout à fait le danger aussi grave que l'indiquaient quelques-uns d'entre eux. Le fonctionnement du va-et-vient avait d'ailleurs apaisé bien des craintes.

Certes, on chantait, on priait, on buvait, on dansait en attendant l'instant de la délivrance, mais on chante, on boit, on danse tous les jours et on prie tous les dimanches, sans y être incité par un péril quelconque.

Personne ne se souciait plus du cadavre de Grover Frazee, recroquevillé sous une nappe blanche. La mort de Paul Norris n'était qu'un vague on-dit. Les cheveux et les sourcils brûlés des deux pompiers suggéraient à peine un désastre assez proche.

Il y avait le va-et-vient ! Une par une, les femmes franchissaient le gouffre entre les deux bâtiments et arrivaient en lieu sûr. Pourtant...

L'essentiel, c'est que parmi tous les naufragés de la Tour, une poignée seulement acceptait consciemment l'imminence de la catastrophe et la savait inéluctable.

Ben Caldwell comprenait et admettait. Il n'avait pas besoin

de se livrer à des évaluations compliquées pour être convaincu. Quelques exercices élémentaires de calcul mental lui suffisaient :

Cent trois personnes avaient tiré des numéros.

L'aller et retour du va-et-vient durait en moyenne très près d'une minute.

L'évacuation totale durerait donc une heure et quarante trois minutes.

Etant donné que la chaleur au cœur du gratte-ciel avait suffi à tordre les rails de l'ascenseur, voilà un bon moment, la Salle d'honneur resterait-elle un abri sûr pendant une heure et quarante-trois minutes ?

Non.

Eh bien, qu'il en soit ainsi.

Quoique n'ayant pas de telles connaissances techniques, le gouverneur comprenait et admettait la situation. « Notre besoin essentiel est de nous hâter, mais nous ne pouvons pas presser le mouvement », dit-il à Beth en se rappelant la prudence avec laquelle lui avait parlé Nat Wilson.

Il faisait de plus en plus chaud dans le bureau. Le gouverneur se souvint de ce que le pompier Howard avait expliqué au sujet des oisillons surpris au nid par un incendie. Tôt ou tard, le feu atteint le nid et c'est la fin des oisillons. Nous non plus nous ne savons pas voler et nous sommes exactement dans leur situation, se dit-il. Il fut tenté de frapper à coups de poing sur son bureau, mais il réprima cet accès de rage.

Le maire Ramsey apparut sur le seuil de la porte.

« Paula est partie, dit-il. Je l'ai même vue atterrir, saine et sauve, de l'autre côté. Est-ce bien atterrir qu'il faut dire ? » Elle s'était retournée pour lui adresser un salut de la main. Il revit ce geste avec émotion. « Dieu merci, dit-il.

— Tant mieux pour elle, dit le gouverneur et je suis heureux pour vous, Bob.

— Moi aussi, je suis heureuse, dit Beth en souriant.

— Quel numéro avez-vous tiré, Bob ? demanda le gouverneur.

— Quatre-vingt-trois, répondit le maire d'une voix neutre.

— Moi, quatre-vingt-sept, dit le gouverneur.

— C'est injuste ! s'exclama Beth. Bien des gens dans la pièce à côté ne vous arrivent pas à la cheville, ni à l'un, ni à l'autre. Et le sénateur Peters, quel numéro a-t-il ? Je parie que c'est aussi un des derniers.

— Doucement, doucement, dit le gouverneur. » Il se leva, retira son veston, dénoua sa cravate, se rassit, remonta les manches de sa chemise et sourit à Beth. « Il fait probablement plus frais dans la grande salle, dit-il, mais je préfère rester ici, au moins pour l'instant... A condition que vous soyez d'accord ? »

Beth hésita et secoua lentement la tête. Elle serrait sa lèvre inférieure entre ses dents. Quand elle entrouvrit la bouche, on vit qu'elle s'était mordue. « Excusez-moi, Bent, dit-elle.

— Tout le monde se conduit fort bien jusqu'à présent, Bent, dit Bob Ramsey. J'ai surveillé Cary Wycoff. Il me semble désamorcé. Au moins pour le moment. Or c'est sûrement le pire provocateur de désordre qu'il y ait parmi nous. »

Le gouverneur pensa à la ruée du dernier instant vers les canots de sauvetage, à l'embouteillage inévitable des issues quand les flammes surgissent. Il n'avait jamais assisté à de tels événements mais il devinait fort bien quelles horreurs peuvent résulter d'une soudaine panique. « Nous ferions peut-être bien d'aménager une espèce de barrière », dit-il lentement, l'air pensif. Il appliqua ses deux mains à angle droit sur le buvard de la table. « On isolerait l'aire d'embarquement avec les lourdes tables du buffet afin qu'une seule personne à la fois puisse y accéder. »

Le maire eut aussitôt un rictus sévère et hocha la tête. « Il faudra aussi que quelques hommes y montent la garde. Je vais m'en occuper.

— Nous sommes peut-être trop pessimistes mais il faut tout prévoir et je crains que ce ne soit pas inutile. »

Le maire s'en alla. Le gouverneur s'enfonça à l'aise dans

son fauteuil puis il dit à Beth : « Il n'est pas très facile de faire de la corde raide entre le cynisme et la réalité.

— Vous craignez vraiment des désordres, Bent ?

— J'essaie d'y parer.

— Comment ?

— Comme ça. » Il prit l'appareil sur le sous-main, dit son nom et la voix de Nat répondit immédiatement.

« Tout se passe à merveille, jeune homme, dit le gouverneur. Les garde-côtes et vous méritez mes remerciements. »

Beth sourit : remercier en son nom propre, n'était-ce pas agir en grand seigneur ? Mais il pouvait se le permettre parce que, depuis le début des difficultés, lui seul, Bent Armitage, avait spontanément pris la direction et parlé au nom de tout le monde. S'ils étaient impérieux, *ses* remerciements n'avaient rien d'insolent et étaient donc acceptables. Mieux qu'acceptables, se dit Beth qui lui sourit avec tendresse.

« Tout se passe bien pour le moment, poursuivait le gouverneur, mais quand l'urgence s'imposera à l'esprit de tous, quand ils comprendront que tous n'auront peut-être pas le temps d'être sauvés... » Il laissa la phrase en suspens, grosse.

« Oui, monsieur, dit la voix de Nat. J'y ai déjà pensé.

— Très bien, jeune homme, dit le gouverneur qui attendit la suite.

— Nous avons un moyen d'agir, dit Nat. Pour être plus exact, c'est le chef des garde-côtes, là-haut sur la terrasse, qui est maître de la situation. Peut-être suivra-t-il mon conseil.

— Lequel ? demanda le gouverneur.

— Nous pouvons lancer un ultimatum, dit Nat. Dès la première manifestation de désordre, nous annoncerons que si l'évacuation n'a pas lieu dans le calme, nous y mettons un terme. Il le faut, parce qu'en procédant lentement, prudemment, une personne à la fois, nous avons quelque chance de réussir. Ça paraît peut-être très simple mais c'est extrêmement épineux et le moindre faux pas pourrait tout gâcher pour tout le monde. »

Le gouverneur hochait la tête d'un air entendu en écoutant. « Mais cet ultimatum, pourrez-vous lui donner suite ?

— S'il le faut, oui.

— Peut-être le faudra-t-il, dit le gouverneur catégoriquement. C'est tout pour le moment. Soyez béni, jeune homme. » Il s'adossa à son fauteuil et ferma les yeux.

« Bent », dit Beth. Elle hésita un instant puis reprit, anxieuse : « Mon Dieu, Bent, pourquoi faut-il que ça nous arrive ?

— J'aimerais le savoir.

— Je suis ridicule, je le sais, mais je ne peux m'empêcher de me répéter cette question capitale : pourquoi moi ? Pourquoi nous tous et n'importe lequel d'entre nous pris individuellement, mais surtout, pourquoi moi ? Qu'ai-je donc fait pour me trouver ici aujourd'hui, pour vous y rencontrer enfin et... pour que ça tourne ainsi ? »

Le gouverneur souriait d'un air distrait. « Je me suis déjà posé cette question bien des fois et je vous avoue, ma chère, que je n'ai pas trouvé la réponse. »

Le sénateur entra. « Je viens vous rendre compte, Bent, dit-il. Bob fait disposer des tables autour de l'aire d'embarquement. C'est sans doute vous qui en avez eu l'idée. Tout le monde est d'ailleurs plus ou moins calme... jusqu'à présent. » Il sourit d'un air joyeux. « Bob m'a dit que vous lui avez demandé son numéro de départ. » Il prit son temps et déclara enfin : « Eh bien, mes amis, je vous verrai partir tous les deux. J'ai le numéro cent un. »

Beth ferma les yeux.

« J'ai beaucoup réfléchi, reprit le sénateur. Un petit poème m'est venu spontanément à l'esprit. Oyez et admirez :

Une nonne de Biloxi, dans le Missouri
Fut enlevée à sa foi par un baiser.
Elle découvrit que le cloître
N'était plus tout à fait sa coquille.
On ne l'appelle plus Sœur, mais Madame.

« Je vous laisse de quoi méditer », conclut le sénateur en s'en allant.

Beth secoua la tête en souriant d'un air incrédule. « C'est

impossible, dit-elle. Est-ce vraiment un homme ? On ne se conduit pas comme ça à... à un moment comme celui-ci.

— Savez-vous comment vous vous conduiriez vous-même s'il était trop tard ? » dit le gouverneur.

Cary Wycoff buvait à petites gorgées un grand verre d'eau de Seltz pure, en regardant ceux qui disposaient les lourdes tables autour de l'endroit où le va-et-vient franchissait les fenêtres brisées.

Le but de l'opération lui apparaissait clairement. Ça continuait, c'était évident : les privilégiés dressaient des barricades pour tenir les barbares à l'écart. Et les barbares, c'était lui. Il en était férocement outré et le sentiment de son impuissance aggravait sa rancœur. Le billet qu'il avait dans sa poche portait le numéro soixante-cinq. Cela signifiait qu'à peu près quinze hommes partiraient avant lui. Il était prêt à parier que Bent Armitage, Bob Ramsey et Jake Peters seraient du nombre. Oh, bien sûr, ils ne seraient pas les trois premiers à partir car ils étaient trop rusés pour cela. Mais ils avaient sûrement veillé à avoir quelques-uns des premiers numéros pour assurer leur salut sans que leur combine soit trop scandaleuse.

Il avait d'ailleurs déplu à Cary que les femmes passent d'abord. Il avait milité autant que tous les politiciens et peut-être plus pour les droits de la femme, mais il n'y avait jamais cru tout à fait. A ses yeux les femmes étaient des créatures plus faibles, généralement moins intelligentes que les hommes, donc moins utiles à la communauté humaine, sauf en un seul domaine qu'elles ne laissaient jamais oublier à personne : la procréation. Or, pour Cary, il naissait trop d'enfants.

A en juger d'une manière purement objective, Cary Wycoff estimait avoir beaucoup plus de valeur pour la société que n'importe laquelle des femmes qui s'étaient trouvées rassemblées dans la Salle d'honneur de la World Tower. Il aurait donc dû les précéder toutes au-dessus du gouffre séparant le sommet des deux gratte-ciel.

Mais s'il était parti le premier, même si on le lui avait permis, il se serait diminué aux yeux d'un monde stupide qui pensait avec son estomac. Et surtout aux yeux d'électeurs imbéciles qui le renvoyaient régulièrement à Washington où il menait une vie fort agréable. Puisqu'il en était ainsi, il avait laissé partir les femmes sans protester.

Mais avec les hommes, ce n'était pas la même chose. Il n'allait pas se tourner les pouces en en regardant quinze — quinze ! — partir avant lui.

Bent Armitage et Jake Peters, ces deux-là en particulier, n'avaient jamais reconnu sa valeur et l'avaient toujours méprisé. Cary but une gorgée d'eau de Seltz en y songeant. « Je m'en vais leur montrer à ces salauds qu'ils ne m'auront pas cette fois. »

Après sa conversation avec le gouverneur, Nat reposa le combiné sur le sous-main. Il remarqua que Patty fronçait les sourcils en l'observant. « Vous avez entendu ce que j'ai dit ? » demanda-t-il.

Patty acquiesça d'un signe de tête et répondit d'une voix neutre : « Seriez-vous capable d'arrêter les opérations de sauvetage rien qu'à titre de menace ?

— Je ne crois pas aux menaces.

— Je ne vous comprends pas.

— Peu importe.

— Mais ça m'importe beaucoup ! » Elle manifestait de nouveau l'opiniâtreté de bouledogue avec laquelle elle refusait d'esquiver ce qui lui était désagréable.

« Voyons ce qu'en dit Oliver, répondit simplement Nat en se saisissant du walkie-talkie. Allô, remorque à terrasse du Trade Center.

— Ici, la terrasse, répondit la voix du second maître. La jeune personne dévêtue s'appelle Barber, Joséphine Barber. Après elle, nous avons reçu Mme Robert Ramsey. »

Nat vit Patty promener la pointe de son crayon sur la liste. « Joséphine Barber et Mme Robert Ramsey. Entendu, répéta-t-il. Puis il ajouta : Ça marche, chef ?

— Lentement mais régulièrement. Déjà vingt-deux passages en vingt-trois minutes exactement. Nous ne pouvions espérer mieux. » Y avait-il une note de défi dans cette dernière phrase ?

« Mieux que je ne l'avais craint, en tout cas, dit Nat. Je redoute autre chose. Ça n'arrivera sans doute pas avant que toutes les femmes soient sauvées. J'espère me tromper mais ensuite, quand il ne s'agira plus que des hommes et qu'ils réaliseront...

— Vous craignez du désordre ?... Mais ce sont des personnages importants, non ? remarqua Oliver avec flegme.

— Ça n'empêche pas que certains d'entre eux pourraient... être pris de panique. »

Patty avait repéré les deux noms et les avait cochés sur sa liste. Crayon en main, elle observait Nat et l'écoutait.

« En effet, dit le chef, toujours aussi tranquillement. L'habit ne fait pas le moine, le galon ne fait pas le gradé... Où voulez-vous en venir ? »

Nat lui résuma la conversation qu'il avait eue avec le gouverneur. Après un moment de silence, Oliver lui dit, toujours sur le même ton, comme s'il expliquait quelque chose de tout à fait évident et banal : « Voilà comment je vois les choses : les hommes obéissent à celui qui commande ou bien ils se mutinent. Toute mutinerie doit être étouffée dans l'œuf, sinon l'autorité s'effondre. Au premier signe de désordre, avertissez-moi et je bloque le va-et-vient ici jusqu'à ce que nos naufragés s'alignent et se tiennent à leur place dans la file. Nous ne les sauverons peut-être pas tous ainsi mais au moins un certain nombre. Si nous les laissons se bagarrer, il n'en sortira pas un seul vivant de là-haut, quoi que nous fassions.

— Voilà un long discours, chef.

— En effet, je ne parle pas autant d'habitude.

— Mais je vous approuve sans aucune réserve.

— Nous nous débrouillerons, conclut Oliver. Faites-moi signe si ça tourne mal. Terminé. »

Nat reposa le walkie-talkie sur le bureau sans rien dire.

« Vous êtes donc d'accord tous les deux, remarqua Patty. Vous saviez, d'ailleurs, qu'il vous approuverait, n'est-ce pas ?

— Ne vous énervez pas, dit Nat en souriant. A votre avis, qu'aurait fait Bert dans ce cas-là ? »

Patty ouvrit la bouche et la referma aussitôt, puis elle souffla en hochant lentement la tête : « Comme vous, sans doute. » Capitulation. « Mais rien ne m'oblige à aimer ça. » Résurgence d'opiniâtreté.

« Non, rien ne vous y oblige », dit Nat qui se leva et retourna à la porte de la remorque.

Le décor s'était assombri et offrait un aspect déprimant. Les lourds nuages d'orage planant à l'ouest masquaient le soleil. Sur la place la fumée était dense, l'air avait l'odeur âcre de la suie.

Les pompiers grouillaient, affairés comme des fourmis. Toute la brigade de la ville devait être là et peut-être même celles des environs. Leurs véhicules, leurs autopompes serrés les uns contre les autres constituaient une muraille presque infranchissable.

L'eau dévalait en torrent des marches du vestibule qui suggéraient l'idée des escaliers taillés à côté des cascades pour permettre aux saumons d'atteindre les eaux de frai. La place n'était plus qu'un lac.

Un pompier jaillit du vestibule, tituba sur les marches, tomba à plat ventre. Ses bras et ses jambes remuèrent lentement.

Deux ambulanciers se précipitèrent vers lui, l'allongèrent sur une civière et l'emportèrent. Nat les suivit des yeux jusqu'à une ambulance devant laquelle trois autres pompiers aspiraient de l'oxygène dans des masques en caoutchouc.

La police montait toujours la garde derrière ses barrières mobiles. Nat distingua l'agent noir Barnes et puis — ma foi oui, en effet —, son collègue, le gros Irlandais qui portait un bandage sur la joue.

Au delà des barrières, la foule aussi nombreuse était étrangement calme et silencieuse, comme si elle comprenait enfin l'énormité du désastre. Un bras se leva dans la cohue. D'autres en firent autant. Nat n'eut pas besoin de lever les yeux pour deviner que le va-et-vient commençait un nouveau trajet, emportant encore un être humain vers le salut.

Il n'en éprouva pas la moindre fierté. Voilà déjà longtemps qu'elle s'était évanouie. Il se reprochait plutôt de ne pouvoir en faire plus car c'était insuffisant. Qu'avait-il donc raconté à Patty au sujet des traditions de certains pays orientaux ? Elles indiquaient que l'homme doit aspirer à la perfection mais ne jamais prétendre à l'atteindre. Ça ne rendait pas plus supportable la constatation d'un échec, même partiel.

Nat n'était pas croyant, mais de temps en temps un incident — les dix-neuf corps recroquevillés dans une clairière de montagne, par exemple — lui suggérait que quelque chose lui manquait et lui indiquait dans quelle direction. La profondeur d'une telle tragédie oblige toujours chacun à remettre en cause bien des idées acquises dont on était sûr jusque-là, depuis trop longtemps.

Si toutes ces méditations donnaient un résultat constant et même inévitable, c'était la résolution qui s'exprimait en trois mots : plus jamais ça.

Aucun paquebot n'irait plus s'égarer dans les champs d'icebergs, comme le *Titanic*.

On ne gonflerait plus jamais de dirigeables à l'hydrogène, trop explosif, comme l'*Hindenburg*.

Si les hommes le pouvaient enfin, plus jamais d'orage de feu comme à Hambourg, à Dresde, à Nagasaki, à Hiroshima.

Plus jamais d'incendie dans un bâtiment de cette dimension...

Correction : plus jamais de bâtiments de cette dimension. N'était-ce pas plus raisonnable ?

La grandeur pour l'amour de la grandeur ne signifie rien. Ne l'oublions pas.

« Non, je ne l'oublierai jamais, se dit Nat tout bas. Parbleu non. »

Il entendit le téléphone sonner dans la remorque et attendit que quelqu'un réponde. Patty dit : « Oui. Il est ici. » Elle ajouta d'une voix dénuée d'expression : « Nat, c'est pour vous. »

Elle lui tendit le combiné en disant tout bas : « Zib. » Rien de plus.

Zib avait quitté son travail à la revue à l'heure habituelle, avait pris un taxi pour rentrer chez elle et s'était empressée de prendre un bain parfumé. En se prélassant dans la mousse, elle sentit ses nerfs se détendre et se dit que tout s'arrangerait. Après sa conversation avec Cathy, elle avait l'impression de ne plus être la même, de voir plus clairement en elle. Connais-toi toi-même, n'était-ce pas la règle du jeu ?

Elle avait rompu avec Paul Simmons, n'est-ce pas ? Nat avait dû s'en rendre compte lorsqu'elle lui avait dit au téléphone que Paul n'irait pas à la World Tower. Cela indiquait qu'elle avait tranché les derniers liens qui l'unissaient à ce type. C'était symbolique et évident. Foncièrement, Nat était un agneau. Il lui avait parlé durement, mais dans un moment de colère, et il ne pensait pas ce qu'il lui avait dit. Non, sûrement pas. Personne ne pouvait penser des choses pareilles. Non, pas au sujet de Zib.

Elle se laissa sombrer dans la baignoire, ferma les yeux, se caressa une épaule et un bras. Que disait ce slogan publicitaire à la télé ? « S'il ne sent pas la différence c'est qu'il est dénué de sentiment. » Cela s'appliquait admirablement à Zib, à tout son être.

Nat serait fatigué à son retour, évidemment, mais pas trop épuisé et elle avait toujours su éveiller son désir. Voilà une chose que les fanatiques du MLF oubliaient trop aisément, peut-être parce que nombre d'entre elles, sinon toutes, n'avaient aucune valeur sur le marché de la sexualité et parce que les avances qu'elles pourraient tenter, même les plus subtiles, seraient... — quelle était donc cette formule admirable du juge qui avait autorisé la vente d'*Ulysse* ? — « plus vomitives qu'aphrodisiaques ».

Les aptitudes de Zib dans ce domaine étaient irréfragables

et elle le savait fort bien. Etant donné cet avantage, dans le combat charnel sous-jacent à toutes ses relations entre un homme et elle, quel que soit cet homme, elle était certaine de l'emporter infailliblement.

Les hommes se flattaient toujours de dominer en faisant saillir leurs muscles et en se vantant. Quelle sotte illusion ! Zib avait appris au cours de ses études d'anthropologie que la polygamie passait pour normale chez bien des peuples alors que la polyandrie est beaucoup plus rare. Cela lui démontrait simplement combien les hommes sont peu raisonnables puisqu'une seule femme peut satisfaire une douzaine d'hommes, n'est-ce pas ? alors qu'un seul homme a bien de la peine à satisfaire une seule femme. Mais comme le disent les Britanniques, l'esprit de l'homme s'est usé avec le temps, comme les mains de l'ouvrier se couvrent de callosités.

Tout en se caressant l'épaule et le bras, elle constata que ce bain huileux ajouterait à son arsenal. Sa peau lui semblait plus souple, plus douce, plus excitante au toucher. Elle se caressa doucement les seins et y prit plaisir. Mais elle se dit à haute voix : « Doucement, ma fille, garde tout ça pour Nat, ne gâche rien. »

Elle sortit de la baignoire, se sécha, se parfuma discrètement la gorge, les seins, le ventre. Puis elle mit une longue robe de chambre en tissu léger qui plaisait particulièrement à Nat, chaussa des mules à hauts talons qu'il lui avait offertes, alla au salon et mit un disque sur l'électrophone. Alors seulement elle décida d'appeler le bureau du chantier dans la remorque.

« Allô ! » dit Nat.

Comment se faisait-il qu'elle n'avait pas préparé la conversation ? Au moins l'entrée en matière ? « Allô chéri, dit-elle sottement. Je suis à la maison. »

Nat entendit la musique en bruit de fond : un solo de violon préludait au chant par lequel Schéhérazade s'efforce de charmer le sultan. Quel truc idiot, pensa-t-il. Et il répondit : « J'avais prévu que tu rentrerais.

— Comment ça va, chéri ? Je veux dire...

— Superbe, ma chère ! Magnifique ! » Au delà de la porte ouverte, Nat considéra de nouveau la place bondée. Il se passa une main sur le front d'un geste las, la regarda ensuite et vit la suie du sous-sol sur sa paume.

Diable ce n'était pas la première fois qu'il se salissait sur ce chantier. Zib et lui s'étaient parfois amusés de l'état dans lequel il rentrait chez lui, le soir.

Mais cette fois, c'était différent, aussi différent que le jour et la nuit, que la mort et la vie. C'était...

« J'ai... j'ai essayé de regarder la télé, dit Zib. Mais je n'ai pas pu... C'est un désastre, n'est-ce pas ?

— Pire que ça... Tu avais quelque chose à me dire ? »

Elle hésita, ce qui ne lui était jamais arrivé avec Nat. « Non, rien de particulier. Je suis rentrée et... » Elle se tut comme si la voix lui manquait. « Tu reviens à la maison ? » Elle n'eut pas le courage de préciser : « Reviendras-tu jamais ? »

Nat remarqua que Patty l'observait, s'efforça de n'en pas tenir compte mais n'y parvint pas.

« Je t'ai posé une question, mon chéri, dit Zib.

— Je ne sais pas la réponse. » Nat raccrocha.

Dans son salon, Zib raccrocha aussi, mais lentement. Alors seulement elle se mit à pleurer.

Le téléphone posé sur le bureau grésilla. Nat se précipita pour le prendre et dit son nom.

« Il ne reste plus que deux femmes à sauver, dit la voix du gouverneur. Après, ce sera le tour des hommes, dans l'ordre déterminé par le tirage au sort. » Le ton n'avait rien d'alarmant mais on y discernait quand même un avertissement.

« Très bien, dit Nat. J'ai parlé au chef des garde-côtes. Il dit que dans une situation où l'autorité doit s'imposer, ceux qui n'obéissent pas sont des mutins et que, dès que la mutinerie commence...

— Le chef dégaine son grand sabre et fait sauter la tête

la plus proche, n'est-ce pas ? dit le gouverneur, d'un ton nettement approbateur.

— C'est ça, dit Nat. Il connaît son matériel, il s'en est déjà servi et il dit que si on tolère le moindre désordre... » Nat se tut en réalisant qu'il s'adressait à une des victimes possibles. Mais il reprit sur le même ton parce qu'une mise au point sans équivoque était indispensable. « Si on tolère le moindre désordre, personne ne s'en tirera sain et sauf. Je suis désolé, gouverneur, mais je vous répète simplement son message et je dois vous avouer que je l'approuve.

— Vous n'avez pas à vous excuser, jeune homme. Je suis d'accord moi aussi. Avez-vous quelque autre suggestion à faire ?

— Oui monsieur, deux. » Nat se donna le temps de mettre de l'ordre dans ses idées. « Vous pouvez annoncer dès maintenant qu'au premier signe de désordre j'avertis le chef des garde-côtes qui retiendra le va-et-vient sur la terrasse jusqu'à ce que chacun reprenne sagement sa place dans la file. Si quelqu'un ne vous croit pas, envoyez-le à cet appareil et je lui ferai part de la consigne moi-même.

— Tant que le téléphone fonctionnera, dit le gouverneur.

— Cela m'amène à la seconde idée dont je voulais vous faire part, monsieur. Dès que le téléphone fera défaut, nous pourrons communiquer avec vous par l'émetteur de radio municipal. Il a sûrement envoyé une voiture émettrice ici. De votre côté vous avez probablement un transistor là-haut ?

— Oui. Il diffuse des airs de rock-and-roll en ce moment, dit le gouverneur. C'est d'accord.

— Mais dans ce cas-là, nous n'aurons plus de communication qu'en sens unique. Vous ne pourrez plus nous parler. En cas de désordre, agitez un mouchoir à la fenêtre. Oliver le verra de la terrasse et il me passera le mot. D'accord ? »

Après un court silence, le gouverneur répéta : « D'accord. » Il réfléchit encore un moment sans rien dire et ajouta enfin : « Vous pensez à tout, jeune homme, et intelligemment. Vous avez accompli un travail admirable.

Notre gratitude à tous vous est acquise. » Silence. « Je vous dis ça tout de suite parce que je n'aurai peut-être jamais l'occasion de faire connaissance avec vous.

— Nous ferons de notre mieux pour vous tirer tous d'affaire.

— Je le sais. Merci. »

33

19 heures et 53 minutes — 20 heures et 9 minutes

Les quarante premiers étages du gratte-ciel plongeaient dans l'ombre du crépuscule. L'agent Shannon leva les yeux vers les nuages de fumée et murmura, incrédule. « Tu vois ce que je vois, Frank ? Ce truc brille comme s'il était incandescent ! »

C'était vrai. La chaleur avait fait éclater la plupart des vitres et la fumée jaillissait des fenêtres. Mais sous cette fumée le gratte-ciel luisait, en effet, et dans les appels d'air causés par cette radiation, toute la structure semblait frémir de douleur.

« Puisque tu es pieux, Mike, il est temps de prier, mon vieux, dit Barnes. Tu n'oublieras jamais ce spectacle ni les grands personnages qui étaient venus y assister. »

Loin au-dessus d'eux, la culotte volante sortit de la Salle d'honneur une fois de plus. Elle refléta un instant la lumière de l'incendie en glissant vers la terrasse du Trade Center. Toute la foule avait les yeux levés vers le ciel. Shannon se signa.

« Une incinération, dit Barnes. Je me demande combien s'en rendent compte, et si quelqu'un pense à Jeanne d'Arc au bûcher. » Il enchaîna, furieux :« Nous avons laissé passer le dingue, Mike. Je ne me le pardonnerai jamais, même si... Ce type, l'architecte, que Dieu le bénisse ! nous a dit que nous sommes seulement membres de la confrérie.

— Oui, et qu'est-ce que ça signifie ?

— Que la responsabilité est largement partagée et je ne sais ni pourquoi, ni comment. Pourtant j'entrevois qu'une... un machin comme ça, n'arrive jamais pour une seule raison. La vache de Mme O'Leary a renversé la lanterne d'un coup de pied, bien sûr, mais il a fallu qu'un millier d'autres choses tournent mal pour que Chicago brûle jusqu'au ras du sol. Ça doit être la même chose ici. Bien faible consolation. »

Shannon ne répondit pas et ne sembla nullement impressionné.

« Il y a des gens là-haut, mon vieux, des gens comme toi et moi. Oui. J'ai même entrevu quelques visages noirs et...

— Mais ce bidule... sais pas comment ça s'appelle, les évacue, dit Shannon.

— Ils ne seront pas tous sauvés, dit Barnes, étant donné la chaleur qui fait déjà briller le building. Et sais-tu ce qu'il y a de pire, Mike, ce qu'il y a de plus écœurant... c'est les meilleurs qui resteront en haut. »

Sur la terrasse du Trade Center, Kronski demanda à Oliver : « Vous prévoyez des désordres là-haut, chef ?

— Peut-être. J'espère me tromper. » Le second maître conservait son calme massif. D'un même mouvement, Kronski et lui saisirent le va-et-vient et en tirèrent une femme.

Elle sanglotait, d'épouvante et de chagrin. « Mein mari...

— Dites-nous votre nom, s'il vous plaît, madame. Nous tenons une liste à jour.

— Bucholtz ! Mais mon mari ! Il faut le sauver tout de suite ! C'est un homme très important. Il baiera. Il...

— Mais oui, madame Bucholtz. Ces agents vont prendre soin de vous. Nous nous efforçons de sauver tout le monde. » Oliver fit signe aux policiers qui prirent la femme par les bras.

« Mein mari ! Il connaît beaucoup de meussieurs très imbordants. Il...

— Dites-moi, madame. Combien reste-t-il de femmes là-haut ?

— Je ne sais pas, répondit Frau Bucholtz.

— Vous aviez le numéro quarante-huit, insista Oliver. Combien y en avait-il en tout ?

— Quarante-neuf, je crois, mais je n'en sais rien et ça m'est égal. Mein mari...

— D'accord, dit le chef qui ajouta à l'intention des agents de police : Emmenez-la. » Il se retourna vers la Tour pour suivre des yeux le va-et-vient dans sa lente ascension.

« J'ai participé à un sauvetage, tout là-haut sur la mer de Béring. Il fait froid là-haut. Vous y êtes allé, chef ?

— Oui », répondit Oliver. Il devinait que le matelot allait lui raconter une histoire épouvantable qu'il n'avait pas envie d'entendre. Mais il n'en dit pas plus.

« Le feu avait pris à bord d'un caboteur. La machine était hors d'usage. Grosse mer. Le cargo commença à se disloquer. L'équipage mit les canots à flot... Nous avons tout appris ensuite par un seul type, le second du bord. C'était le seul rescapé et il n'a pas duré longtemps.

« Voilà ce qui s'était passé : il y avait deux canots de sauvetage. L'un chavira dès qu'il toucha l'eau. Sinon... » Kronski secoua la tête, leva les deux bras et les laissa retomber. « Vous voyez ce que je veux dire, chef ?

— Je vois... dit le chef brusquement. Alors tout le monde a essayé de s'entasser dans l'autre canot, n'est-ce pas ?

— Tout juste, dit Kronski. Ceux qui étaient déjà dedans se sont défendus à coups d'aviron. Ça n'a pas marché. Les autres revenaient sans cesse à l'assaut. » Le matelot se tut.

Les yeux fixés sur les fenêtres lointaines, Oliver vit apparaître le va-et-vient. Il se rappelait les vagues gigantesques de l'Arctique, il entendait souffler la bise glaciale, il se souvenait surtout du froid qui gèle jusqu'à la moelle des os. Il pensa aux naufragés sur leur canot découvert et à ces malheureux, grelottant, tremblant, qui s'efforçaient de mettre ces fragiles embarcations à flot. Les yeux toujours fixés sur les fenêtres, il demanda : « Alors, qu'est-ce qui s'est passé ? Ils ont fait chavirer le second canot, n'est-ce pas ?

— Tout juste, répéta vigoureusement Kronski. Nous sommes arrivés moins d'une heure plus tard... Une heure, un mois ça n'y aurait rien changé. Seul le second survivait. Comme je l'ai dit, il n'a pas vécu longtemps... Avec un seul canot la moitié de l'équipage aurait pu se tirer d'affaire.

— Mais la panique les a tués tous, dit Oliver. C'est comme ça que ça se passe. » Le second maître prononça ces derniers mots d'un ton féroce. Les yeux toujours fixés sur les fenêtres, il attendait l'apparition d'un signal mais n'en vit pas encore.

Le gouverneur retourna au bureau et se laissa tomber lourdement dans le fauteuil. Il se sentait vieux et tout à fait épuisé, comme si la présence de Beth lui avait permis de passer les quelques dernières heures dans le printemps d'une jeunesse retrouvée, tout en sachant qu'elle ne pouvait durer, mais en se faisant croire à demi pourtant qu'elle ne finirait jamais. Beth était partie. C'était la dernière femme sauvée du désastre. Le gouverneur n'avait pas eu le courage d'assister à son embarquement.

Nul n'est aussi fou qu'un vieux fou. Il se demanda qui avait imaginé cet aphorisme et en quelles circonstances. Sans doute quelque barbon pour se moquer de lui-même lorsqu'il avait constaté que la poulette au sujet de laquelle il se faisait des illusions préférait les mâles du même âge qu'elle.

Diable, il ne s'était rien passé de tel avec Beth. En d'autres circonstances, s'ils avaient été l'un et l'autre libres de décider de leur sort, Beth l'aurait sans doute accompagné volontiers, sinon avec enthousiasme, jusqu'à son ranch, dans les montagnes du Nouveau Mexique. Une idylle de rêve... Mais d'où donc venait cette phrase ? Un rêve, purement et simplement et qui ne devait pas se réaliser.

Pourquoi pas ? Le gouverneur se posa de nouveau la même question. Pourquoi moi ?

Pourquoi ce rêve n'aurait-il pu se réaliser ? Pourquoi la foudre frappe-t-elle un individu et pas l'autre ? Pourquoi le gouverneur n'aurait-il pu finir son existence dans la retraite paisible qu'il s'était préparée avec, en prime, la joie toute neuve qu'il avait découverte pas plus tard que ce jour-là ?

Si tu existes, réponds-moi, Seigneur.

Il s'apitoyait sur lui-même ? Et que diable ! pourquoi pas ? En bas, sur la place, un millier de personnes, dix mille peut-être, s'en retourneraient chez elles quand le spectacle serait terminé, pour y faire ce qui leur plairait avant de se mettre au lit en sachant qu'elles se réveilleraient le lendemain. Hélas ! ils menaient bien sûr pour la plupart une existence de désespoir silencieux comme l'avait dit Thoreau. Mais cela n'empêchait pas qu'ils avaient au moins la liberté de choisir dans une certaine mesure leur destin alors que lui ne pouvait plus disposer de lui-même.

Arrive-t-il jamais à quelqu'un de mourir heureux ? Voilà la question. Non. Corrigeons le dernier mot. Arrive-t-il jamais à quelqu'un de mourir *satisfait* ? Le gouverneur pensa que non.

Certains ont beaucoup accompli, d'autres peu de choses ou rien. Mais nul n'en accomplit jamais assez.

Jake Peters avait dit la même chose, et lui, Bent Armitage, le lui avait reproché.

Ça va, pensa-t-il. Ça va ! Dressons le bilan. Tâches inachevées, paroles qui n'ont pas été dites, oui. Mais tout le monde en est là. Pas de dette impayée et combien d'individus pourraient en dire autant ? Payez en sortant, honnête Bent Armitage. Quel nom ! Il conviendrait à un marchand de voitures d'occasion.

Mais que dire des connaissances et de l'intelligence qui s'éteindraient avec lui ? Eh bien ! que valent-elles ? Sont-elles uniques ? Irremplaçables ? N'en était-il pas fier tout simplement parce qu'il se trouvait que c'étaient les siennes ?

Regardez les choses en face, avait-il dit au sénateur. Vous ne vous êtes pas ennuyé dans la vie, n'est-ce pas ? S'il fallait recommencer, mènerais-tu une autre vie ? Y changerais-tu quoi que ce soit ? Sans doute rien de rien.

Sauf Beth.

Si je m'en étais donné la peine, pensa-t-il, je l'aurais peut-être rencontrée avant qu'il ne soit trop tard. Sinon elle, tout au moins une femme comme elle. Mais s'il n'avait jamais rencontré et connu le sujet idéal, il n'aurait jamais su ce qu'une compagne pareille aurait pu apporter dans sa vie.

Mon Dieu, l'esprit humain n'est-il qu'une machine à raisonner ?

Beth. Enfin elle était en sécurité. Il l'espérait. Il regrettait de ne pas être resté dans la grande salle jusqu'au dernier moment pour en être sûr. Eh bien quoi ? Il lui était facile de s'en assurer.

Il appuya sur le bouton de l'ampli. « Ici Armitage », dit-il. Pas de réponse. Il appuya de nouveau sur le bouton. Aucun bruit. L'appareil restait muet. La ligne était coupée.

Maintenant nous sommes vraiment seuls.

Le lourd câble qui reliait la Salle d'honneur de la World Tower à la terrasse du Trade Center et supportait le poids du va-et-vient était en nylon : du nylon solide, flexible, sans défaut. Une extrémité était assujettie à une poutre au-dessus du plafond de la Salle par un nœud en bouline. Les deux pompiers avaient veillé attentivement à la confection de ce nœud.

Mais le nylon est tellement souple que même une bouline, le nœud le plus sûr, pourrait lâcher. C'était déjà arrivé, les pompiers le savaient. Pour plus de sûreté, ils avaient tordu l'extrémité du câble en deux demi-clés. Rien n'indiquait le moindre glissement dans ces nœuds. Tant qu'ils tiendraient, la bouline tiendrait.

Mais la poutre à laquelle le câble était frappé faisait partie de la charpente d'acier. Elle s'intégrait à l'ensemble qui soutenait le mât de télécommunications pointant vers le ciel sous les derniers rayons du soleil couchant.

L'acier conduit la chaleur.

Le nylon fond.

Le combiné posé sur la table dans la remorque grésilla. Nat s'en saisit et dit son nom. Sa voix retentit d'une manière bizarre dans l'engin : elle éveilla un écho. Comme le gouverneur, Nat débrancha et rebrancha l'appareil. Tout à coup, la tonalité retentit dans son oreille. Il forma le numéro du bureau de la World Tower. En vain. Il essaya de nouveau puis raccrocha. « Voilà, c'est fait, dit-il à à la cantonade. Leur ligne est coupée. »

Tous les systèmes du gratte-ciel avaient été aménagés si attentivement, conçus avec tant d'astuce, grâce à des recherches tellement coûteuses ! Ils s'effondraient quand même, l'un après l'autre. S'effondraient ? Non. Ils étaient déjà hors jeu. Le mutisme du téléphone avait quelque chose de définitif.

Nat composa de nouveau le numéro de l'émetteur municipal de radio. On lui répondit immédiatement. « Ici, la World Tower, le bureau du chantier, dit-il. Le téléphone ne fonctionne plus là-haut. Nous ne pouvons plus communiquer avec eux que par votre intermédiaire.

— Nous resterons en ligne. Dès que vous le demanderez vous serez branchés directement sur l'antenne.

— Une seconde, dit Nat. Vous avez bien un système d'enregistrement qui vous permettrait d'effacer quelques grossièretés ou des mots malheureux dans la conversation, n'est-ce pas ?

— Non. Vous serez sur l'antenne en direct, sans retard.

— Très bien, dit Nat. Merci. Gardez la ligne. » Il posa le combiné sur le bureau et prit le walkie-talkie. « Le téléphone de la Tour est hors d'usage, dit-il à Oliver. Dès que vous apercevez un signal, avertissez-moi et je parlerai à la radio.

— Ce sera fait », répondit le second maître.

Nat s'adossa dans le fauteuil et regarda autour de lui. S'y trouvaient Tim Brown, un des chefs de bataillon des pompiers, Giddings et Patty. « Vous avez entendu, dit-il en levant les deux mains et en les laissant retomber. Que diable faudra-t-il dire ? demanda-t-il.

— J'ai l'impression qu'il va se passer quelque chose, dit le chef de bataillon. Vous voyez ce que je veux dire ? Le réveil va sonner, ou bien je vais tomber du lit, et ce cauchemar sera fini. » Il se tut un instant et reprit d'une voix hargneuse : « Mais il n'arrivera rien de tel, n'est-ce pas ? »

Des mouvements nerveux agitèrent les larges épaules de Giddings. « Simmons est votre mari, dit-il à Patty. J'en suis désolé pour vous... mais si j'en ai l'occasion, je saisirai ce salaud à la gorge et je l'étranglerai à mains nues. »

Le lieutenant de police Potter entra dans la remorque, les regarda tous à la ronde et demanda : « Puis-je faire quelque chose d'utile ? » Personne ne répondit.

« Je m'en doutais, reprit Potter en s'adossant à la cloison. Si vous le permettez, je resterai ici un moment... Mais je me demande pourquoi.

— Avez-vous appris quelque chose au sujet de John Connors ? lui demanda Patty.

— Plus et pire que je ne le souhaitais », dit Potter. Il leur répéta ce qu'il avait déjà expliqué au capitaine et à l'inspecteur en chef.

Les hommes restèrent silencieux. Patty souffla : « Le pauvre homme.

— Oui, le pauvre homme, dit Potter tristement. Je suis un foutu flic. Mon métier consiste à désigner le coupable... parfois c'est assez facile, mais d'autres fois, comme dans ce cas-ci, ça ne l'est pas. » Il leva le doigt et sa voix enfla. « Ces malheureux, là-haut... Quelqu'un doit bien être coupable de ce qui leur arrive, n'est-ce pas ? » Il se tourna vers Brown et répéta : « N'est-ce pas, il le faut bien ?

— Comment diable voulez-vous que je réponde à cette question ? s'écria le commissaire adjoint qui enchaîna d'une voix plus calme : Tout ça n'a ni queue ni tête. Vous avez découvert qu'un pauvre diable a perdu la tête parce que quelqu'un a laissé mourir sa femme. » Il désigna Patty. « Son mari a fait des choses qu'il n'aurait pas dû faire.

— Il y a aussi le chef de l'équipe des électriciens et un inspecteur municipal des bâtiments qui devraient être pendus par les... », dit Giddings. Il jeta un coup d'œil à Patty. « Par les pouces.

— Certains de mes hommes n'ont pas vu certaines choses qu'ils auraient dû voir, dit Tim Brown.

— Et certains d'entre nous auraient dû s'apercevoir d'erreurs ou pire, pendant qu'on était en train de les commettre », dit Nat. Il resta silencieux un moment. « Mais ce n'est pas le pire. Il y a une autre question à se poser, peut-être plus importante que toutes les autres à la fois. » Sa voix devint solennelle. « Pour qui nous prenons-nous ? Comment osons-nous concevoir des bâtiments aussi gigantesques, aussi compliqués, aussi... vulnérables ? »

A cet instant, le walkie-talkie s'anima. « Terrasse à remorque. »

Silence. Nat se saisit de l'appareil. « Ici la remorque.

— Je vois quelque chose de blanc s'agiter à la fenêtre. Il est temps de prendre l'antenne. Le va-et-vient est ici. Je le retiens. »

Nat prit une profonde inspiration. « Allons-y », dit-il en tendant la main vers le combiné.

34

20 heures — 20 heures et 41 minutes

Les comptes rendus divergent ; cela va de soi. En racontant ce qui s'est passé dans la Salle d'honneur chaque survivant semble s'attribuer un rôle qui, sans être forcément héroïque, le met à l'abri de tout reproche ; même si les versions des autres le contredisent du tout au tout, il refuse obstinément d'en tenir compte. Ça aussi, c'est peut-être normal.

Tous les récits concordent au moins sur un point : par un de ces phénomènes imprévus comme il s'en produisit tellement au cours de cette journée catastrophique, les bouches d'adduction d'air conditionné se mirent tout à coup à vomir de la fumée chaude et âcre. C'est alors que le désordre éclata d'un seul coup comme si la fumée le déclenchait.

Voici comment se présentait la scène un instant auparavant :

Accordé sur la longueur d'onde de l'émetteur municipal, le transistor jouait de la musique douce. Les femmes étant parties, on ne dansait plus.

Le rabbin Stein, monsignore O'Toole et le révérend Arthur William Williams, bavardaient tranquillement dans un coin de la vaste salle. Le sujet de leur entretien restera ignoré à jamais.

Sur l'aire d'embarquement, au delà des tables qui servaient de barricades, on installa Paul Harrison — chef de l'orchestre symphonique de la ville — dans le sac du va-et-vient qui sortit en oscillant par la fenêtre. Il s'efforça d'abord de garder les yeux fermés mais la curiosité l'emporta ; ce qu'il vit de la métropole, d'une hauteur terrifiante, lui donna une violente nausée et cela d'autant plus qu'il lui semblait n'être accroché à rien. Plus tard il se rappela que l'air de la *Pastorale* tonitrua dans sa mémoire. Il s'accrocha au sac de toile avec l'énergie du désespoir ; l'engin tressautait et se balançait ; il fut absolument certain qu'il allait mourir d'une seconde à l'autre. Quand il arriva enfin, sain et sauf, qu'Oliver et Kronski le hissèrent hors de la culotte volante, il tomba à genoux et baisa les dalles de la terrasse.

Ce fut le premier homme qui échappa à la mort. Pendant un certain temps il sembla que ce serait aussi le dernier.

Le serveur, père de trois enfants, caressait sa bouteille de bourbon assis sur le plancher car il ne tenait plus debout. Le billet de loterie qu'il avait dans sa poche portait le numéro quatre-vingt-dix-neuf. Il estimait que ses chances de salut équivalaient à peu près à celles d'un chien de celluloïd poursuivant un chat d'amiante en enfer. Il n'était pas tellement amateur de bourbon mais l'idée de céder à la panique lui inspirait une horreur insurmontable, il se disait que s'il tombait dans un état de coma alcoolique, il accepterait plus aisément l'inévitable.

Les deux pompiers, deux garçons du buffet, le commissaire à la défense contre l'incendie et le secrétaire général de l'ONU se trouvaient derrière la barrière de tables, aidaient les élus à s'embarquer, halaient et larguaient lentement le filin du va-et-vient. Plus tard, un de ces garçons déposa que le calme régnait encore mais qu'on sentaît croître la tension surtout après le départ de la dernière femme. Toutefois, ce n'était qu'une impression... « Jusqu'à ce que la fumée jaillisse des bouches à air », ajouta-t-il. Sa voix indiquait qu'il s'en étonnait encore.

Cary Wycoff s'entretenait avec une douzaine d'hommes dont

un seul a été identifié. C'était un autre serveur du buffet, Bill Samuelson, qui avait exercé bien des métiers divers : docker, joueur plus ou moins professionnel de football, boxeur sans grand succès. Personne d'autre n'avoua par la suite avoir fait partie de ce groupe.

Il faisait chaud, et même de plus en plus chaud. A ce sujet toutes les versions concordent. Le garçon qui participait aux opérations de secours s'exprime ainsi :

« C'était drôle. Le vent qui passait à travers les fenêtres brisées était froid et mes mains, presque gourdes. Mais j'avais chaud aux pieds et à tout le corps. Vous voyez, c'est comme si je m'étais trouvé dans le vestiaire surchauffé d'un gymnase. Vous comprenez ce que je veux dire ? Nous étions dans la chaleur et pourtant le vent était glacial. »

Ben Caldwell et l'ambassadeur de l'URSS parlaient d'architecture. En évoquant les monuments de Moscou le diplomate avoua qu'il éprouvait toujours une profonde nostalgie lorsqu'il lui arrivait de trouver à l'étranger un dôme bulbeux comme ceux de son pays.

Derrière les vitres des fenêtres de la façade ouest, le sénateur Peters observait les mouettes tournoyant au-dessus du fleuve et du port. Ce spectacle l'avait toujours enchanté et lui avait souvent apporté calme et réconfort. Il lui devait aussi une de ses plus grandes joies. Un jour, au Nouveau Mexique, il avait avisé un vol de trente-cinq gros oiseaux filant droit vers le Sud. Leurs ailes blanches bordées de noir qui battaient lentement et leurs longues pattes ramenées sous le corps lui avaient permis d'identifier des grues trompette. C'était probablement la dernière tribu de ces volatiles à peu près disparus. Ils s'étaient écartés de leur piste de migration habituelle pour fuir une tempête mais, orientés par une science mystérieuse ou quelque tropisme dont on sait si peu de chose, ils s'en allaient vers leur aire de reproduction, au Texas. En admirant les mouettes qui sans doute poussaient des cris aigus, bien que le sénateur ne les entendît pas, il s'émerveilla de les voir aussi libres que l'air dans lequel elles volaient et il se demanda une fois de plus pourquoi l'espèce humaine en son évolution était restée clouée au sol.

Le gouverneur était encore dans le bureau auprès du téléphone muet. Il méditait. Seule la musique du transistor arrivait jusqu'à lui. A part cela, la grande salle était parfaitement calme. Les pensées du gouverneur ne l'étaient pas.

Pourquoi n'ai-je pas cherché un moyen d'embarquer parmi les premiers sur le va-et-vient ? se demandait-il. Il ne trouvait pas à cette question de réponse un tant soit peu logique. Il aurait pu être, déjà, ou dans quelques minutes, sur la terrasse du Trade Center au lieu de se trouver assis comme un idiot devant ce bureau... en attendant quoi ? A cette question, la réponse était trop évidente. Il attendait la fin de cette farce tragique, mais pas en spectateur : en acteur. Peut-on imaginer situation plus ridicule ? Quelles idées passent par la tête de l'homme livré à la solitude ? Pensées ignobles, lâches, lubriques parfois, malhonnêtes, saugrenues, idées folles : tout ce qui peut bouillonner dans le chaudron du diable.

Mais ce ne sont que des idées, pas des obsessions ni des mobiles d'actes. Voilà où réside la différence entre le sujet sain et l'aliéné.

Quoi qu'il eût fait ou pas fait en abusant de son autorité dans un but égoïste, il avait légitimement le droit de regretter que les événements n'aient pas mieux tourné. Il se dit qu'il lui était encore possible de faire appel à ses privilèges de gouverneur de l'Etat... Mais comme il savait qu'il ne le ferait pas, il eut l'impression de couper les cheveux en quatre. Il s'en amusa et ça l'écœura un peu aussi. Il...

« Comme vous êtes solennel, Bent. » Beth était apparue sur le seuil de la porte. Esquissant à peine un sourire, elle restait immobile, attendant la réaction du gouverneur.

Il la regarda, médusé. Pendant un instant fugace il se crut en proie à une hallucination. « Le va-et-vient ne fonctionne plus ? » demanda-t-il.

Elle secoua la tête et son sourire se précisa.

Le gouverneur leva les deux mains et les laissa retomber,

l'esprit partagé entre la joie et le chagrin. « Vous n'êtes pas partie », dit-il. Un temps d'arrêt. « Je n'ai pas eu le courage de rester jusqu'au dernier instant.

— Je m'en suis aperçue, dit-elle en avançant lentement.

— J'ai essayé de téléphoner pour savoir si vous étiez... en sûreté. Mais la ligne est coupée. » Il s'arracha à sa torpeur. « Je voulais que vous surviviez, dit-il d'une voix plus ferme, recouvrant une partie de son assurance.

— Je le sais. » Beth était arrivée au bureau. Elle s'assit sur un angle, comme un instant plus tôt, et ses longues jambes se balancèrent lentement. Elle tendit la main, le gouverneur s'en saisit et la serra.

« Vous auriez dû partir, sacrebleu ! dit-il.

— Non, Bent. » Son attitude et sa voix reflétaient calme et sérénité. « Je vous ai dit que je ne tromperais plus jamais ni personne ni moi-même.

— Je voulais que vous surviviez... Je le veux encore. » Vrai ou faux ? Au diable ces subtilités !

« Je le sais, mais j'ai pris ma décision.

— C'est la mauvaise. » Le gouverneur écarta sa chaise du bureau. « Nous allons...

— Non Bent. J'ai cédé mon tour. Même si je le voulais je ne pourrais le reprendre. Celui qui quitte la file doit aller tout au bout.

— Zut...

— Ecoutez-moi, Bent. » Les doigts de Beth se serrèrent sur la main du gouverneur. « Toute ma vie j'ai été... décorative, peut-être divertissante parfois, peut-être amusante, agréable, enfin tout ce qu'on nous a appris à être... et inutile. » Voyant des objections animer les lèvres du gouverneur, elle y para vivement. « Oui. Inutile. » Elle enchaîna aussitôt : « Mais, pendant ces quelques dernières heures, j'ai eu l'impression pour la première fois de ma vie que je faisais... quelque chose d'utile, peut-être pas beaucoup, je l'avoue, mais bien plus que tout ce que j'avais fait jusqu'alors.

— D'accord. Vous avez appris quelques petites choses

pendant que nous étions pris au piège. En bien, partez en emportant cette nouvelle sagesse.

— J'ai une autre raison, Bent. Dois-je la dire ? C'est une de ces choses qu'on n'avoue pas, qui n'est pas crue et pourtant elle est vraie. » Elle se tut en lui abandonnant sa main inerte et en soutenant son regard. « J'aime mieux être ici avec vous qu'ailleurs et seule. »

Aucun bruit dans le bureau. Ils n'entendirent que la musique venant de la pièce voisine. Au-dessus de leur tête une bouche à air cracha un nuage de fumée qui se répandit dans la pièce et s'immobilisa lentement. Ni l'un ni l'autre ne le remarqua.

« Que puis-je vous répondre ? demanda le gouverneur. J'étais ici tout seul et je m'apitoyais sur moi-même... Zut ! Vous n'avez pas à être ici ! Vous...

— Je suis où il me plaît d'être. » Beth secoua lentement la tête en souriant des lèvres, des yeux, de tout son visage. « Mon cher Bent... », commença-t-elle. C'est alors que retentit dans la Salle d'honneur le premier éclat d'une bagarre : cris furieux, bruit de meubles qu'on renverse.

Le gouverneur se leva et n'hésita guère. « Restez ici », dit-il en se précipitant vers la porte.

Une scène de démence se déroulait dans la fumée noire. On avait déjà renversé une des tables et des hommes réduits à l'état de bêtes s'acharnaient à l'écarter pour se frayer un passage en une ruée frénétique.

Le gouverneur vit le commissaire saisir un homme par les revers de son veston, le tirer furieusement vers lui, lui écraser la bouche d'un coup de poing, le relâcher et en saisir un autre.

Un des serveurs en veston blanc, solide gaillard puissamment musclé — c'était Bill Samuelson — fonça dans la brèche, frappa le commissaire au ventre à deux reprises, le repoussa vers le mur où il tomba.

Debout près de la table renversée, Cary Wycoff se tenait à l'écart de la mêlée, mais il vociférait d'une voix suraiguë. Au moment où le gouverneur traversait la Salle en courant, le sénateur Peters bondit sur Cary en brandissant un chandelier, l'assomma d'un seul coup et, sans désemparer en fit autant au garçon de blanc vêtu qui s'effondra comme un bœuf sous le merlin du boucher.

Cette bataille n'avait ni queue ni tête. Elle n'opposait pas deux camps ; chacun semblait s'en prendre à tous les autres dans une confusion délirante. Quelqu'un frappa le gouverneur à l'épaule. Il entrevit le visage crispé du PDG d'un réseau de radiotélévision, tellement défiguré par l'épouvante qu'il suggérait l'idée d'un mouton enragé.

De nouveau, les gaines vomirent de la fumée, étouffante, aveuglante et la bataille sembla croître en fureur.

Quelqu'un hurla. Personne ne le remarqua dans ce tohu bohu.

« Arrêtez ! Tenez-vous tranquilles, sacré nom de Dieu ! » vociféra le gouverneur mais sa voix se perdit dans le tintamarre. Il fonça en avant, tête baissée.

Un coude lui heurta la joue. Il avança quand même, arriva au-dessous du câble qui sortait par la fenêtre, puis atteignit la fenêtre elle-même. Se tenant d'une main à ce câble, il se pencha au-dessus du vide, aussi loin qu'il le put, agita son mouchoir. Puis il recula et chercha à se frayer un chemin dans la cohue.

Ce diable de transistor jouait de la musique quelque part, mais où ? Le gouverneur se dirigea au son.

Le poste de radio était sur une table. A l'instant où le gouverneur allait s'en saisir, la table se retourna, le transistor glissa sur le plancher sans cesser de jouer.

Quelqu'un heurta si violemment le flanc du gouverneur qu'il tomba à quatre pattes. Sans se relever, il plongea vers le poste et s'en saisit. Il se releva en le serrant contre sa poitrine, se démena pour échapper à la mêlée puis éleva le transistor à deux mains au-dessus de sa tête après avoir tourné le bouton du son au maximum.

La musique éclata dans la pièce. Il y eut un instant de silence et presque aussitôt une voix titanique, celle de Nat

Wilson rugit au-dessus de la confusion : « ECOUTEZ-MOI ! ECOUTEZ-MOI LA-HAUT ! »

Il marqua un temps d'arrêt. Le bruit de la bagarre s'apaisa.

« ECOUTEZ-MOI LA-HAUT DANS LA SALLE D'HONNEUR ! tonitrua de nouveau la voix. ICI LE POSTE DE COMMANDEMENT DU CHANTIER. JE NE SAIS PAS CE QUI SE PASSE LA-HAUT, MAIS LE VA-ET-VIENT RESTERA SUR LE TOIT DU TRADE CENTER JUSQU'A CE QUE L'ORDRE SOIT RETABLI. EST-CE CLAIR ? JE REPETE : TANT QUE L'ORDRE NE SERA PAS RETABLI LE VA-ET-VIENT NE RETOURNERA PAS VERS VOUS. SI VOUS M'AVEZ ENTENDU AGITEZ QUELQUE CHOSE DE BLANC A LA FENETRE. »

Le silence plana dans la grande salle. Tous les yeux se tournèrent vers le gouverneur qui retournait lentement vers la fenêtre en tenant encore le poste de radio dans la main. Il le remit en passant au sénateur, prit une nappe sur une table et, se penchant comme la première fois, il l'agita vers le toit du Trade Center.

Le silence se prolongea.

« TRES BIEN, tonna soudain la voix de Nat. TRES BIEN. REPRENEZ LA MANŒUVRE. EST-CE COMPRIS ? REPRENEZ LA MANŒUVRE EN BON ORDRE SINON TOUTE OPERATION DE SAUVETAGE CESSE. NOUS FAISONS TOUT CE QUE NOUS POUVONS POUR VOUS DESCENDRE TOUS DE LA-HAUT SAINS ET SAUFS. SI VOUS COLLABOREZ AVEC NOUS, NOUS REUSSIRONS PEUT-ETRE. SI VOUS Y METTEZ DE LA MAUVAISE VOLONTE, PERSONNE NE S'EN TIRERA. VOUS AVEZ COMPRIS ? PERSONNE ! »

Le gouverneur regarda autour de lui. Quelques visages saignaient, d'autres étaient tuméfiés. Bill Samuelson, le grand et gros serveur, était encore à quatre pattes et secouait la tête. Il leva vers le gouverneur des yeux de bête fauve.

« Quelqu'un a-t-il quelque chose à dire ? » demanda le gouverneur.

Pas de réponse.

« AVEZ-VOUS COMPRIS ? » rugit la voix de Nat.

Le gouverneur se pencha de nouveau à la fenêtre et agita la nappe blanche. Il y eut encore un temps mort pendant que la terrasse du Trade Center communiquait avec la remorque.

« OKAY, reprit Nat. RESTEZ SUR CETTE LONGUEUR D'ONDES ET REPRENEZ L'OPERATION. LE VA-ET-VIENT RETOURNE VERS VOUS. MAIS... MAIS AU PREMIER SIGNE DE DESORDRE TOUT S'ARRETE DE NOUVEAU. JE REPETE. JE REPETE. AU PREMIER SIGNE DE DESORDRE NOUS ARRETONS LE SAUVETAGE. » La voix se tut.

Le sénateur considéra le transistor qu'il tenait et diminua en souriant le volume du son. La musique reprit.

« Numéro cinquante-deux, s'il vous plaît, chantonna tranquillement le secrétaire général de l'ONU. Numéro cinquante-deux. »

Un des garçons qui ne s'était pas mêlé à la bagarre avança. Il tenait son numéro entre ses deux mains crispées.

Dans la remorque Nat reposa le téléphone et poussa un profond soupir puis il dit dans le walkie-talkie : « Ça va, chef ? Croyez-vous...

— Pour autant que je le voie, répondit le second maître d'une voix toujours aussi imperturbable, vous les avez calmés. Si ça change, je vous préviens. »

Nat reposa le walkie-talkie et regarda autour de lui.

« Eh bien, nous n'avons pas fini d'en entendre ! dit Tim Brown. Combien y avait-il d'auditeurs branchés sur ce poste ? Ils ont entendu cette menace, cet ultimatum ou Dieu sait comment ils qualifieront ça ?

— Le résultat est là, n'est-ce pas ? dit Giddings.

— Vous avez réussi », dit Patty qui se pencha vers Nat en souriant.

« Numéro cinquante-trois, s'il vous plaît, dit le secrétaire général.

— Quel numéro avez-vous ? lui demanda le pompier Howard.

— Le soixante, répondit le secrétaire général en souriant. Il y en a encore sept avant moi.

— Je suis l'un d'eux, dit Howard, le cinquante-huit.

— Mes félicitations, dit le secrétaire général souriant encore. J'ai été enchanté de collaborer avec vous.

— Peut-être pourrons-nous boire un verre ensemble quand tout ça sera fini.

— Ce sera avec le plus grand plaisir. »

Le sénateur s'approcha de Cary Wycoff. Il tenait encore le chandelier à la main. « La prochaine fois, Cary, je vous fends le crâne, murmura-t-il. Soyez-en sûr. »

Le gouverneur la retrouva telle qu'il l'avait laissée : perchée sur un coin du bureau, ses longues jambes harmonieuses se balançant lentement. Un étrange bonheur brillait dans ses yeux.

C'est ainsi que je me la rappellerai toujours, pensa-t-il.

Toujours ?

Pendant toute l'éternité.

« Maintenant, vous partez », dit-il. La voyant prête à se rebeller, il attaqua aussitôt. « Oui, vous partez, parce que, ma chère, tel est mon désir et je vous en supplie. Si cela paraît emphatique, je n'y peux rien. En des circonstances comme celle-ci, c'est permis.

— Bent... » Elle n'en dit pas plus. Son regard s'était terni.

« Je ne vais pas terminer ma longue existence par un acte d'égoïsme d'une odieuse poltronnerie », dit-il. Il sourit tout à coup. « Ça aussi c'est égoïste, je l'avoue. Je ne puis m'empêcher de jouer un rôle. » Il lui prit les deux mains. « Venez. »

Ils sortirent du bureau, la main dans la main. Un morne silence de résignation planait dans la salle. Le transistor jouait en sourdine. Personne n'écoutait.

« Le numéro quarante-neuf a été omis, Walter, dit le gouverneur au secrétaire général. La voici. »

Cary Wycoff qui observait et écoutait ouvrit la bouche et la referma sans rien dire.

Aucun bruit dans la salle.

Le secrétaire général sourit au pompier Howard. « Je me trompais, dit-il. Il en reste huit avant moi. »

Beth s'exclama : « Oh, Bent !...

— Au revoir, ma chère. » Le gouverneur hésita puis il dit en souriant : « Quand vous attraperez une truite, pensez à moi. » Il pivota sur lui-même et retourna au bureau désert.

« Soixante et un ! » clama le commissaire.

« Soixante-deux ! »

Cary Wycoff avança. Le sénateur passa devant lui. « J'ai le numéro soixante-cinq, dit Wycoff en brandissant le billet qu'il avait tiré à la loterie du destin. Le sénateur y jeta un coup d'œil, hocha la tête et s'écarta. « Ça ne m'étonne pas », dit-il.

La température continuait à monter dans le building gigantesque. Au fur et à mesure que l'ombre s'élevait à l'extérieur, l'incandescence du bâtiment devenait plus frappante.

Il faisait presque nuit noire sur la place. On avait installé des projecteurs. Sous les faisceaux de leurs lumières, hommes affairés et matériel projetaient d'étranges ombres difformes sur la façade et dans la fumée.

Derrière les barrières de police la foule restait muette : plus de pancartes, plus de chants, plus de braillards.

« C'est une scène de l'enfer, Frank, dit l'agent Shannon.

— Oui, répondit solennellement Frank Barnes, mais on ne voit pas les pauvres âmes damnées. »

Très haut au-dessus d'eux, la culotte volante reprit sa descente incurvée en se balançant vers la terrasse du Trade Center, éclairée par les derniers rayons du soleil couchant.

« Tu crois qu'on ne les sauvera pas tous ? » demanda Shannon.

Barnes haussa les épaules et soupira. « Même si on y parvient, ce sera un bien triste souvenir... pour nous tous », dit-il.

« Soixante-seize ! dit le commissaire, d'une voix que la fumée et l'épuisement rendaient rauque. Une quinte de toux l'ébranla, si violente qu'il craignit de vomir.

Le sénateur se détourna des fenêtres de la façade ouest. Il respirait avec peine. Son regard parcourut la vaste salle.

Près de la porte de secours une nappe blanche couvrait la dépouille de Grover Frazee.

Un homme que le sénateur ne connaissait pas s'était effondré dans un fauteuil, la tête rejetée en arrière, la bouche et les yeux ouverts. Il sembla à Jake Peters qu'il ne respirait plus.

Ben Caldwell s'était évanoui au milieu du plancher, le corps incurvé dans la position fœtale ne bougeait plus.

Vautré par terre, le garçon ivre offrait sa bouteille avec un sourire idiot.

« Merci, dit le sénateur, mais je n'en ai pas encore besoin. » Sa voix lui parut étrange et pâteuse. Il fit un effort pour aller jusqu'au bureau.

Le gouverneur était toujours assis dans le fauteuil pivotant devant la table. Il leva la tête, sourit et toussa. « Asseyez-vous, Jake. De quoi allons-nous parler ? »

Oliver et Kronski tirèrent ensemble un rescapé du sac de toile. « Tiens-le, dit le chef qui ajouta à pleine voix : Oxygène ! » Il agita la main vers la tour et le va-et-vient repartit lentement.

« C'est le soixante-dix-septième, reprit le chef en parlant dans le talkie-walkie. Un certain Bucholtz. Il faudra l'hospitaliser. »

Il resta immobile, impassible, large d'épaules, massif, les yeux fixés sur les fenêtres de la Tour, cependant que Kronski larguait lentement le filin du va-et-vient.

Dès le début il avait fait froid sur la terrasse du Trade Center. Quand le soleil disparut, le froid pénétra les hommes jusqu'aux os. Kronski battit la semelle et se frotta les mains. « Ça gèlerait les burnes d'un singe de laiton », dit-il.

Le second maître ne manifesta aucun signe d'inconfort. « Pense aux pauvres gniards qui sont encore là-haut, dit-il. Ils ont de la chaleur à revendre, eux. » Sa voix s'éleva pour la première fois. « Regarde ! Regarde, elle revient vide ! »

Le sac parut jaillir de la fenêtre. Personne ne le retenait. Emporté par son poids, il dévala de plus en plus vite l'immense courbe en se balançant follement.

« Doux Jésus, souffla le chef. C'est fini. » Il tendait le doigt vers la fenêtre.

Le lourd câble de soutien glissa hors de la salle comme un serpent. Ce qui restait du nœud qui avait fondu à la chaleur de la poutre pesait suffisamment pour lui donner l'élan d'un fouet.

« Ecartez-vous ! s'écria Oliver en sautant de côté lorsque le câble cingla furieusement son point d'amarrage sur la terrasse avant de s'immobiliser.

Oliver fouillait du regard les fenêtres de la Salle d'honneur. « Jumelles ! » demanda-t-il en levant la main. Il passa la courroie autour de son cou et observa sans rien dire puis laissa les lunettes d'approche tomber en sautoir sur sa poitrine.

Il éleva lentement le walkie-talkie vers sa bouche. « Terrasse à remorque.

— Ici la remorque », répondit la voix de Nat.

Le chef énonça d'une voix neutre : « Le câble a lâché. Vous trouverez le va-et-vient quelque part à terre. Il est vide. »

Nat souffla : « Oh, mon Dieu !

— Ça n'y change pas grand-chose, reprit Oliver. Je ne

vois plus rien bouger là-haut. Tout est fini, je crois. » Il marqua un temps d'arrêt. « Nous avons fait de notre mieux. Ce n'était pas assez. »

Il était vingt heures et quarante et une minutes. Quatre heures et dix-huit minutes s'étaient écoulées depuis l'explosion.

Götterdämmerung.

EPILOGUE

Ils marchèrent sans rien dire dans la fraîcheur mordante du soir, traversèrent successivement plusieurs carrefours, sans but, absorbés dans leur méditation.

Ils s'arrêtèrent en même temps et se retournèrent pour regarder derrière eux.

Le faîte de la haute tour restait éclairé par les lueurs du crépuscule. Au-dessous, la structure luisait dans l'ombre qui épaisissait. Comme une braise quand les flammes se sont éteintes, elle ne frémissait plus.

« Le chef l'a dit, murmura Nat. Nous avons fait de notre mieux et ce n'était pas assez. Peut-être aurions-nous pu faire mieux quand même. » Sa voix était sourde, farouche. « Peut-être...

— C'est fini, n'en parlez plus et allez de l'avant.

— Aller où ?

— En avant, dit doucement Patty. En avant, pas en arrière. Il ne faut pas reculer... Tout ça, c'est derrière nous. Tout. »

Ils se remirent à marcher. Ensemble.